JN033342

# ネット世論操作とデジタル影響工作

## 「見えざる手」を可視化する


一田和樹
作家、明治大学サイバーセキュリティ研究所客員研究員

齋藤孝道
明治大学理工学部教授、明治大学サイバーセキュリティ研究所所長

藤村厚夫
スマートニュース株式会社メディア研究所フェロー

藤代裕之
ジャーナリスト、法政大学社会学部教授

笹原和俊
東京工業大学環境・社会理工学院准教授

佐々木孝博
元在ロシア日本国大使館防衛駐在官

川口貴久
東京海上ディーアール株式会社主席研究員

岩井博樹
株式会社サイント、情報セキュリティ大学院大学客員研究員



原書房

# ネット世論操作とデジタル影響工作

## 「見えざる手」を可視化する

# 目次

# はじめに

偽情報（disinformation）、デジタル影響工作、ネット世論操作……さまざまな呼び方があるが、我々の社会に大きな影響を与えている。世界の主要な選挙ではこれらが行われており、選挙結果に影響が及んでいる可能性が高い。その舞台のひとつであるフェイスブック自身が２０１０年に実際の選挙において実験を行い、効果があったことを論文として「ネイチャー」誌に発表したのは大きな反響を呼んだ[1]（主として批判だったが）。

一部の影響工作は表に出ないため、その威力がわかるのは事件が起きてからになる。ロシアはコロナ禍でQアノンなどの陰謀論者、白人至上主義、極右などのカルトグループからの支持を集めていたため、２０２２年のウクライナ侵攻開始とともにこれらのグループは親ロシア反ウクライナのメッセージを発信しはじめた。また、マイクロソフト社のレポートによれば、ロシアのメッセージはアメリカ、オーストラリア、ニュージーランド、カナダで広まっており、「ウォールストリート・ジャーナル」のニュースなみに広がっていたという[2]。マイクロソフト社に買収されたデジタル影響工作の専門企業ＭＩＢＵＲＯのレポートではスペイン語圏とアラビア語圏で優勢である他、トルコ、ベトナムでも影響力を保っているとされている[3]。

ロシアを支持するQアノンなどのグループは２０２１年１月６日にアメリカ連邦議会議事堂を

襲撃し、100人以上の逮捕者と死亡者まで出す事件も起こしており、その1年後に共和党が党の大会でカルトグループの行動は合法的であると圧倒的多数で議決するというおまけまでついた。さらに2022年12月7日のドイツのクーデター未遂事件、2023年1月8日のブラジルでの暴動（大統領府、国会議事堂、連邦最高裁判所を襲撃）のどちらにもQアノン信者が関わっていた[4]。

また、デジタル影響工作がおこなわれたことが周知されることによって、「これもデジタル影響工作かもしれない」と接する情報に疑いを持つようになる効果（パーセプション・ハッキング）があるため、工作そのものが失敗しても大規模なデジタル影響工作がおこなわれていたことを広めるだけで混乱と不信感を広めることができる。どのようなメディアにも偏りはあり、誤報を出した過去もある。そのことを厳しく批判する他誌の記事も存在する。そのため調べれば調べるほど、すべての情報源が信用できなくなってくる。

本書は偽情報、デジタル影響工作、ネット世論操作を中心にメディアや社会の変容についてまとめている。まとめているという表現は適切ではないかもしれない。この領域は常に新しい情報と変化で上書きされているうえ、研究している人間は限られる。そのため主流となる考え方あるいは依って立つ基本も共有されていないような状況だ。図1のようにそれぞれの分野で見えている景色はだいぶ違う。

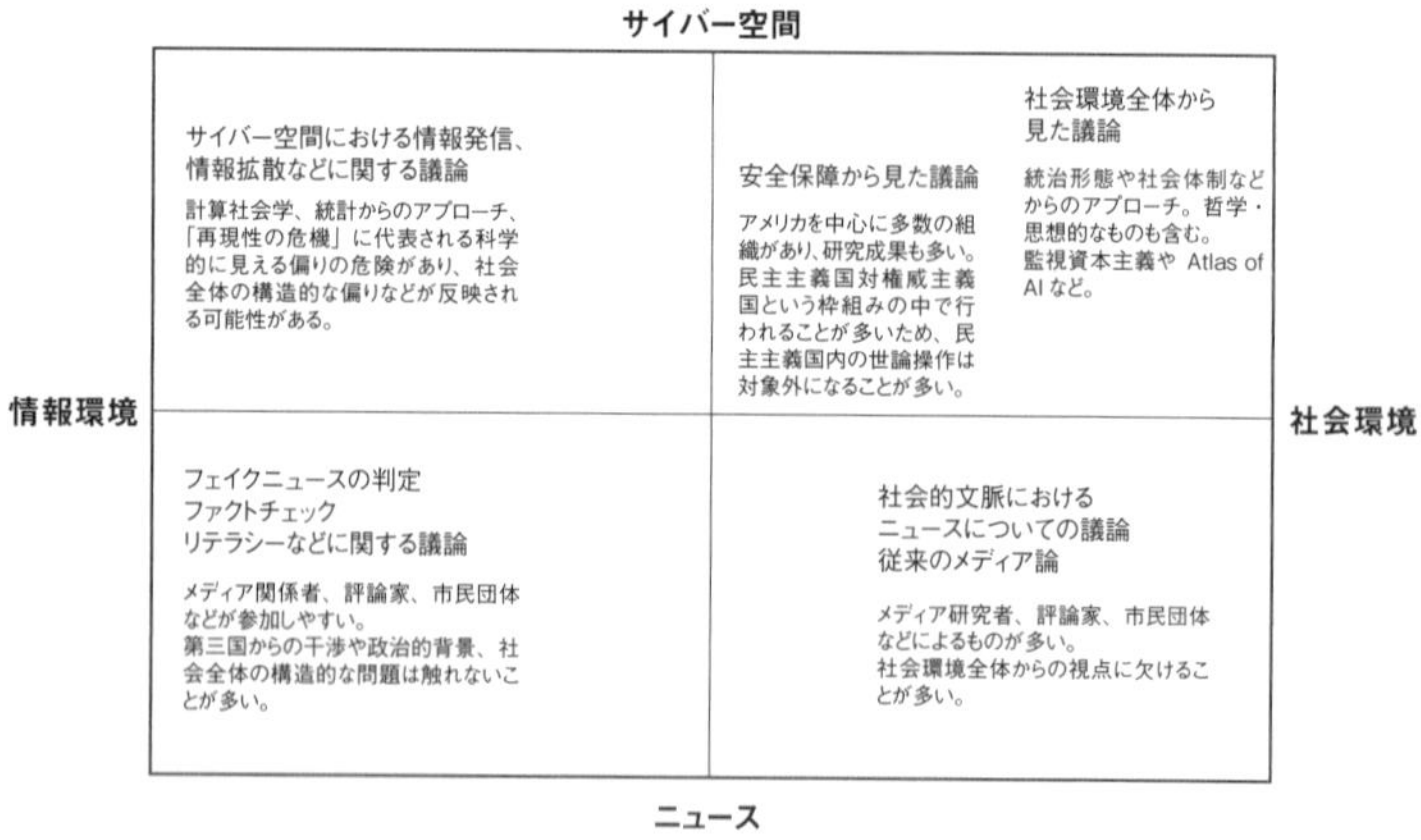
サイバー空間
サイバー空間における情報発信、情報拡散などに関する議論
計算社会学、統計からのアプローチ、「再現性の危機」に代表される科学的に見える偏りの危険があり、社会全体の構造的な偏りなどが反映される可能性がある。
安全保障から見た議論
アメリカを中心に多数の組織があり、研究成果も多い。民主主義国対権威主義国という枠組みの中で行われることが多いため、民主主義国内の世論操作は対象外になることが多い。
社会環境全体から見た議論
統治形態や社会体制などからのアプローチ。哲学・思想的なものも含む。監視資本主義や Atlas of AI など。
情報環境
社会環境
フェイクニュースの判定
ファクトチェック
リテラシーなどに関する議論
メディア関係者、評論家、市民団体などが参加しやすい。第三国からの干渉や政治的背景、社会全体の構造的な問題は触れないことが多い。
社会的文脈における
ニュースについての議論
従来のメディア論
メディア研究者、評論家、市民団体などによるものが多い。社会環境全体からの視点に欠けることが多い。
ニュース

[図1] デジタル影響工作の領域

このテーマにはメディア、安全保障、サイバーセキュリティなどさまざまな分野が関係しているが、異なる分野の専門家が参加した書籍はそれほど多くない[4]。分野ごとのアプローチや視点の違いがひとつの本にまとめることを難しくしているのかもしれない。

各分野の専門家が分担して現在の状況を執筆した本書は、それぞれの視点と解釈で書き下ろされており、全体で共有できているのはテーマくらいである。ゆえに、「まとめた」というよりも、「知見を集めた」と言った方が実態に近い。

この「はじめに」は、これから本書を読もうとする、あるいは内容を確認しようとする読者のためのものであると同時に、本書の各章の執筆をお願いする専門家の方々に方向性や内容を確認してもらうためのものでもある。執筆にあたって共有できるのはテーマくらいと書いたので、それ以上の縛りはない。

本書を手に取ってくださる方の多くは執筆陣のいずれかの名前に惹《ひ》かれたのだろうと思う。私の名前を見て本書に関心を持つ方はあまりいないと思うので、簡単に自己紹介しておきたい。

シンクタンクでＩＴ関連のリサーチに従事した後、サイバーセキュリティ情報サービスなどの企業をいくつか経営し、その後、引退して小説家となった。サイバーミステリを中心に10年間で40冊ほど出版しながらネット世論操作を中心とするコラムや新書の執筆を始めて現在にいたる。[6]本書の執筆者の中ではやや専門から外れた者ともいえる。しかし、なぜか異なる分野の専門家が参加した書籍があまりないので今回の企画を立ち上げた。

執筆いただいた専門家のみなさんは、それぞれの分野で業績を残していらっしゃることはもちろんだが、この領域について私が抱いている違和感や疑問について私とは異なる観点で回答を持っていそうな方々である。

たとえば私にはニュースやジャーナリズムというものへの違和感がある。ニュースやジャーナリズムには透明性がないように見える。取り上げるニュースの基準は厳密な形では開示されていない。統計的に被害者の数や経済的損失が大きかったものとは限らない。読者や視聴者からの問い合わせやクレームを統計として公開していない。第三者機関、警察や記事で取り上げた事件の関係者などから問い合わせ件数や開示情報の数と内容も公開していない（主要なＳＮＳプラットフォームのいくつかは公開している）。取り上げるテーマの基準があいまいである以上、記事と偽情報、デジタル影響工作、ネット世論操作との境界はきわめてあいまいだ。ある情報を意図的に隠したり、ささいな事実をことさら大きく扱うことは情報操作とも言える。透明性の欠如は事業の運営上は都合がよかったかもしれないが、容易にロシアなどの第三者の影響工作に利用されることになった。デジタル影響工作を行う者にとってＳＮＳのトレンドなどから記事のネタを得ている記者を騙して記事に取り上げさせるのは常套手段だ。[7]

　たとえば民主主義というものに違和感がある。正確に言えば、アメリカを中心としたグローバルノースの民主主義だ。豊かになった商人などの市民が自分たちの権利を要求するようになって民主化が進んだ。「金を持った者たちが権利を要求して民主化が進んだ」のなら、金を持った者たちがより多くの金を儲けられるような社会になるので、民主主義は経済的にもプラスの効果をもたらすと言われていることと一致する。逆に貧しくなれば民主主義が容易に崩壊することは、アラブの春やアフリカ、ラテンアメリカでいくつもの事例がある。民主主義はその生い立ちゆえに、経済的に豊かな人々を優先しているのではないだろうか？

民主主義という理念に実装されているシステムは論理的に破綻している。民主主義を標榜するほとんどの国の選挙は投票者の意思を反映する方法としては適切ではなく、行政の権限が肥大している。それにもかかわらず、見直しが行われていないのは瑕疵があった方が恣意的に運用しやすいことが理由だった可能性が高い[8]。スティーブン・レビツキーとダニエル・ジブラットが著した『民主主義の死に方』では、これまでアメリカの民主主義を守ってきたのは、制度化されていない「柔らかいガードレール」だったとしている[9]。言い方を変えると、アメリカの民主主義には成文化も法制化もされていない「見えない壁」が存在していた。明らかに民主主義的理念に反しているガードレールが民主主義を守ってきたことになる。グローバルノースの民主主義は、非合理的で恣意的に運用されている懸念がある。そこが権威主義国からのデジタル影響工作につけ込まれる隙になっていないだろうか？

たとえば多くの人がエビデンスと考える統計や実験、ビッグデータは必ずしも客観性を担保しない懸念がある。なぜなら研究にあたって必要なデータや資金あるいは人材などには提供元が存在し、そこに偏りや問題があれば、研究成果に影響を与える。いわば研究サプライチェーンの問題が存在する[10]。それは２００５年から叫ばれている再現性の危機（多くの論文を追試したところ同じ結果が得られなかった問題）の原因のひとつでもある[12]。偏った研究サプライチェーンから生まれた成果は偏り、当然再現性の問題も起きる。偏った科学は陰謀論となにが違うのだろう？

SNS利用者の行動はアルゴリズムなどの影響を受ける。特定の投稿が誰にどのよう表示されるかはSNSプラットフォームのシステムが決定している。これらはプラットフォームの都合で変更される。またフェイスブックが特定の利用者に便宜を図っていたこともわかっている。こうした全て影響を考慮してデータを分析することがほぼ不可能である以上、SNSデータを用いた定量的な分析は補正できない外部要因の非連続的な影響を受けていることになる。得られた結果を信頼できる根拠はどこにあるのだろうか[12]?

たとえばグローバルノースの常識や論理の正当性に疑問がある。アメリカ、日本、そして世界に陰謀論者、宗教右派、人種差別者、極右などが台頭し、政治にも影響している。多くの識者やメディアは彼らを糾弾し、我々はなんとなく彼らよりも彼らを糾弾する我々の方が常識を持ち論理的に考えていると思い込んでいるが、ほんとうにそうなのだろうか? すでに国の数でも人口でも民主主義は少数派となっており、アメリカでも日本でもこうしたカルトの支持を受けた人物が国家元首になっていたことを考えると、もはや彼らが多数派、主流なのかもしれない。グローバルノースの価値観、世界観は時代遅れの少数派になっているのではないだろうか?

2022年3月初旬、P・W・シンガーなどの識者やメディアは情報戦でのロシアの敗北を宣言し、日本のメディアもそれに追随した[13]。しかし、実際にはロシアは我々に見えない領域(陰謀論者などのカルトやグローバルサウスなど）で影響力を行使していたことが、その後のマイクロソフト社のレポートやブルッキングス研究所の報告や「アトランティック」誌の記事などで明らかとなった。[14] ロシアが優勢というつもりはないが、負けたと断言するには早いということだ。

また、2021年1月6日のアメリカ連邦議事堂への暴徒の襲撃や日本の首相の暗殺などカルトが社会に広がっていることを象徴する事件が起こった。世界各地の武装衝突の情報を収集、分析しているACLED（The Armed Conflict Location & Event Data Project）は議事堂襲撃事件の前に警告を発しており、アメリカ中間選挙の前には武装したカルトの活動に警告を発している。さらにアメリカの内戦を予言した『How Civil Wars Start : And How to Stop Them』[15]がベストセラーになった。同書ではかつての南北戦争のような内戦ではなく、暴動などが頻発するようになり、政治的判断が影響を受けたり、そうした過激派が政治の舞台に登場するようになる状態を指して内戦と呼んでいる。アメリカではすでに陰謀論者や反ワクチン論者が政治家になり、武装した過激派が騒動を起こしている。内戦はきわめて身近な危機だ。

そして議事堂襲撃事件に関係したカルト集団の多くは親プーチンなのである。彼らはプーチンに操られているわけではないだろうが、アメリカを中心としたグローバルノース主流派への不信感と反発が世界に広がる手助けをロシアがしているのは確実だ。

世界は我々の見えないところで大きく変わっている。デジタル影響工作は氷山の一角にすぎないが、そこから世界を見ると、ひずみがよくわかる。おそらく本書を手に取る方の多くはグローバルノース型民主主義を信奉する人だと思う。あえてお伝えしたい。あなたが見ている世界は、グローバルノース型民主主義という少数派を通して見た、狭く偏った世界なのだ。その外側の世界は多様でグロテスクだ。

第1章
# デジタル影響工作とはなにか
一田和樹

**一田和樹（いちだ・かずき）**

コンサルタント会社社長、プロバイダ常務取締役などを歴任、日本初のサイバーセキュリティ情報サービスを開始。一連のITビジネス退任後、カナダの永住権を取得してバンクーバーに移住。2011年『檻の中の少女』を刊行し、サイバーミステリを中心に文筆業を営む。『原発サイバートラップ』、『天才ハッカー安部響子と5分間の相棒』など40冊以上を発表。『フェイクニュース　戦略的戦争兵器』の刊行をきっかけに影響工作の調査や研究を請け負うようになり、現在にいたる。明治大学サイバーセキュリティ研究所客員研究員。ニューズウィーク日本版、ScanNetSecurityなどに不定期に寄稿。近著『ウクライナ侵攻と情報戦』。ツイッター：@K_Ichida、note：https://note.com/ichi_twnovel

## 1　身近になったデジタル影響工作

近年、フェイクニュース、偽情報（disinformation）、認知戦、ハイブリッド戦、デジタル影響工作、ネット世論操作などＳＮＳなどを通じて、人間の言動に影響を与える活動に注目が集まっている。注目されるきっかけは２０１６年のアメリカ大統領選へのロシアの介入だった。この事件は世界に衝撃を与えた。その後もロシアなどの国は継続的に同種の活動を行って他国に干渉しようとしてきた。過去に発表された複数の資料を見ると、この領域ではロシアがもっとも活発に活動を続けており、中国やイランなどがそれに続いている。

こうした活動は２０１６年以前から行われており、ＥＵは２０１５年に対抗するための組織「East StratCom Team」を発足させ、２０１７年にはＮＡＴＯとともに欧州ハイブリッド脅威対策センター（The European Centre of Excellence for Countering Hybrid Threats）を設置した。

コロナ禍ではウイルスやワクチンに関する偽情報をロシアや中国が広めた。ウクライナ侵攻でもロシアは自国にとって都合のよい言説を拡散した。

世界の主要な国でなんらかのデジタル影響工作が行われている。日本の同盟国であるアメリカも行っている。アメリカでは2019年に軍がデジタル影響工作を実施することを認める1631条が制定された後、軍は中央アジア、イラン、アフガニスタン、中東をターゲットにしたデジタル影響工作を5年間にわたって行った。[1] ただし、この作戦は失敗に終わっている。

世界各国の政府はもとよりサイバーセキュリティ関連団体や企業の多くは、デジタル影響工作をサイバー空間の脅威として情報収集、解析を行うようになっている。

日本は例外的に研究機関やメディアでの研究が少なく、ウクライナ侵攻や中国の新疆ウイグルなどに関する日本語でのデジタル影響工作など限られた範囲の活動がわかっているにすぎない。[2] しかし、他の多くの国で起きていることなのだから、日本でももっとさまざまな工作がおこなわれていると考える方が自然だろう。デジタル影響工作は、見えないだけで身近な問題なのだ。

日本政府は危機感を持っており、2022年12月16日に公開した、国家安全保障戦略、国家防衛戦略、防衛力整備計画（いわゆる防衛3文書）には、認知戦について明記されていた。[3] また、これに先だって共同通信は防衛省がSNSによる世論工作研究に着手したことを報じた。[4] 今後、この分野を日本政府が研究および実践していくことが決まったと言える。とはいえ、まだ調査の段階にとどまっており、人材も組織も今後の課題となっている。「想像力の限界が将来の戦略を制限する」事態が危惧される。[5]

## 2　定義と範囲

デジタル影響工作はＳＮＳの普及など社会の変化にともなって注目されるようになった攻撃手法のひとつであり、その変化は現在も進行中である。デジタル影響工作の内容も変化を続けており、その定義や対象とする範囲も変化している。

物事を論じる際に言葉の定義は重要だが、こだわると紙数と時間の浪費になりかねないので、ここでは次のようにおおまかに定義するに留めたい。なお、この定義は私の担当部分である本章かぎりのことで、他の章ではまた別の定義が示されるかもしれない。

デジタル影響工作とは相対的に相手の優位に立ち続けるためのサイバー空間での情報活動を指す。相対的な優位には、自陣営が優越することと、相手を劣位に追い込むことのふたつがあり、前者は自陣営を肯定的に認識させるための活動であり、後者は相手の内部を分断させ、不安定にさせるための活動となる。一般的に前者よりも後者の方が短い期間で大きな効果を上げやすい。

デジタル影響工作は国家間の争いにおいて用いられることを指すことが多いが、国内に対しても同様の手法が用いられている。政府や政権党が国民に対して行うものや、選挙の際に各陣営が行うものなどさまざまなものがある。そして、過去の事例を見る限り、国内に対するものの方が国の数では多く、歴史も古い[5]。件数では国外に対するものの方が多いが、これは実施数トップのロシアが多数の国に対して行っているためである。

世界の主要な選挙でデジタル影響工作が用いられていると言っても過言ではない。民主主義を毀損しているという意味では多くの国の選挙などでおこなわれている国内向けデジタル影響工作ははずせない。また、国内で用いられたシステムが海外に対して使われていることもある。そこでデジタル影響工作の対象範囲に国内も含めることとした。

デジタル影響工作は偽情報の流布を含むが、それらに限定されない。一部の事実を隠すことや、偏った情報（誤ってはいない）のみを流すこと、誤った価値観の提示、ナラティブの流布、偽アカウントの利用、協調してのキャンペーンなども含まれる。

デジタル影響工作の舞台として利用されてきたフェイスブックは、デジタルフォレンジックリサーチラボやグラフィカ社でこの分野の調査をリードしてきたベン・ニモを迎えて対策チームを強化した。現在フェイスブックではこうしたデジタル影響工作の検知の際に情報の真偽に頼らない方法を採っている。ＣＩＢ（Coordinated Inauthentic Behavior：戦略的目的）のために協調して公開の議論を操作する試みであることが基準だ。[7] 発言内容ではなく、行動に注目しているとはっきり述べている。

デジタル影響工作の明確な定義や範囲を決めない／決められないために曖昧でグレーな領域も存在する。たとえば、香港や新疆ウイグルの問題で、多くの国が中国を非難した。しかし、いずれも数の上では中国を擁護した国の方が多かった。[8] 日本および欧米のメディアの多くはその点にあまり触れていなかった（おそらく意図的に）。同じことをロシアのニュースがやればデジタル影響工作と呼ばれかねないが、日本や欧米での報道はそう呼ばれていない。

また、プリンストン大学の研究機関が過去に報道機関が発信したニュースを分析した結果、取り上げる内容に明らかな偏りがあり、報道機関によって偏りがあることがわかった。[9] たとえば同程度の人的被害が起きても大きく報道されるテーマや地域と、ほとんど報道されないテーマや地域がある。毎日、偏った情報に接していれば認知も当然偏る。これは偽情報以上に深刻な問題であると同研究所は指摘している。

第二次世界大戦後の反乱や内戦は民族や宗教に起因するものが多く、異なる価値観によって世界を認識し、行動している人々が増加していることがわかる。[10] 反乱、内戦の主体は党派主義的になっていることが多く、自分の認識に合うように事実を選び、場合によっては改変、捏造している。[11]

香港や新疆ウイグル地区に関するニュースの偏りやプリンストン大学の研究結果から考えると、報道機関によるニュースの公平性や公正性には疑問があるが、かといって政治的な意図を持った工作とも言いにくい。

こうしたグレーゾーンがあることは自分が属している情報圏によって見ている世界が異なることを意味する。常識や事実が異なる他の世界が存在しているのだ。デジタル影響工作は認知戦と呼ばれる人間の認知を変容させる戦いの一部になっているが、現状では人間の認知は属している世界によって異なっているため、なにが正しい／事実であるかは世界によって異なっている。

全世界に共通する事実はない（自分の世界のエビデンスを突きつけても理解しない他の世界がある）ことが、デジタル影響工作をより効果的にし、対策を難しくしている。

## 3　デジタル影響工作の基本的な特徴

デジタル影響工作は左記のような特徴を持っている（図1）。

◉デジタル影響工作は国内外に対して用いられるが、国内に用いられる場合には統合的な社会管理システムの一部として機能する[12]こともある。

国内向けが多い理由はいくつかある。まず、為政者や政権与党あるいは政治家が国内を効率的に統治したり、選挙を有利に進めるために活用されることが多い。海外に仕掛けるよりも国内に仕掛ける方が差し迫った必要に迫られることが多い。

また、自国が第三国あるいは国内の反対陣営からのデジタル影響工作を受ける可能性が常にあるため、それに対抗するには国内向けのデジタル影響工作をおこない、さらに国内を監視、統制しておく必要があるためだ。

国内向けのデジタル影響工作は、国家の戦略に沿って国内監視、国民評価システムと連動させることによって統合的、効果的な運用が可能となる。国民行動を監視し、必要に応じたデジタル

| | |
|---|---|
| 国内向けが多く、社会管理システムの一部として機能 | デジタル影響工作は国内外に対して用いられるが、国内に用いられることが圧倒的に多く、統合的な社会管理システムの一部として機能する。 |
| 他国に統合社会管理システムを導入させることで、甚大な影響力を持つことができる | 国内向け統合社会管理システムを国内同様に監視、管理、影響を与えることができる。 |
| 統合社会管理システムを SNS やゲームなどアイデンティティや資産をその空間に依存している個人の集合体に適用して行動を誘導できる | Q アノンなどの陰謀論者や極右、白人至上主義者あるいは動画投稿者やゲーマーの一部などにもこの統合社会管理システムは適用し、行動を誘導することができる。<br>中国はアメリカと並ぶ SNS プラットフォーム企業を有し、世界的なゲーム会社に出資し、巨大動画サイト TikTok を持っている。 |
| 複数のメディアや SNS あるいは他のサービスなどと連携し、プロキシなども利用している | 相手国（あるいは国内）の個人は横断的に展開されるコンテンツを見ることで影響を受けやすくなる。一見中立的に見える NPO やシンクタンクやニュースなどもプロキシとして利用される。<br>複数のメディアを使うことでどれかひとつを停止されたとしても、他を継続できるという利点もある。 |
| ナノインフルエンサーとジオ・プロパガンダの影響が増加している | 小規模（5,000 以下）だが、フォロワーとの結びつきが強いネットワークを持つナノインフルエンサーが増加し、その影響力が増加している。<br>特定の地域でプロパガンダを展開するジオ・プロパガンダも増加し、こちらも結びつきが強いことで影響力を持っている。 |
| ネガティブ情報による分断と不安定が効果的である | 相手を劣位にするためのネガティブな情報の流布の方が効果がある。特に社会的分断や不安定がある場合には効果が大きい。 |
| 肯定的情報のみは効果小 | 自陣営を優位にするための情報発信だけでは効果があがりにくい。 |
| わかりやすい対立構造を持った物語が効果的である | 正義と悪、真実と虚偽、敵と味方といったわかりやすい対立構造を持った物語（ナラティブ）として表現された方が効果的。 |
| 対象範囲によって方法論が異なる | デジタル影響工作は国際世論を動かす場合と、特定の国、地域、コミュニティを対象とする場合では異なる。 |
| ビッグテックはデジタル影響工作産業最大のアクターとなっている | グーグルなどのビッグテックはデジタル影響工作のプラットフォームと、社会監視システムを提供するデジタル影響工作産業最大のアクターで、地政学上のアクターでもある。<br>対立する双方にサービスを提供し、結果として対立を激化させている。 |
| 日本の課題は 2 つに分けられる | 日本の国際的立場の向上には国際世論が重要だが、安全保障上はそれ以外が重要である。 |

[図1] 自陣営を優位あるいは相手を劣位にするためのデジタル影響工作の特徴

影響工作を実施し、その成果を確認する。国民評価システムで国民の言動を評価し、デジタル影響工作に協力した場合にプラスの評点を与える、といったことが行われる。中国やロシアはそのためのシステムを開発しており、ファーウェイやＺＴＥ（中興通訊）などの中国企業やロシア企業が海外に対して販売、運用を行っている[13]。

国内向けのデジタル影響工作は社会の基盤となるシステムに組み入れることでより強力、堅牢となり、継続的、安定的、効果的な運用が可能となる。中国をはじめとする権威主義国はこの基盤システムを構築、運用しようとしているのである（一部はすでに運用している）。

◉デジタル影響工作を含む統合社会管理システムを他国に導入させ、そのシステムから情報を吸い上げ、自国からの監視やコントロールに使うようになれば海外に対しても国内同様の統合的な管理を行うことができるようになり、甚大な影響を持つことができる。

◉プラットフォームそのもののコミュニティ誘導機能が利用される。大規模ＳＮＳやゲームなどの一部のプラットフォームは統合社会管理システムと同等の機能を持っている。これらのサービスは任意のネットサービスであるが、一部の利用者にとっては収入あるいは自己実現や承認欲求の基盤となっており、その依存度は高い。サービス主体はさまざまな個人情報を保有しリアルタイムのアカウント活動の監視を行っている。利用者に賞罰（アカウントや記事の削除、制限、収

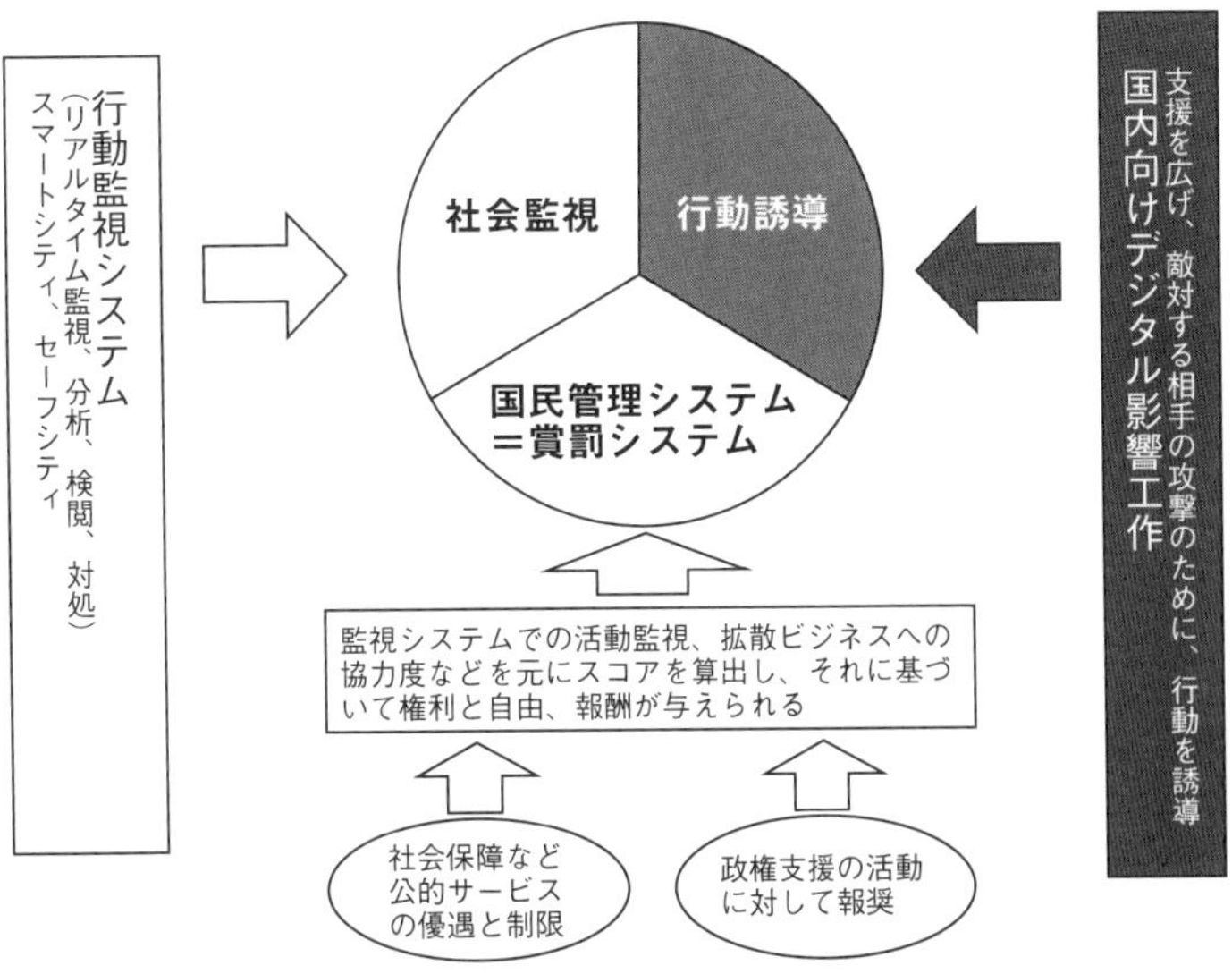


[図2] 統合社会管理システムとしての国内向けデジタル影響工作

入の元である広告配信の中止やクラウドファンディングの禁止など）を与えることができる。統合管理システムと同じく利用者の行動を誘導している。同時にサービスシステムのアルゴリズムや運用方針は利用者（ナノインフルエンサー含む）の行動によって変化するため、サービスシステムと利用者は相互に影響を与え合っている。Qアノンなどの陰謀論者や極右、白人至上主義者あるいは動画投稿者やゲーマーの一部コミュニティはこうした相互作用で影響力が増幅されている。

アメリカのプラットフォームなどは意図的に利用者を扇動しようとしてないだろうが、中国などの権威主義国のプラットフォームは意図的に利用者を扇動したい政府の意図を反映して行動を誘導することが可能となる。中露がコロナ禍でQアノンなどのコミュニティをアメリカのSNS内で扇動した活動は相互作用による影響力の増幅を加速させた。すでに中国はアメリカと世界のSNS利用者を二分するSNSプラットフォームを有し、世界的なゲーム会社に出資し、TikTokを有している。これらのプラットフォーム内のコミュニティを統合社会管理システムで扇動して他国の利用者を扇動する下地ができている。扇動にあたっては露骨なプロパガンダを行う必要はない。元となる衝動はコミュニティに参加している人々が持っている。アメリカ連邦議会議事堂襲撃事件、ドイツのクーデター未遂事件、ブラジルの暴動あるいは反ワクチン活動の時のように元からある衝動を集めて育てるだけでいい。

◉複数のメディアやSNSあるいは他のサービスなどと連携することが多い。相手国（あるいは国内）の個人は横断的に展開されるコンテンツを見ることで影響を受けやすくなる。さらにこれらが相互に参照し合うことで信憑性を高めるのはメディア・ミラージュと呼ばれる手法である。利用されるのはSNSプラットフォームや仕掛ける側の政府系メディア（ロシアのRTやスプートニクが有名）はもとより、一見中立的に見えるNPOやシンクタンクやニュースメディアなども利用される。これらはプロキシと呼ばれ、実際には仕掛ける側の政府が直接、間接的に関与している。

また、複数のメディアを使うことでどれかひとつを停止されたとしても、他を継続できるという利点もある。

◉ナノインフルエンサーとジオ・プロパガンダの影響が増加している。近年ナノインフルエンサー（nanoinfluencers）が増加している。ナノインフルエンサーは、一般に５０００人以下のフォロワーを持ち、政治キャンペーンやその他のグループによって、選挙期間中に特定の種類のコンテンツを広めるよう勧誘され、報酬を支払われていることも多い。目的は自己の主張を広げることと、経済的なもので、両者が絡み合っていることがほとんどである。多くは他にふつうの職を持つ一般人であり、フォロワーとより親密でローカルなつながりをもっており、そのためメッセージもより強く伝わる。こうした現象は、ＷｈａｔｓＡｐｐなどのメッセンジャーを利用したコンピューテーショナル・プロパガンダでも見られる。また、基本的にホームグロウン（現地の人間）であるため検知されにくいという利点もある（基準の設定が難しそう）。

ナノインフルエンサーの運用においては他の要素と組み合わせられることが多い。たとえばインドのＩＴセルネットワークは、個人の政治ボットインフルエンサーと国家ベースのコンピューテーショナル・プロパガンダ、国家リソース、戦略が組み合わさった特徴を持っている。

また、ジオ・プロパガンダ（geo-propaganda）と呼ばれる手法も近年増加している。ジオ・プロパガンダとは、デジタルで収集した位置情報を政治的操作に利用することである。選挙やデモ、暴動などでは利用者がどこにいるかが重要な意味を持つことがある。前回のアメリカ大統領選では二大政党の候補者どちらのアプリにもこの機能があった。投票や選挙演説の会場、デモや暴動の場所に近ければ参加を呼びかけて参加させられる。また、地域のつながりはより強い結びつきとなる。2021年1月6日に起きたアメリカ連邦議会議事堂襲撃事件では、参加者のメンバーが特定地域に偏っていたこともわかっている。

ナノインフルエンサーとジオ・プロパガンダを結びつけた小規模なグループの強い結びつきを生かしたデジタル影響工作が増える可能性がある。

2021年1月6日のアメリカ連邦議事堂襲撃事件には当時の利用者が1300万人という小規模SNSのParler（パーラー）が大きな役割を果たした。実はParlerの中で発信された情報がフェイスブックやツイッターなど大手SNSプラットフォームに拡散する流れができていた。ナノインフルエンサーたちもかつてParlerが果たしたのと同じ役割を果たすことができる可能性がある。[15]

◉デジタル影響工作においては相手を劣位にするためのネガティブな情報の流布の方が効果がある。特に社会的分断や不安定がある場合には効果が大きい。各種調査や研究で明らかになっている。[16]

◉自陣営を優位にするための情報発信だけでは効果があがりにくい。これは前の特徴の裏返しとも言える。

| | | 影響力主体 | |
|---|---|---|---|
| | | メディア | 個人・組織 |
| 拡散対象 | 特定地域・コミュニティ | ・ローカルメディア<br>・SNS<br>・口コミ | ・地方の政党、政治家<br>・企業家、富裕層<br>・著名人<br>・ネット上のコミュニティ |
| | 特定国 | ・国内大手メディア<br>・地方紙<br>・口コミ<br>・SNS | ・国内政党、政治家<br>・国内企業家、富裕層<br>・国内組織、団体<br>・国内著名人 |
| | 複数国 | ・国際大手メディア<br>・国連など著名国際機関<br>・ノーベル賞など国際的な賞 | ・欧米政党、政治家<br>・国際企業の経営者<br>・国際的組織、団体<br>・国際的著名人 |

グレーの部分。第三国からの干渉が容易。ロシアなどが狙うことが多い。

白色部分。欧米、主としてアメリカが影響力主体を寡占し、アジェンダ・セッティングしている。大手メディアは欧米が関心をテーマを欧米の視点で取り上げる。
国際的に認知度の高い賞やイベントは欧米のものが多い。ただし、国際的組織、団体には第三国からの干渉が可能。

［図3］デジタル影響工作対象と主体

◉正義と悪、真実と虚偽、敵と味方といったわかりやすい対立構造を持った物語（ナラティブ）として表現された方が効果的である[10]。

◉デジタル影響工作は国際世論を動かす場合と、それ以外では異なる。国際世論は欧米、特にアメリカの大手国際メディアや政治家、著名人などによって形成（アジェンダ・セッティング）されるため、アメリカ以外の国がアメリカの協力なしに国際世論を動かすのは難しい。

　特定の地域、コミュニティを対象とした場合は、国際世論とは異なり、そこで影響力のあるメディアや著名人の影響力が大きい。これらは国、地域、コミュニティごとに異なるので、ここを狙ってロシアなどがデジタル影響工作を仕掛ける。

現在、世界各地にグローバルノース主流派の唱える民主主義的価値観に反感を持つグループが存在している。その主張は多様だが、多くは人種、民族などに基づいた価値観を持っており、人種差別、陰謀論、反ワクチン、反中絶などの主張が共通している。その実態は把握しづらく、容易に操作され、方向を変えられ、共闘させられるし、SNSで人気のハッシュタグやテーマに相乗りして影響力を増大し、メンバー増加を進めている。穏健派から過激派まで幅広く存在しており、穏健派の数は多く過激派の数は少ない。しかし、全体が増加しているため、過激派も増加している。これらのグループは必ずしも常に意図した通りに動くわけではないが、ロシアなどがデジタル影響工作を行う際の有効なツールとなっている。

◉民主主義国に対する非対称の罠により権威主義国は有利である。民主主義国の企業が提供するサービスなど（代表的なのはSNS）は権威主義国からも利用することができ、悪用することでデジタル影響工作を行うことができる。一方、権威主義国のSNSを民主主義国は利用できない（非対称である）。民主主義的価値観に反することと、多くの権威主義国では検閲などを行っていて第三国からの利用が困難なためである。

| 関与度合い | | 主たる国家 | 非国家アクターの例 |
| --- | --- | --- | --- |
| 5 | 国家から命令と予算を与えられており、事実上国家組織の一部 | グローバルノース主流派 | いわゆるプロキシで名前を隠しているが、国家組織が運用しているもの |
| 4 | 独自に資金を調達し活動するが、国家の指示に従う | グローバルノース主流派 | ロシアや中国の PMC（民間軍事会社）など |
| 3 | 独自に資金を調達し活動するが、強い要請があれば国家に従う | グローバルノース主流派 | ロシアのオリガルヒ、中国企業、ロシアのサイバー犯罪集団の多く |
| 2 | 独自に資金調達し活動するため、法律や世論によってのみ活動の制限や指示が可能 | 反主流派 | ビッグテックをはじめとするアメリカ企業、政党、NPO、市民グループ、メディアなど |
| 1 | 独自に資金調達し活動し、法律や世論の効果も限定的 | 反主流派 | テロリスト、過激派など。白人至上主義グループなどもここ |

□ 国家が非国家アクターを管理下においている

■ 非国家アクターが独自に活動し、国家の統治下にない。ほとんどグローバルノース主流派国。

[図4] 非国家アクターと国家の関与

◉グローバルノース主流派はビッグテックなどの民間企業をはじめとする多くの非国家アクターを統治できていない。そのため一部の国家関与の薄い非国家アクターは、国家安全保障に反する活動を行うことも厭わない。これに対して反主流派の国家は非国家アクターを積極的に活用、管理しており、ここでもグローバルノース主流派は非対称に不利な立場に立たされている。[17]

グローバルノース主流派の非国家アクターの中でもビッグテックはデジタル影響工作のプラットフォームと社会監視システム（監視資本主義）を提供するデジタル影響工作産業最大のアクターで、地政学上のアクターでもある。

欧米を中心とした民主主義国ではSNSなどのサービスは社会インフラとして機能しており、権威主義国はそれを利用してデジタル影響工作を行うことができる。また、ビッグテックはジャーナリズムやファクトチェックなどの活動に資金提供、支援する一方で、社会監視システムを権威主義国に提供し、陰謀論や差別主義者の活動場所を確保し資金提供も行っている。対立する双方を支援しているため、対立が激化する要因になっている。[18]

◉日本の国際的地位の向上には国際世論が重要だが、脅威としてはそれ以外が深刻である。

日本が欧米主導の国際機関や国際会議などで支持を受け、国際的な立場を向上させるためには国際世論を味方につけることが必要になる。つまりアメリカのメディアや著名人の支持を受ける必要がある。[19]

その一方で、情報安全保障上は、中露を中心とした権威主義国からの干渉に備える必要がある。これは前述のように国際世論とは異なるため、異なる対処が必要となる。

このふたつを同時に行うことが必要となっている。

## 4　デジタル影響工作の背景――アメリカを中心とした世界秩序の崩壊

こうした特徴をご覧いただくと、一般的なデジタル影響工作のイメージとはだいぶ違うことがおわかりいただけるだろう。多くの国はデジタル影響工作だけをやっているわけではなく、なんらかの目的と、それにともなう一連の活動の中にデジタル影響工作がある。全体像を把握することでより効果的な対処が可能になる。全体像が不明だと対症療法的なアプローチとなり、後手に回ることが多くなり、有効な対処ができない。

デジタル影響工作は効果的に実施できれば安価なコストで大きな効果を上げることができる。現在、世界は大きく変化しようとしているが、変化の内容はあまり可視化されていない。その「見えない」変化こそがデジタル影響工作を効果的にしている。

たとえば民主主義の衰退、権威主義国の増加、中国の台頭、再現性の危機、気候変動はある大きな変化の背景になっている。その変化とはアメリカを中心とした世界秩序の崩壊である。

第二次世界大戦後、世界の秩序は、アメリカの軍事力と経済力を中心にグローバルノースによって構築された。しかし、現在は中国などの台頭とアメリカとグローバルノース各国の国力の後退によって、世界秩序は大きく変化しようとしている。

この変化はデジタル影響工作がもたらしたものではないが、SNSの普及による影響力の拡大や、社会変化にともなう分断と不安定化がデジタル影響工作の有効性を高め、注目を集めることとなった。

経済の面でアメリカと中国を比較した表が図5である。ハーバード大学ベルファーセンターが2022年3月23日に公開した「The Great Economic Rivalry : China vs the U.S.」をもとに作成した。[20]現在および近い将来、アメリカは中国にほとんどの経済分野で遅れを取ることになる。しばらく優位を保てるのは基軸通貨としてのドル、ベンチャー投資、世界から優秀な人材が集まりやすいことくらいだ。アメリカの同盟国や友好国が、「アメリカと中国のどちらかを選ばせるようなことはしないでほしい」と考えているという指摘はリアルだ。

もちろん、中国経済が行き詰まったり、体制が崩壊するリスクは存在する。中国の人口が減少したことなどはリスクの顕在化と言えるかもしれない。ただ、忘れてはならないのは、中国が失墜するリスクは過去に何度もあり、崩壊を予測する専門家も多かったが、そのたびに中国は乗り越えてきたことだ。中国が失速してもインドやアフリカ諸国などグローバルノース主流派以外の国が台頭するだろう。

| 比較項目 | アメリカ | 中国 |
|---|---|---|
| 軍事力 | ○ | |
| 経済力 | | ○ |
| 軍事同盟国 | ○ | |
| 経済協力 | | ○ |
| 世界経済推進力 | | ○ |
| 貿易相手国数 | | ○ |
| グローバル企業数 | | ○ |
| 通貨 | ○ | |
| 人材 | ○ | |
| ベンチャー | ○ | |

「The Great Economic Rivalry : China vs the U.S.」
（ハーバード大学ベルファーセンター、2022 年 3 月 23 日）などから作成

［図5］

アメリカを中心とするグローバルノースの衰退は、そのまま民主主義（正確にはアメリカ型民主主義）の衰退にもつながる。アメリカ型の民主主義の衰退は左記のようにとらえられている。

主としてアメリカによって民主主義は理想的な制度と認識されるようになり、アメリカを中心とする各国が２０００年代頭まで振興を続けた結果、世界の主流となった。しかし、そ

の後アメリカは民主主義の振興から手を引き始める。これにSNSの普及や中国の台頭、ポピュリストの台頭などが加わり、世界的に民主主義国の数やスコア（民主主義指標）は減少し、2006年以降民主主義の後退が始まった。資本主義が充分に発達し、金融資本主義へと移行し、民主主義に悪影響を与え始めたことも要因のひとつだ。コロナによってさらに後退は加速している。

後退の原因のひとつがアメリカの外交政策の変化にあったこともあり、アメリカの民主主義の再生と対中国政策を中心とする民主主義再生策が提案されることが多い[21]。

この文章は民主主義の衰退に関するさまざまな論考に共通する要素を要約したものだが、我々が民主主義と呼んでいるものはアメリカの政策によって理想的な統治形態として世界に広がり、政策の変化によって衰退しはじめたことがわかる。

なお、SNSの影響力が大きかったことをあげている論考が多かったことは注目に値する。なぜならそれ以外の主要な要因はアメリカ政府をはじめとする各国政府や政治に関するものだからだ。

これらの変化に加えて、世界を覆う脅威＝気候変動、疫病、食糧・エネルギー・水の不足、移民の増加なども社会の分断や不安定化につながり、デジタル影響工作の効果をさらに押し上げている。世界を覆う脅威はひとつの国家で対応できるものでなく、国家を超えた協力が必要である

<table>
<tr><td>1990年代</td><td>2000年代</td><td colspan="3">2006年〜</td></tr>
<tr><td colspan="2" rowspan="6">世界的に民主主義国が増加<br>・アメリカを中心としてヨーロッパ各国やオーストラリア、日本などが民主主義振興を行った。<br><br>・ソ連が崩壊し、アメリカが唯一の超大国となる。<br><br>・民主主義の維持、発展に必要な国内条件が備わっていない国も民主化された。<br><br>・経済発展とともに資本主義の悪影響が拡大。</td><td rowspan="6">ピーク</td><td rowspan="6">後退の始まり</td><td>第4次産業革命時にSNSの影響拡大<br>ネット世論操作の拡大、監視資本主義の発展、政府監視の強化など。</td></tr>
<tr><td>選挙の信頼の毀損<br>経済社会的変化により民主主義や選挙への疑念、不信感が広がっている。ネット世論操作も一因。</td></tr>
<tr><td>海外からの干渉<br>中国やロシアによるハイブリッド脅威により、民主主義国内部に反民主主義勢力が拡大するなどの影響。</td></tr>
<tr><td>中国の台頭<br>大国となった中国は一帯一路で非民主主義国の多くを自陣営に引き入れ、国際影響力を拡大。<br>国際アライアンスでは特に対中国が重要視されており、非民主主義国も巻き込んでいる。</td></tr>
<tr><td>アメリカの民主主義振興努力の後退<br>2006年までの民主主義の広がりがアメリカと関係国の振興による効果も大きかったため、振興の後退が民主主義の後退の一因となった。</td></tr>
<tr><td>コロナの影響<br>緊急事態であることを理由に権限を集中し、国民の自由と権利を制限。恣意的な逮捕、勾留などがやりやすくなった。しかも期限を設けていないことが多い。</td></tr>
</table>

[図6] 民主主義の危機

が、残念ながらコロナ禍は国家間の協力は実現せず、分断を広げる方向に作用した。

国際的な協調の可能性についてのわかりやすい目安は2大国米中の関係についての論調である。現在、ほとんどが米中対立、経済安全保障、サプライ・チェーン・セキュリティ、デカップリング、新冷戦といったテーマになっている。当たり前だが、これらはウクライナ侵攻で悪化した世界の食糧、エネルギー事情をさらに悪化させる可能性が高い[22]。米中の相互依存性を高め、ライバルパートナーシップを実現する方向性に向かわない限り、世界を覆う脅威は解決せず、デジタル影響工作を効果的にする方向にしか働かない。

## 5　世界の3つのアクターと2つのグループ

アメリカを中心とした世界秩序を守ろうとしているのがグローバルノース主流派（欧米プラス日本、韓国）であり、変化を推進しようとしているのがグローバルサウスとグローバルノースの中にある反主流派コミュニティである。世界のデジタル影響工作は主としてこのふたつのグループ間およびグループ内をコントロールするために用いられている。

どちらのグループも多様であり、ひとくくりにすることには異論もありそうだが、前に述べたアメリカを中心とした世界秩序は終焉を迎えようとしており、それを止める側と新しい世界を求める側の衝突として整理するためにふたつのグループに分けている。

グローバルノース主流派はことあるごとに結束を誇示し、経済制裁など共同での活動を要請する。一方、反主流派は多様であり、結束を誇示したり、共同での活動の要請は少ないが、必要に応じて強調した動きを取る。たとえば、国際電気通信連合（ＩＴＵ）の国際電気通信規則を改訂するための会議ＷＣＩＴ２０１２において、グローバルノース主流派と反主流派が真っ向から対立する形となり、投票で反主流派が多数を占めて勝利したものの、主流派の多くは署名を拒否した。[23]ロシアのウクライナ侵攻開始と同時に、世界各国の反主流派コミュニティが一斉に親ロシア反ウクライナの主張を発信しはじめた。近年、ロシア、中国、イランのデジタル影響工作で協調した動きが見られる。[24]

このふたつのグループの双方に対してネットでプラットフォームを提供し、支援しているのがグーグルやフェイスブックなどのビッグテックである。

ビッグテックのサービスはグローバルノース主流派の社会インフラとして機能するようになっているが、その一方で反主流派がデジタル影響工作を行うためのプラットフォームにもなっている。フェイスブックは一部の利用者（主として反主流派コミュニティ）を優遇してスキャンダル[22]を起こし、グーグルは多額の広告費用を反主流派に支払い続けていた。[25]

陰謀論や白人至上主義、極右などのコミュニティは、発言することで承認欲求を満たすことができ、さらに広告やクラウドファンディングなどで収入も得ることができる。彼らにとって、ビッグテックのＳＮＳプラットフォームは承認欲求と金が同時に手に入る魔法の杖なのだ。

| グループ | 特徴 | 排他的勢力範囲 | 傾向 |
|---|---|---|---|
| **グローバルノース主流派（民主主義派）** | 自らを正当あるいは主流派と認識していることが多い。<br>半強制的に戦争や制裁措置への参加を要請する。<br>ことあるごとに結束をアピールし、さらなる結束を呼びかける。<br>民主主義的価値感を重視し、それを国内外に強制する。<br>アメリカの古い地図の世界。 | ・アメリカ民主党<br>・大手国際メディア<br>・一部の民間企業<br>＊主流派は多くのリソースをオープンにしているため、主流派も利用できる。たとえば反主流派がSNSを利用して主流派を攻撃することができる。（「**非対称性の罠**」） | 民主主義国家は減少しており、その過程で内戦や紛争が起きることが増加している。<br>非主流派の国を強引に仲間とみなすことが増えている。 |
| **反主流派**<br>**グローバルサウス**<br>**ブローバルノースのコミュニティ**<br>＝陰謀論、白人至上主義、反ワクチン、反中絶などのグループ | 主流派への不信感を根強く持つ。<br>民族、宗教などの価値感を重視し、グループごとに多様である。<br>多様な統治形態を容認する多国間主義。<br>結束が強いわけではないが、必要に応じて協力する。 | ・組織内のほぼ全てのリソースが排他的である。部分的には非主流派内で共有されるものはある。 | アノクラシー化が進むことで陣営は増加している。<br>内戦や紛争は非主流派は活動しやすい。 |

[図7] 世界の2つのグループ

また、グーグルは中国に検閲機能つきのサーチエンジンを提供しようとするなど権威主義国にＡＩによる監視システムを提供しようとしていた[18]。その一方でグーグルやフェイスブックはファクトチェック団体やジャーナリストを支援する活動も行っている。

デジタル影響工作が戦争の兵器であるとするなら、これらのビッグテックは戦争当事者双方に兵器を売りさばく「死の商人」と言えるだろう。その影響力は大きく、国際政治学者のイアン・ブレマーは地政学上のアクターと呼び、その影響力に見合う責任を果たそうとしないことが世界にとってリスクとなっていると指摘した[27]。

ビッグテックに限らず、さまざまな非国家アクターの影響力が拡大しており、グローバルノース主流派の結束を乱している。そのひとつである陰謀論などの反主流派のコミュニティは武装化を進めて民兵化し、ロシアの民間軍事会社から軍事教練を受けるようになっている。主流派は民主主義の価値観が足かせとなって、こうした国内外の非国

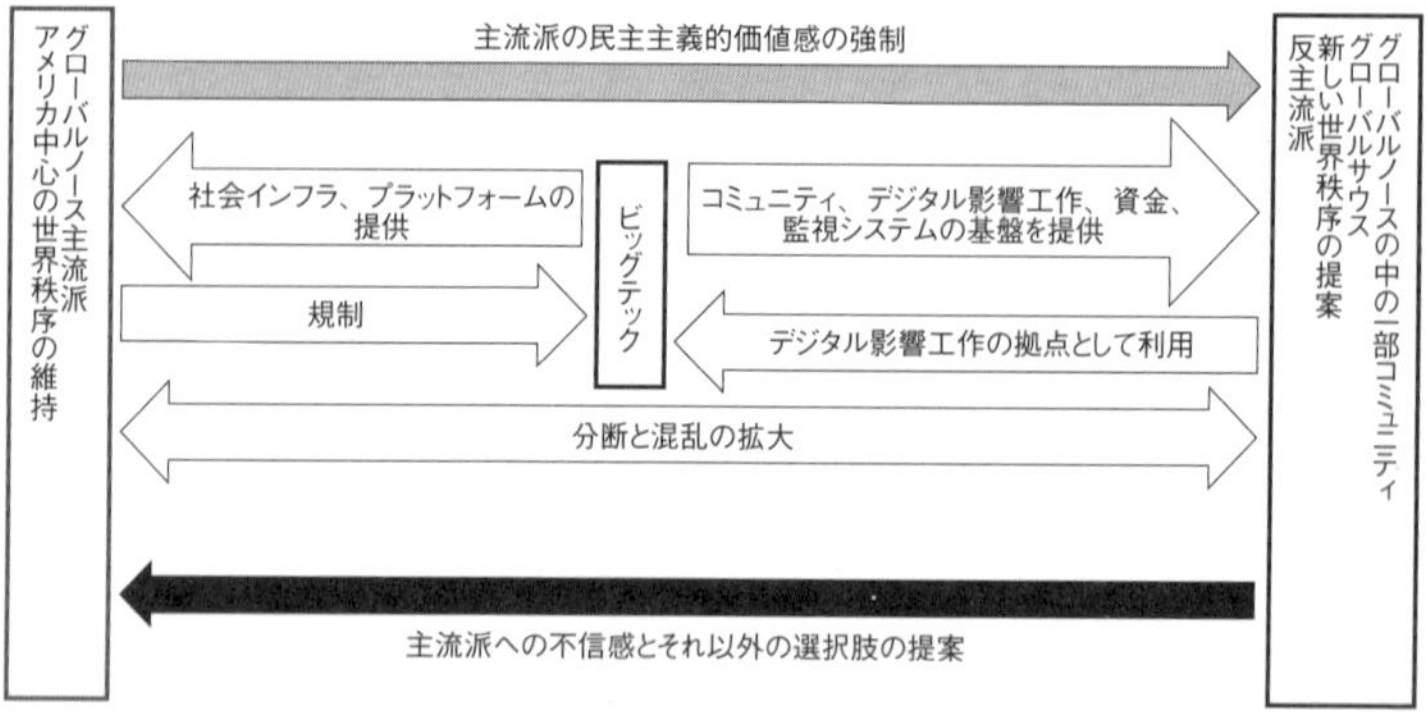


[図8]世界の3つのアクター

家アクターをうまく制御できず、非対称の罠に陥ってしまっている。[17]

イスラエルには複数のデジタル影響工作請負企業があるが世界各地で政府や軍などからデジタル影響工作を請け負って実行している。また、同国のＮＳＯグループ社が開発したサイバー兵器「ペガサス」の提供は外交上のツールして使われている。兵器の供与を外交上のツールに使用するのは以前からあったが、サイバー兵器も外交上のツールとして利用されるようになった。[28]

これらの非国家アクターを管理するための規制や制度が全く追いついておらず、民主主義的な価値観に反する活動や国家安全保障上問題のある行動も行われるようになっている。グーグルが中国に検閲機能つきのサーチエンジンを提供しようとしたのがいい例だ。他にも、アメリカのＰＲ会社マッキャン・エリクソンがロシアのプロパガンダ・メディア「ＲＴ」のアメリカ展開に手を貸したりする事態となっている。

また、データ安全保障の観点からはアメリカから中国へ莫大なデータが流れ続けていることが指摘されている。ビッグテックに対するアメリカの優遇策がデータ安全保障の脆弱性となり、中国に利用されているのだ。そして、国家安全保障よりも自社の利益を優先するアメリカ企業は、結果として中国に協力してデータを渡す形になっている。それらのデータは統合され、軍民で活用され、AI学習用のデータセットになっている。中国はアメリカを始めとする世界各国のデータを収集し、優位に立ちつつある。[29]

## 6　AI支援デジタル影響工作が加速する分断、暴力、アノクラシー化

国内外で多用されるようになったデジタル影響工作は、社会の分断を深めている。社会の分断によってグローバルノースの国内では反主流派が増加し、武装している。世界の民主主義の状況を指数として公開しているV-Dem研究所は2021年から政治的暴力が増加したことを明らかにした。世界の武力衝突の状況をモニターしているACLEDは、最近アメリカの反主流派の武装化が進み、活動が過激になっていることについて何度も警告を発している。2021年1月6日アメリカで起きた連邦議事堂に暴徒が乱入したのは代表的な事件で、ACLEDはその前にも警告を発していた。[30] CIAが作成した内乱、内戦のステージ分類にあてはめると、すでにアメリカは内乱、内戦直前の状態となっている。[10] 内戦といっても南北戦争のような形ではなく、国内

で紛争や暴動が相次ぎ、政府の意志決定がそれによって歪められたり、政権にそれらのメンバーが入り込むことを指す。共和党の4人に1人が陰謀論のQアノン信者という統計もあるので事態は深刻だ。[31]言うまでもなくQアノンは反主流派であり、ウクライナ侵攻の際に親ロシア反ウクライナの主張を発信し、アメリカ連邦議事堂乱入にもメンバーが参加している。

今後、こうした政治的暴力に自律型AI兵器が用いられるようになると、その脅威は現在とは比較にならない。小型ドローンの群れを使って政府機関や特定の個人や集団を襲撃するような攻撃（スワーム攻撃）には通常の警察の装備では歯が立たない。また、軍であっても難しい。中国の龐宏亮《ホウコウリョウ》は『知能化戦争』（前掲）において、AI兵器（龐宏亮の表現では知能化兵器）も非正規戦への革命的な効果はいまのところないとしている。

民生品を改造（交通妨害や政府機関の機能麻痺だけならそのままでもいける？）あるいは3Dプリンタで製造できる可能性も高く、安価である。また、自分自身が銃を手にするよりもはるかに自分は安全かつ匿名性をある程度保てる（その場にいなくていい）。サイバー空間ではボットネットのレンタルや売買が行われているが、スワーム用自律型AI兵器のレンタルや売買が行われるようになっても不思議はない。地理的に複数の国と国境を接しているような国から他国へのレンタルならば匿名を保ち、当局の捜査から逃れやすい。非国家アクターである民間軍事会社が自律型AI兵器の部隊の派遣やスワームのレンタルを始めてもおかしくない。

前述の民主主義の後退によってアノクラシー化が進んでいる。アノクラシーとは民主主義と権威主義の中間に位置する統治形態であり、もっとも不安定で内乱や内戦が起きやすい状態であることがＣＩＡの調査でわかっている。[32]

Ｑアノンのような反主流派の活動や、アノクラシー化そのものへのデジタル影響工作の影響は限られたものかもしれないが、反主流派はデジタル影響工作を積極的に使用するので、社会全体でのデジタル影響工作の頻度は増加している。

今後、こうした混乱に拍車をかけると予想されているのがＡＩだ。デジタル影響工作用の文章や画像、動画を生成し、ＳＮＳに投稿して反応に人間のふりをして応答することができる。動画は実在の人物を再現したもので、ディープフェイクと呼ばれる。オバマ元大統領やプーチンがスピーチしたり、秘密の会合を持っている動画をでっちあげられる。しかも、現在のＡＩは陰謀論や極右などの過激なコミュニティについての知見を持っている。[33]

こうした技術は２０２０年には存在し、実際に使用されていた。そのため同年の大統領選でＡＩ支援デジタル影響工作ツールによるコンテンツがあふれるという予想もあった。[34]

ＡＩによるコンテンツの自動生成には、たまに大きな間違いがあることと、倫理的な問題のある内容を生成することが課題となっているが、デジタル影響工作に利用する限りにおいて、これらは大きな問題にはならない。

幸い、その予想ははずれたが、ＡＩの利用はより安価で手軽なものとなり、国家だけでなく企業や個人でも利用が進む。すでに安価なツールを利用して生成したニュース動画を流布させる工作も行われており、ＡＩ支援のデジタル影響工作は「今、そこにある危機」になっている。[35]２０２３年以降本格的な利用が広がり、インフォカリプスが起こるとも言われている。インフォカリプスは大量の偽情報があふれ、人々が真偽を判断するのを諦める状態を指す。

ただ、ニュース忌避や信頼性の低下（あるいは信頼性より利便性を優先）の傾向はすでにあるので、[36]インフォカリプスは始まっていて、ＡＩがそれを加速するとも言える。いずれにしても情報の利用に当たって真実であることが重要ではない時代になりつつあり、安価で手軽なＡＩ支援デジタル影響工作ツールは、戦術核の威力を持った火炎ビンのようなものとなる。

また、コンテンツ生成に留まらず、暴動を誘発するような一連のデジタル影響工作作戦を計画する、いわば暴動誘発アルゴリズム（「内乱の文法」）も開発される可能性がある。アメリカ連邦議事堂襲撃事件、ドイツのクーデター未遂事件、ブラジルの暴動には共通点が多く、暴動誘発アルゴリズムが開発される可能性は低くない。国民を監視下におき、暴動もしくはその計画を何度も発見、対処したことのある権威主義国は、暴動誘発アルゴリズムの開発にあたって有利だ。アメリカなどの民主主義国の多くは政府あるいは民間団体が暴動があった際にくわしいレポートを公開するが、権威主義国はそうはしないので、この点でも権威主義国の方が優位に立っている。

## 7　来るべき世界と、その課題

ここまで説明してきた内容からわかるように、長らく日本人が享受してきたアメリカ型の民主主義の衰退は避けられないだろう。これは中国の台頭など非民主主義的な勢力のためというより、どちらかというと自ら招いた事態である。なぜなら民主主義を享受してきた多くの人々は、民主主義そのものを支える努力を怠ってきた。

民主主義の理念や基本的な仕組みは18世紀頃に形成されたが、その頃と現在では社会は大きく変化している。基本理念はそのままでいいとしても民主主義の仕組みが全くと言っていいほど改善されていない。投票ひとつとっても現在の投票方法のほとんどよりも投票者の意思を反映しやすい方法が18世紀の段階ですでに提案されていたにもかかわらず、いまだにほぼ同じ方法を用いている[37]。民主主義の基本理念と実装の間に大きな乖離があり、その乖離が脆弱性となって、弱体化してきている。私はこれを民主主義のゼロデイ脆弱性と呼んでいる。

そのため短期的には現在のグローバルノース主流派がアノクラシー化して、より分断化し、不安定化する可能性が高い。その結果、世界各地で暴力化が進むことになり、民族や宗教を核とした反主流派のコミュニティが増加する。しかし、主流派もアノクラシー化することで、陰謀論などのコミュニティを取り込むことが可能になるため、一方的に反主流派の台頭を許すことにはならないだろう。結果的に、世界にはふたつの権威主義グループが生まれ、双方が民主主義国家であることを標榜することになりそうだ(今でもロシアや中国は民主的であると自称している)。デジタル影響工作が社会システムに組み入れられ、呼称も適正行動誘導システム、倫理的指導システム、教育的措置サービスといったものになるのかもしれない。

民主主義の基本理念を守るためには今の社会に合った仕組み＝実装を考え、構築することが必要と考えている。それはまた気候変動や疫病など地球規模での危機に対処するために処方箋でもある。

現在おこなわれているデジタル影響工作への対策（ファクトチェックやリテラシー向上など）[38]はいずれも対症療法に近いものであり、民主主義の新しい実装こそが本質的な解決になるだろう。なぜなら社会を構成する成員相互が互いに信頼し尊重し合うこと、政府と制度を信頼し尊重することこそがもっとも強力なデジタル影響工作への対抗策となるからだ。信頼と尊重を置き去りにして、ただ疑いを持って暴くことは一時的な対処にはなっても事態を改善させない。新しい民主主義について議論が広がることを祈念して本章のむすびとしたい。

第2章

# デジタル影響工作のプレイブック

齋藤孝道

**齋藤孝道（さいとう・たかみち）**

明治大学理工学部情報科学科・教授、博士（工学）。明治大学サイバーセキュリティ研究所・所長。レンジフォース株式会社・代表取締役。専門は、情報セキュリティ技術全般。特に、Web ブラウザフィンガープリント技術、サイバー影響力工作など AI 技術応用。IPA 情報処理安全確保支援士試験委員、NICT 高度通信・放送研究開発委託研究評価委員会専門委員など歴任。著書『マスタリング TCP/IP 情報セキュリティ編・第 2 版』( オーム社)。

## はじめに

冷戦後、世界は、米国の圧倒的な軍事力を前に、通常兵器による武力戦では「米国に対して勝ち目がない」という現実を目の当たりにした。このことは、反米主義国家の対米戦略に大きな影響を与えている。特に、軍事力において不利な国家にとって、武力紛争にエスカレーションすることなく適用できるデジタル影響工作などの情報戦の投射能力を高めることは必然といえる。

デジタル影響工作は、「反撃を招く閾値《いきち》」を超えない抑制的手法であり、また、低コストで高い効果を見込める非対称戦の手法である。デービッド・サンガーは、「いまやいくつもの国が、敵国を破壊することではなく、困らせ、行動を遅らせ、体制を弱体化させ、国民に怒りと混乱をもたらすために、そうした『抑制的』なサイバー攻撃を日々仕掛けている」[1]と指摘している。

本章では、「デジタル影響工作のプレイブック」と題して、その手法と実践にフォーカスして、デジタル影響工作についてまとめる。

## 1 手段としてのデジタル影響工作とは

クラウゼヴィッツの言葉に「戦場の霧」がある。戦争状態にある2国の指導者は、戦況の把握が困難である「霧」の中で、自国の優位性を高め、敵国の思い通りにならないようにするための判断が求められる。デジタル影響工作は、偽情報を流すなどをして相手を攪乱するだけでなく、敵の指導者の意思決定にネガティヴな影響を与えることが目的の一つといえる。さらには、「人工知能を用いて、大統領、国会議員、戦闘指揮官などの最高意思決定者や市民の意志を直接コントロールしよう」[2]という考え方さえ現実のものになりそうである。

体系立てたデジタル影響工作の源流をすこし辿ってみると、古くは、米軍の米陸軍野戦教範の「心理作戦（3-05.30）」（２０００）や「心理作戦の戦術・技法・手順（FM 3-05.301）」（２００３）がある。過去、新聞ラジオ、雑誌やテレビなどの媒体などを通して、敵国の世論に影響を与えることを目的とした。心理作戦（ＰＳＹＯＰＳ）とも呼ばれる。また、１９６０年代の旧ソビエト連邦時代以降に発展した、サイバネティクスと心理学とを融合する反射統制にもその源流を見出せる。[3] ＰＳＹＯＰＳなど過去の手法からデジタル影響工作とのアップデート差分は、バトルフィールド・ドメイン（利用する媒体）と、後述する新興技術を高度に活用している点である。新聞、ラジオ、雑誌、テレビなどの媒体では、コンテンツの作成および配布にコストと時間がかかる。他方、デジタル影響工作は、ＳＮＳなどを活用し比較的低コストで高い効果が期待できる。

２０１０年末ごろに広まった「アラブの春」[i]の顚末などを契機として、米中露をはじめとした国々では、デジタル影響工作に関する投射能力の向上を図っている。

デジタル影響工作は、「なんとなくわかった気になること」も多く、誤解も多い。たとえば、現状のデジタル影響工作は、コンピュータが人間の思考を直接コントロールしているわけではなく、いわゆる洗脳とも違う。詳しくは後述するが、デジタル影響工作は、ＳＮＳなどのメディアにて、データサイエンス、アドテクノロジー[ii]、ＡＩを悪用して、ターゲットの行動変容を促すのである。とくに、デジタル影響工作においては、その波及効果が、線形ではなく非線形に、すなわち、カスケード増幅することも特徴といえよう。つまり、少ない労力で、より大きな効果を生み出しやすい。

過去「フェイクニュース」という言葉が広まったが、「フェイクニュース」という言葉はデジタル影響工作の一つの側面である。そもそも、デジタル影響工作において、提供されるコンテンツが真実か否かは本質ではない[4]。デジタル影響工作では、偽情報だけでなく、隠された真実を暴露するケースもある。また、コンテンツの出来具合もあまり問題にならないことも多い。日本人の繊細な感覚からすると、「こんな稚拙な騙しに引っかかる人はいるのか？」との考えも分からなく

---

i　アラブの春とは、２０１０年末から２０１２年ごろにかけて、中東・北アフリカ地域の各国での反政府運動・民主化運動のこと。ＳＮＳにて情報共有やコンテンツの拡散がされた。

ii　アドテクノロジー（Advertising Technology）は、ネット広告技術のこと。

ないが、ＳＮＳなどを通して、繰り返し共有や表示されると真実とみなす可能性が高まる[5]ことが知られている。オレオレ詐欺や、スパムメールなどの事例をみれば、たとえ稚拙な騙しの手口でも一定数の人間が騙されていることからも明らかであろう。

## 2　デジタル影響工作の目標・戦略・戦術

デジタル影響工作は、サイバー戦や電子戦とともに、より広い意味の「情報作戦（Information Operations : IO）」の一つとしてまとめられる傾向にある。情報作戦という用語は、米国防総省によれば、次のように定義されている。「軍事作戦中に、他の作戦ラインと協調して情報関連能力を統合的に使用し、敵対者および潜在的敵対者の意思決定に影響を与え、混乱させ、腐敗させ、または簒奪《さんだつ》する一方、自国の意思決定を保護すること」（傍点は筆者による）とされている。また、前述の反射統制の場合、定義はいくつかあるが「敵の『意思決定アルゴリズム』を混乱させ、それを統制すること」とされている。これらの定義は、戦時といった「軍事作戦中」の行為を想定するが、デジタル影響工作は、いわば平時・有事を問わず「ターゲットの行動変容を促す一連の行為」といえる。２０１６年の米国大統領選挙へのロシアの介入事件（以降、２０１６年米大統領選挙介入事件と呼ぶ）に関わった元ＣＡ（ケンブリッジアナリティカ）社の社員ブリタニー・カイザーが、「コミュニケーションの究極の目的は、相手の行動を実際に変えること[6]」と述べたが、

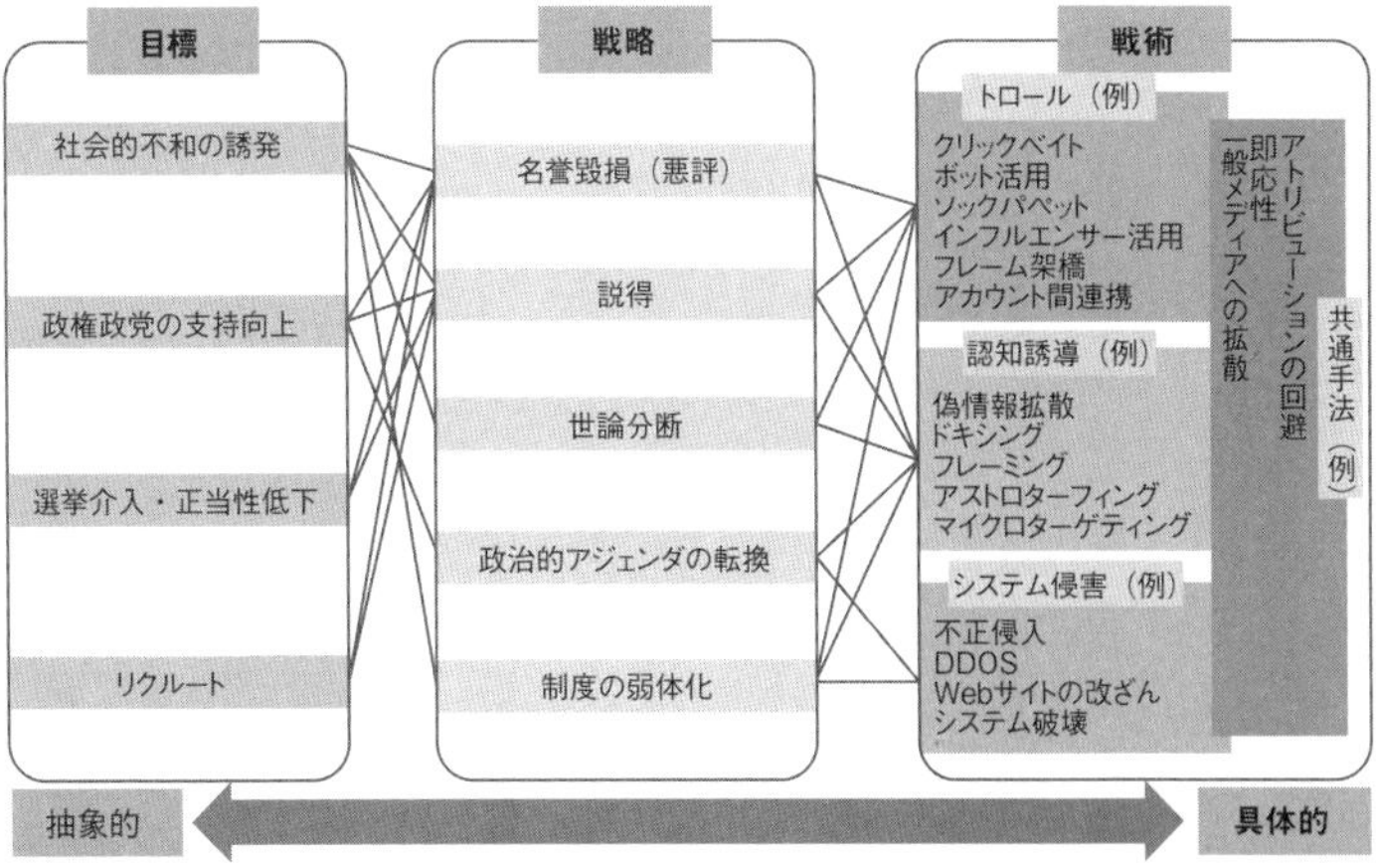


[図1] デジタル影響工作の概念（筆者作）

CA社の活動も、データサイエンス、アドテクノロジー、AIなどの最新テクノロジーを駆使してターゲットの行動変容を積極的に試みたものであった。まさに、デジタル影響工作の代表的な事例である。

さて、本章での試みとして、図1のようにデジタル影響工作を「目標」「戦略」「戦術」の観点で分類してみる。ここで、「目標」とは、デジタル影響工作において最終的に達成したい政治的課題とする。「戦略」とは目標達成のための手段とし、複数のバトルフィールド・ドメインを横断することもあり、戦術的手法をどのように利用するのかの采配も含む作戦行動の計画立案および実施手法とする。「戦術」とは、バトルフィールド・ドメイン内に閉じることを主とする作戦行動の計画立案および実施手法とする。以降、まずは、デジタル影響工作のバトルフィールドドメインについて確認したあと、それぞれについて具体例を説明する。

## 3　バトルフィールド・ドメイン

デジタル影響工作のバトルフィールド・ドメインは、現代社会において認知空間[iii]を形成するSNSである。たとえば、フェイスブック、ツイッター、ユーチューブ、インスタグラムやTikTokがある。また、新浪公司の微博（ウェイボー）や騰訊（テンセント）のWeChatなどの中国のプラットフォームも含まれる。また、ブログサイト、掲示板、ウィキペディアやウェブサイトもデジタル影響工作のバトルフィールド・ドメインである。ブログ記事などは、ツイッターなどのSNSと比較して、より深い議論を、より長い期間でコンテンツとして提供できる。なお、日本では、TikTokに関する問題を「個人データを収集や漏洩」といったプライバシー問題に矮小化する向きもあるが、デジタル影響工作の観点でみると、「行動変容を促すためのツール」とみなせる。

### デジタル影響工作の目標

デジタル影響工作における目標としては、次の①～④が想定される。これらの達成により、

---

iii　認知空間は、感情、知覚、理解、信念、価値が存在する領域であり、推論による意思決定の場とされている。

SNS空間に限らず、外交、政治、文化、社会、法律、軍事、宇宙、行政、インフラ、経済、インテリジェンス、情報、サイバーといったドメインに横断する脅威を招く。なお、これらの脅威は、ハイブリッド脅威[7]と呼ばれる。デジタル影響工作は、ハイブリッド脅威を構成する。[7,8] しかし、議論の簡略化のために、本章では、デジタル影響工作の主なドメインである、情報ドメインとサイバードメインでの議論に絞る。

①　社会的不和の誘発
②　政権政党の支持向上
③　選挙介入・正統性低下
④　リクルート

「社会的不和の誘発」は、ターゲットの国家やグループに対し、混乱と不信感を増幅させ、個人や国家の意思決定へ干渉することを狙う。たとえば、世論の分断化などにより、ターゲットとする指導者の政治的決断を困難にする。リデルハートの「間接的アプローチ」の一つである。間接的アプローチとは、「敵の軍事力の直接的な撃滅を目的とするのではなく、敵のバランスを心理的に崩し、敵を麻痺させることにより間接的に抗戦意志を挫くことを目的とするもの」[9]である。

「政権政党の支持向上」であるが、これは、「国内での活動」と「国外からの活動」に大別される。「国内での活動」の一環としてのメディア戦略は、デジタル影響工作に限らず、正統な政治活動として、以前よりさまざまに行われていた。日本でも、2013年に公職選挙法が改正された際にSNSなどが活用され始め、「自民党は、この時期に、ネット選挙解禁後の選挙の戦い方や戦術について、広告代理店やPR会社等とコミュニケーションを開始している」[10]とある。しかし、専制国家においては、独裁政権が、その体制維持のため、政権に反抗的な勢力を弾圧するための活動といえる。「国外からの活動」は、デジタル影響工作のターゲットを別の国家もしくは海外組織とする活動である。代表的な例は、2016年米大統領選挙介入事件である。この事件は、2つの側面を持つ。一つは、ロシア本土に拠点を置き、そこから国境を跨《また》ぐデジタル影響工作である。[1]もう一つは、米国本土において、正規の選挙支援としてCA社が行った活動である。CA社を含む選挙対策チームがロシアの影響下にあった可能性が指摘されている。なお、CA社はブレグジットでもEU離脱のため業務支援していたとされる。[6]

「リクルート」は、人材の獲得の手法である。中東などにおいては、政治活動家やテロリストがその構成員を勧誘する際に、デジタル影響工作が用いられているとされる。インターネット、ハンドブック、携帯電話、パンフレット、ウェブサイト、カリスマ的な講演者などを取り入れ多元的に行っている。たとえば、ISISは、ユーチューブなどのソーシャルメディア上で動画を配信するなどし、世界中で勧誘しているとされている。[12][13]

### デジタル影響工作の戦略

マーティン・ディエゴら[4]によると、デジタル影響工作における戦略には、次の①〜⑤があるとされている。

① 名誉毀損
② 説得
③ 世論分断
④ 政治的アジェンダの転換
⑤ 制度の弱体化

「名誉毀損」は、文字通りで、ターゲットの信頼を貶める手法である。また、「説得」は、ターゲットの行動変容を試み、狙い通りのアクションを促す手法である。「名誉毀損」と「説得」は、デジタル影響工作の目標①〜④のいずれでも用いられる最も基本的な戦略である。たとえば、2016年米大統領選挙介入事件では、民主党支持者にはヒラリー・クリントンの悪評（「名誉毀損」）で投票を抑制し、普段投票に行かない共和党支持者には投票を促すコンテンツによるターゲット広告を行った（「説得」）とされている。[12]

「世論分断」は、ターゲットの社会・コミュニティにおいて、社会が二分するような争点を投入することにより社会・コミュニティ・組織を分断する。特に、真偽がすぐに判明しないが（ターゲットの社会・コミュニティにおいて）論争になりやすい争点をミーム[iv]として投入し、分裂を図る。たとえば、２０１６年米大統領選挙介入事件では、リベラリストを中心とする民主党支持層と、保守層を中心とする共和党支持層との分断が一層進んだとされる。

「政治的アジェンダの転換」は、専制国家では、独裁政権にとって好ましくないスキャンダルなどが露見したときに、より注目度の高い別の話題を提供することにより、当該スキャンダルを有耶無耶にする手法である。たとえば、当時の露大統領の汚職事件の追及の際、追及側の検事総長の暴露映像（性的なもの）が流出され、検事総長は辞任した。[14] なお、この際、検事総長を排除に加担したのが、現ロシア大統領ウラジーミル・プーチンである。

「制度の弱体化」は、ターゲットの名誉を毀損する「名誉毀損」とも近いが、これは、「信頼」を基盤として成立している社会システムの「信頼」を毀損させる手法である。たとえば、２０１６年米大統領選挙介入事件では、選挙結果が確定したのちに、「じつは、選挙にはロシアからの介入があった」というナラティブを流布することによって、民主主義国家の根幹である選挙という制度の「信頼」を毀損する。また、少なからずの米国民及び諸外国の人々が、大統領の正統性に疑問をもったことであろう。実際、「Rating World Leaders:2019 Report」（ギャラップ社）によれば、ト

---

iv　ミーム（meme）とは、インターネット上の情報拡散因子のこと。ハッシュタグ、画像、動画などがある。

ランプ大統領当選後の2017年には、国際的なリーダーシップの米国の支持率は急落し中国に抜かれている。

## デジタル影響工作の戦術的手法

デジタル影響工作の戦術的手法は、実にさまざまある。比較的一般的な手法を中心に取り上げる。なお、現代の「デジタル影響工作」と、過去の「影響工作」との違いは、この戦術的手法の違いにあるといえる。デジタル影響工作における戦術が、新聞、ラジオなどを用いた「(過去の)影響工作」から、インターネット技術、データサイエンスやコンピュータサイエンスを高度に活用するようになり、それが「戦略」の形成にも変化を促した。

ここでは、デジタル影響工作の戦術的手法についても、本章の試みとして、必ずしも相互排他的ではないが「炎上工作」「認知誘導」「システム侵害」および「共通手法」に分けて、それぞれで用いられる戦術的手法を概観する。

●トロール

「トロール(troll)」とは、特定の(政治的)意図を持って言論空間を非生産的な議論に貶める手法で、怒りを喚起し広めることを狙う。いわば炎上工作である。特定のミームやナラティブ[v]を繰り返し共有し拡散させる。ミームやナラティブに繰り返し接触すると、真実とみなす可能性が高まるので[5]、それを意図的に起こす。主な手法には次のものがある。

◎クリックベイト
◎ボット[vi]活用
◎ソックパペット[vii]
◎インフルエンサー活用
◎フレーム架橋

「クリックベイト（clickbait）」と呼ばれるSNS利用者が興味あるトピックを選択的に投入する

---

v　ナラティブ（narrative）は、影響工作において使われる物語。戦略的な説得のため、文化、歴史やイデオロギーなどに沿って作られる。

vi　ボット（bot）とは、ここではSNSボットのことで、SNSサービスにおいて事前に定められた処理を実行するプログラム。すべてが不正な目的をもつものではないが、通常デジタル影響工作においては、ミームやナラティブの拡散に用いられる。

vii　ソックパペット（sock puppet）とは、複数のアカウントを使って別人（ペルソナ）になりすまし、ミームやナラティブを拡散する行為（もしくはそれを行う主体）。複数SNSで複数のアカウントを一人が操る。[11][12]

手法である。特に、「自分たちのアイデンティティや価値観が脅かされていると認識されたときに、人々の既存の偏見や怒りの感覚を利用する[15]」とされる。また、最初に「心理的な敷居を乗り切る」ため、インフルエンサーの活用や権威があるメディアに関連づけたコンテンツを使うことも多い。元々は、それらの手法は、アドテクノロジーの一つで、自前のサイトへ誘導する手口がさまざまある。

「ボット活用」と「ソックパペット」を通して、議論が盛り上がっているように演出する。いずれも、炎上を目的とする。ツイッターの場合は、短時間でのリツイートによりトレンド入りを狙い、指数関数的にカスケード増幅することを狙う。2017年の「解放軍報」によると、中国のSNSでは、8億人以上の微博（ウェイボー）ユーザーと10億人以上のWeChatユーザーのうち、軍が運営するアカウントが700存在したという[13]。また、多くのSNS利用者に影響力を持つ「インフルエンサー活用」により、より多くのSNS利用者にリーチする。インフルエンサーは、デジタル影響工作の実施側から雇用されるケース、自発的・偶発的に、参加するケースのいずれもがある。インフルエンサーとしては、個人アカウントだけでなく、ターゲットの国のメディアや組織をも含む。人民解放軍は、(ソーシャルメディア上での影響力不足を解消し、メッセージの出元を誤魔化すため）リクルートしたインフルエンサーにより、党のプロパガンダ路線を宣伝させているとされている[13]。

「フレーム架橋」とは、後述のフレーミングの応用で、「特定の争点や問題に関してイデオロギー的に親和的だが構造的に結びついていなかった」特定のフレームを、ハッシュタグなどで架橋し、似たような意見や不満を持つ運動を拡散する手法がある。[16] 本章では、便宜上、「フレーム架橋」と呼ぶ。これにより、複数のコミュニティへの拡散を狙う。

●認知誘導

ここでの「認知誘導」とは、認知心理学、認知科学、脳科学、神経科学などに基づき、ターゲットの認知的思考と意思決定を形成し、行動変容を促す手法といえる。主な手法には次のものがある。

◎　偽情報拡散
◎　ドキシング
◎　フレーミング
◎　アストロターフィング
◎　マイクロターゲティング
◎　アカウント間連携

「偽情報拡散」は、文字通り偽の情報を拡散する手法である。特に、人間の認知と意思決定は、ストレスや恐怖の下で大きく歪む可能性があるとされている。[17] たとえば、２０１４年のイラク戦争下の事例として、ハッシュタグを用いてＩＳＩＳ戦闘員の脅威を喧伝し誤認させられた結果、2万5000人のイラク軍兵士が逃亡したとされる。[12]

「ドキシング（doxing）」とは、組織や個人に関する非公開または機密の情報を公開・公表し、対象を公的に貶めたり困惑させたりする手法である。[18] 暴露行為である。２０１４年のソニー・ピクチャーズエンタテインメント社への不正侵入および機微情報の漏洩事件により、同社は、問題となった映画の配信を断念した。[1]

「フレーミング」とは、物事の解釈のフレーム（枠）を悪用することである。いくつかの手法が知られている。たとえば、「リフレーミング」は、実際にあったことを撮影した写真の一部を切り出し、誤解を招くことや歪曲を意図的に行うことである。[5] ２０１７年にロンドンで発生したテロ事件の際、写真をリフレーミングして、イスラム教徒の女性が犠牲者を無視している証拠写真と主張する投稿をＳＮＳで行い、少数派のイスラム教徒への憎悪を増幅させようとする試みがあったとされている。[5] また、タリバンは、デジタル影響工作の一環として、「予言的フレーム」や「診断的フレーム」を使って、アフガニスタンの人々との認知的な共鳴を実現しているとされている。[11]

「予言的フレーム」とは自分達の活動が敵への対抗であり克服するための解決策であるとして、ターゲットの認知へと働き掛ける考え方であるといえる。「診断的フレーム」とは、不平や不正を特定し敵対勢力の正統性を貶めることを狙う。なお、タリバンは、デジタル影響工作のようなソフトな方法と暴力的な方法を組み合わせて、情報戦を展開するとされている。

「アストロターフィング（astroturfing）」とは、隠れた意図を持つグループが隠密裏に、自発的な「草の根運動」に見せかけて行う手法である。プロクシ（代理人）とも呼ばれる主体による活動ともいえる。日本では、ステルスマーケティングとも呼ばれる。２０１６年米大統領選挙介入事件では、ボットやソックパペットにより、大規模にアストロターフィングが仕掛けられ、議論を盛り上げたとされる。[12] なお、アストロターフィングを仕掛けたＳＮＳアカウントを炎上後に削除するタイプのものをエフェメラルアストロターフィングという。これは、アストロターフィングを隠蔽することを狙いとする。[19] 炎上後に、工作用アカウントを削除するケースは、我々の研究グループにおいても比較的多く観測されている。

「マイクロターゲティング」とは、アドテクノロジーの一つで、ターゲティング広告とも呼ばれる手法である。プロファイリングに基づきカテゴライズされた特定のターゲットに向けた広告の配信方式のことである。広告効果測定と併用して、その効果を向上させる。なお、「プロファイリング」とは、デモグラフィックデータ[viii]やＯＣＥＡＮモデルデータ[ix]を用いて、ターゲットのカテゴライズを行う。たとえば、保守派は、主流のニュースに加えて、イデオロギーに沿ったコン

viii　デモグラフィックデータとは、性別、年齢、居住地域、所得、職業、家族構成など人口統計学的な属性の総称をいう。

ix　ＯＣＥＡＮモデルとは、ビッグファイルモデルとも呼ばれ、開放的（open）、誠実（conscientious）、外向的（extroverted）、協調的（agreeable）、神経質（neurotic）という軸に基づき、人間の気質を分析するモデル。カテゴライズに用いる。

テンツを求める傾向が強く、その一方、リベラル派は、伝統的な報道メディアの情報源に満足する傾向が強いとされている。[20]そのようなマクロなプロファイリングや、予め用意したターゲットのデモグラフィックデータなどを用いたミクロなプロファイルにより、特定のSNS利用者に選択的に広告を配信する。よって、ターゲティング広告は、通常の広告とは違い、不特定に配信されるわけではなく、（広告効果が高い）ターゲットに配信を絞るため、露見しにくい。また、ターゲットが属する社会・コミュニティの文化、習慣や言葉遣いに精通していることが望まれるが、コンテンツの巧緻性は本質的ではない。

「アカウント間連携」とは、SNSアカウント間で連携して、ミームやナラティブの拡散を試みる手法である。ボット活用とソックパペットにおいて行われる。たとえば、炎上したツイート群を観察すると、ツイート群の中でツイートのテキストが過不足なく一致しているもの（リツイートは含めない）など連携していることが確認されている。[21]また、複数のSNSサービスに跨って連携するケースもある。

## ◉システム侵害

デジタル影響工作において「システム侵害」の狙いは、窃取した機微情報の暴露、システムダウンによる心理的な圧力や混乱を狙う手法である。システム侵害において情報窃取や金銭目的の場合、活動は秘匿性の確保が想定されるが、デジタル影響工作においては、敢えて耳目を集めることを狙うこともある。主な手法には次のものがある。

◎　不正侵入
◎　ＤＤｏＳ
◎　ウェブサイトの改ざん
◎　システム破壊

「不正侵入」とは、システムの操作権限を権限がない主体が獲得する手法である。ここでは、デジタル影響工作の観点では、選挙結果などのデータの改竄や、暴露のために情報を窃取することなどがある。たとえば、２０１４年、サイバー・ベルクートグループ[x]が、ウクライナの中央選挙委員会のシステム侵害し、選挙結果を改ざんしたケースが該当する。[18]また、２０１６年米大統領選挙介入事件では、民主党全国委員会のシステムに不正侵入されメールなどの機微情報が盗まれ、暴露され民主党を貶めた。[1]

「ＤＤｏＳ」とは、ターゲットのサービスを一時的に利用不可能にする手法である。「深刻なサイバー攻撃の印象を与える」[18]効果を期待する示威行為である。たとえば、２００７年、エストニア

x　Cyber Berkutグループは、親ロシアのハッカーグループ。２０１４年には、ＮＡＴＯのサイトや、ＮＡＴＯＣＣＤＣＯＥ（ＮＡＴＯサイバー防衛協力センター）へＤＤＯＳ攻撃を行った。

へのＤＤｏＳ攻撃は当初限定的だったが、行政サービスやネットバンクが利用できないなど深刻なものとなった。それを受け、サイバー防衛協力センター（ＮＡＴＯ ＣＣＤ ＣＯＥ）の設置に繋がった。

「ウェブサイトの改ざん」とは、「不正侵入」を行い、ターゲットを貶める内容のページに書き換えることなどがある。特に、マルウェアを仕込むケースとは違い、示威的な行為である。日本では、ハクティビストと呼ばれることも多い。たとえば、２０１２年９月に尖閣諸島の国有化などを受け、日本の裁判所や重要インフラ事業者等のウェブサイトが改ざんされた。[22]

「システム破壊」とは、社会インフラの破壊などにより、社会的な混乱を引き起こす手法である。たとえば、２０１５年12月および２０１６年12月に、マルウェアを契機として、ウクライナの一部地域の停電を招いた。[23]ロシアによる所業とされ、ウクライナにおいて国内外に、影響を与えた。

●共通手法

「炎上工作」「認知誘導」「システム侵害」の他に、並行して行われる手法である。主な手法には次のものがある。

◎　アトリビューション[xi]の回避

xi　アトリビューション（attribution）とは、サイバー攻撃を実施した攻撃者の帰属を特定すること。

### ◎　即応性

### ◎　一般メディアへの拡散

「アトリビューションの回避」とは、デジタル影響工作を行うアクターのアトリビューションを回避するために、偽旗や攪乱を行う手法である。偽旗としては、別の攻撃グループのTTP（戦略、技術、実行方法［Tactics, Techniques, Procedures］）を模倣して、アトリビューションを妨害する。また、攪乱は、たとえば、ツイートのコピーを探知するアルゴリズムに見つからないようにするために、ツイートの内容を絶えず変えること[16]などが想定される。

「即応性」は、話題性のあるイベントが発生した際に即座に対応する手法である。たとえば、「第一印象は人々の心に強く刻まれることが多いため、最初に情報を発表できる者は、世論に影響を与える有利な立場を得ることができる」とされる。なお、その対抗策としては、偽情報の拡散などイベントに対して4時間以内に声を上げる「4時間ルール」があるとされている。[13]

「一般メディアへの拡散」とは、SNS空間から、新聞、雑誌、テレビなど一般メディアへの拡散により、権威づけを試み、ターゲット（国・組織）における社会問題への発展を図る手法である。元来、SNSで発信されたミームやナラティブが、テレビや新聞など一般メディアへ広がる「プロパガンダ・パイプライン」という現象の存在が指摘されている[28]が、それを悪用する。多くの国では、メディア企業への海外資本投資が制限されているが、さまざまな手法を用いて、メディアを影響下に置き、自国の有利な情報の拡散を図っているとされる。[24]デジタル影響工作では、影響下にあるメディアとの連携を図ることがある。たとえば、新華社は、海外のソーシャルメディアに5000万人のフォロワーを抱えていると言われている。

## 4　デジタル影響工作のキルチェーン・モデル

つぎに、デジタル影響工作の目標が与えられたのち、戦略と戦術をどのように実践するのかの理解のため、アーリル・ベルグ[5]のキルチェーンモデル（図2）を通して、デジタル影響工作の実践を概観する。

元々、キルチェーンモデルとは、情報セキュリティの分野で、目的を達成するまでの攻撃を7ステップに分けた概念モデルである。情報セキュリティの分野では、高度標的型攻撃の理解を促すためなどに提示されることがある。このキルチェーンモデルをデジタル影響工作に適用したのが、図2である。もちろん、デジタル影響工作は、実に多様であり、このモデルに適用できるケースばかりではないのだが、デジタル影響工作を説明する際、筆者は利用している。以降、2016年米大統領選挙介入事件への適用を例として取り上げる。

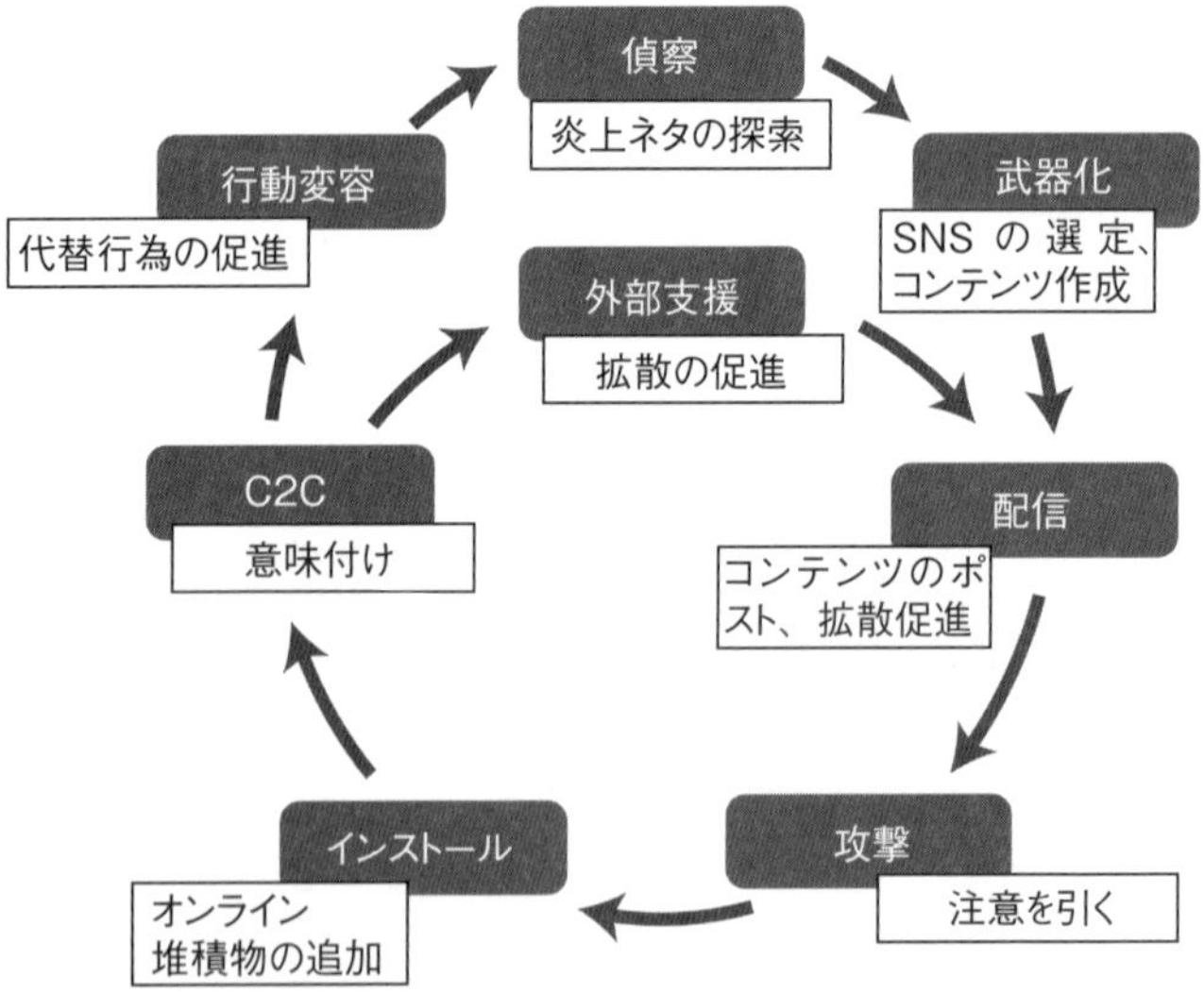


[図2]ベルグのデジタル影響工作のキルチェーンモデル(筆者翻訳)

◉偵察

ターゲットに関する個人情報を入手する。たとえば、デモグラフィックデータやOCEANモデルデータを集める。必要とあれば、後のリークを目的として、不正侵入などにより機微情報を入手することもある。たとえば、CA社は、2016年米大統領選挙介入事件に先立ち、米国有権者のデモグラデータやOCEANモデルデータを入手していたとされている。[5]日本では、個人データの保護はプライバシー問題のみに結びつけるが、このケースが示すように、個人データの保護は安全保障の問題ともみなせる。また、民主党全国委員会のシステムがロシア関係者により不正侵入され、メールなどの機微情報が盗まれていたとされる。[1]

◉武器化

ターゲットのプロファイリングやバトルフィールド・ドメインの選定などを行う。また、戦略・戦術によっては、回帰モデルの作成も行う。たとえば、２０１６年米大統領選挙介入事件の際に、50次元の入力による数万のフェイスブックのデータを使って回帰モデルを作成したとされ、その効果は「フェイスブックデータに基づく回帰モデルの精度は非常に高い」とのことである。[25]また、後述のインストールの段階での利用するウェブサイトやブログでのコンテンツを用意しておく。

◉配信

戦略に沿ったターゲットを選定し、マイクロターゲティングにより、選定したターゲットにミームやナラティブを配信する。たとえば、２０１６年米大統領選挙介入事件の際、選挙戦略に基づき、民主党支持者および共和党支持者に、偽情報および暴露となるミームやナラティブを配信したとされる。[12]

◉攻撃

クリックベイト戦術に基づくミームやナラティブを投入し、ＳＮＳ利用者の怒りや好奇心、あるいはその両方を刺激することで注目を集めるとされる。たとえば、２０１６年米大統領選挙介入事件の際には、ヒラリー・クリントンを貶めるさまざまなミームやナラティブが拡散された。[12]

### ◉インストール

ツイッターは、炎上の際ツイートが急速に広まりやすく、単一の問題の投稿が多くなる。その一方で、コンテンツ（ツイート）は参照される期間が短いという特徴がある。その観点から、武器化の段階で用意したウェブサイトやブログのコンテンツへ誘導を試みる。あらかじめＳＥＯ[xii]などを用いて、用意したコンテンツが検索の上位に上がるようにしておくこともある。ターゲットは、検索にて該当ミームやナラティブを裏付けるような仕込みサイトを見つけると、「真実である」と誤解する。たとえば、２０１６年米大統領選挙介入事件の際には、陰謀論サイトやユーチューブチャンネルも用いられた。[12]

### ◉Ｃ２Ｃ

攻撃側の意図通りに、ターゲットの認知に入り込む。ターゲットが具体的な行動を起こすことが期待される。単純なリツイートで共有するだけなく、ターゲットが気になって検索エンジンで

xii　ＳＥＯ（Search Engine Optimization）とは、検索エンジンでの検索結果で所望のウェブサイトを上位表示させて、ウェブサイトへのアクセスを増やす対策のこと。

の検索をした結果、攻撃者の意図するコンテンツを発見すると、他の人へも共有したくなる特性にも訴える。

◉外部支援

自然発生的なツイートだけでなく、ボット活用とソックパペットを通して、議論が盛り上がっているように演出し、炎上を狙う。炎上することにより、情報の拡散が促進され、より多くの人の目に触れることになる。また、一般ニュースメディアへの拡散も狙う。実際、「ニュースメディアにおける優先テーマが、国民の関心事の優先テーマになる」という一種の因果関係が存在すると[13]されている。さらに、注目を集め人々の閲覧や利用が触れるほど広告収入に繋がるので、SNS事業者だけでなくネットメディア事業者はデジタル影響工作を促進する素地を持つと言える。いわゆるアテンションエコノミーを悪用して、デジタル影響工作をドライブしている。

◉行動変容

最終的な目標である行動変容を期待し、代替行為を促す。代替行為とは、ターゲットが信じていることに反する行為ではなく、ミームやナラティブなどによるデジタル影響工作がなければ行われなかった行為をさす[5]。たとえば、2016年米大統領選挙介入事件の際には、民主党支持者には悪評で投票を抑制させる「代替行為」を促し、共和党支持者には投票所に向かわせる「代替行為」を促したとされている。

## 5　デジタル影響工作の効果

デジタル影響工作の効果の測定は、実に難しい。筆者もデジタル影響工作の説明をすると、「具体的な効果はあるのか？」という疑問を投げかけられることがある。

２０１２年発表の研究[29]によれば、投票など政治的な行動はＳＮＳ（フェイスブックのタイムライン）を通して促されることが確認されている。特に、「親しい友人」が行動変容にもたらす影響は大きいとのことである。もし、いずれか誰かの「親しい友人」の行動変容を促すことができれば、周りに影響を与えることとなる。

２０１６年米大統領選挙介入事件は、デジタル影響工作の事例として最も有名でさまざまな分析がされているケースといえるが、ロシア側の工作がどの程度効果があったのかは、不明である。しかし、現状の米国をみてどうだろうか。２０１６年以降の米国内の分断による社会不和は、決して見逃せないのではなかろうか。先に示したように、トランプ大統領当選後、国際的なリーダーシップの米国は支持率は急落し、中国に抜かれている。その意味で、一定の効果は見込めることがわかる。

別の事例をみると、たとえば、２０１４年、ＩＳＩＳがモスルへの侵攻の際、街を守るイラク軍と警察（1万人近くの兵士と警察）は、#AllEyesOnISISを用いたデジタル影響工作により、遁走し、街は制圧された[12]。

また、２０１８年12月には、人民解放軍戦略支援部隊[xiii]がＳＮＳの偽アカウントを作成するなどして、国民党で親中派の韓国瑜《かんこくゆ》の支援組織を作り、台湾の有権者に対して韓国瑜の応援し、高雄市長に当選したとされるケースもある。さらに、２０２２年末現在、台湾への中国共産党からの政治的・軍事的な圧力は大変な高まりを見せているが、過去、デジタル影響工作に晒されている台湾で行われたアンケートで、「台湾が中国本土からの独立を試みた際、中国共産党からの軍事的攻撃を受けるか」という質問に対し、２０１７年の26・３％が肯定（そう思う14・８％、強くそう思う11・５％）から、２０２０年には37・８％が肯定（「そう思う」20・７％、「強く思う」17・８％）となった[26]。

以上の例をみると、デジタル影響工作には一定の効果があるといえそうだ。また、デジタル影響工作を行う側は、特有の価値判断基準を持っているようで、たとえば、「長期的な効果を期待している」[xiv]との考え方もある。自分達の価値判断基準で、デジタル影響工作の有効性を見極めることは難しい。

ｘｉｉｉ　ＰＬＡ ＳＳＦはサイバー戦、宇宙戦や心理戦やデジタル影響工作を含めた情報作戦を遂行する能力を持つとされている。２０１５年設立。

ｘｉｖ　欧州安全保障関係者との会話にて

## まとめ

デジタル影響工作の議論では、「ＳＮＳでツイートすれば、フェイクニュースが拡散され、即座に世論に影響を与える」という誤解もある。しかし、影響工作は、それほどシンプルなものでもない。過去、ボスニアの内戦を国際的な課題に仕立て、国際世論を誘導したケース[27]を見れば、国際社会を動かすほどの影響を与えるために莫大な予算を注ぎ込んで、プロフェッショナルが「世論形成」しているといえる。日本ではその定義レベルの議論に拘泥している側面があるが、我々の研究グループによる調査では、国内においても、デジタル影響工作と推察されるボットの活動が観測されている[30]。

デジタル影響工作は、すでに、「戦場の霧」を一層に濃くしている。

第3章

# 世界のメディアの変容

## メディア革新と影響工作の新次元

藤村厚夫

**藤村厚夫（ふじむら・あつお）**

東京都出身。法政大学経済学部卒。2000 年に株式会社アットマーク・アイティを創業。2005 年に合併を通じてアイティメディア株式会社 代表取締役会長。以後 2000 年代をインターネット専業メディアの経営者として過ごす。2011 年同社退任後、新たなデジタルメディア基盤技術の発展と新たなメディア産業のあり方をめぐる模索を開始。2013 年にスマートニュース株式会社 執行役員／シニア・ヴァイス・プレジデントに就任。その後、2018 年より同社フェロー。2022 年同社メディア研究所フェロー（兼務）。また、特定非営利活動法人ファクトチェック・イニシアティブ副理事長、一般社団法人インターネットメディア協会理事。共著に『メディアリテラシー——吟味思考を育む』『ハックされる民主主義』がある。

メディアの変化は世界を変える。そして、世界の変化はメディアを変えていく――。

筆者は、メディア、とりわけデジタル化するメディアと、その基盤となるＩＴ（情報技術）を、長らくビジネスの主戦場としてきた。そこで直面した社会課題から、非営利団体としてファクトチェックに取り組む個人や組織のネットワーク化を推進する「ファクトチェック・イニシアティブ」[1]の創設にも携わってもきた。メディアやコンテンツを操ることで社会に対し何らかの意図的な工作を試みる動きに対して、抑止することが求められると考えたからである。

そこで目撃してきたのは、メディアと（デジタル）テクノロジーの融合が世界を変化させるという大きなうねりである。あるいは、変貌する世界に不可欠なメディアとテクノロジーが次々と生み出されていくという弁証法でもある。

本書の主題「変容する世界の情報空間と影響工作」は、まさに影響工作に最適化を遂げていく「メディアとテクノロジー」の解明もまた求めるはずだ。本章ではそのような観点から、世界的な視点でメディアの変化を見ていこうと思う。

## 1　世界で進む「分断」とメディアの変異

世界で進む社会的、政治的分断。

広く知られるように、アメリカでは民主・共和両党間で支持者の政治的分断が激化している。より分析的に述べれば、両陣営支持層の両極間における分断、対立がより先鋭化していると言うべきだが、この点をここで深めるのは避ける。

この分断は歴史的に形成されてきたものだが、２０１６年の大統領選で、「泡沫候補」とも見られたドナルド・トランプが共和党の大統領候補となり、接戦を制してアメリカ第45代大統領に就任する過程において、この分断は従来と一線を画するレベルへと激化していった。

この分断と対立の激化の動因、背景をめぐってはさまざまな研究がいまもなお続けられており、その意味で確定を見たとは言いえない。だが、これに関係すると見られるいくつかの重要な要素は同定されてきている。

筆者はその最大の要素は、「メディアの変容、その深化」とでも評すべき現象だと見る。

4年ごとに行われるアメリカ大統領選挙は、そのつど、新たなメディアのトレンドをともなうとされる。国民の関心が高いことはもちろん、候補者の陣営が使うキャンペーン費用が膨大になることからもメディア産業にはそのつど、大きなインパクトが及ぶ。２０１２年、オバマ大統領が再選される選挙ではソーシャルメディア（ＳＮＳ）が重要な役割を果たしたとされ、特にツイッターの影響力が指摘された。2016年にはスマートフォン（モバイル）による影響の大きさが指摘された[2]。ここでモバイルとフェイスブックの組み合わせによって加速したものこそ「フェイクニュース」現象と呼ばれるものだった。

## 2　介入の武器、マイクロターゲティング

2016年の大統領選をめぐりフェイスブックが引き金となって引き起こされた大スキャンダルが「ケンブリッジ・アナリティカ（Cambridge Analytica）」事件だ。この事件に豊富な取材と資料で紙幅を割き、SNSの巨人の深部を詳述したのが『フェイスブックの失墜[3]』である。

事件は、選挙コンサルティング企業のケンブリッジ・アナリティカ社が、フェイスブックとAPI（Application Programming Interface：アプリ同士が通信する仕組み）経由で連携しユーザーデータを収集する性格診断アプリ「マイパーソナリティ」（から得られたデータセット）を買収。診断を行ったユーザーのデータから広がっていく膨大な規模の友人関係（ソーシャルグラフ）データを手に入れたことに端を発する。2016年のアメリカ大統領選、同年イギリスのEU離脱（ブレグジット）をめぐる国民投票に際して、このデータから、個々人の嗜好や支持政党といった情報を割り出し、またはその逆引きを行い（支持政党、地域、心理などから、それに該当するユーザーを発見する）、フェイスブックユーザー一人ひとりに最適な広告を大規模に配信する技術（マ

イクロターゲティング技術）で大きな成果をあげたと、当事者であるアナリティカ社は謳った。

このようなことが可能になったのは、フェイスブックが、さまざまな外部の企業やアプリ開発者に向けてＡＰＩ経由で各種のユーザーデータを提供する仕組みを構築してきたからにほかならない。アナリティカ社のアプリもこれを利用した。フェイスブックのユーザーデータを外部からも利用できる利点から、フェイスブックと連携するさまざまなアプリやサービスが外部の企業や開発者から生まれた。さらに、それが魅力となってユーザーがフェイスブックを利用する動機が生じるという「ネットワーク外部性」を狙う戦略的な意図がそこにあったのである。

積み上がったユーザーデータを基礎としたマイクロターゲティング技術は、フェイスブック自身が提供する広告商品に生かされた。これが同社を最も進んだ、精度の高いターゲティング広告を提供する企業という地位へと押し上げ、高収益性を支える原動力となっていったのである。

だが、それと引き換えに、ユーザーの個人データ保護をめぐるリスクを生み、大小さまざまな社会問題を次々と引き起こすことになる。同社はこのような深刻な弊害をどこまでも安易にしか考慮してこなかった。あまつさえ、現実となった数々の社会問題とそれにともなう責任を同社は隠蔽したり、回避しようとさえ試みた。ずさん極まりないセキュリティ感覚と、成長と利益を最優先して他を顧みない企業統治のありさまを、前掲書は豊富な事例を通じて鋭く追及したのである。

だが、問題はそこに止まらなかった。

このように未成熟かつあからさまな利益至上主義が引き起こすビジネス上のトラブルだけでは終わらなかったのだ。より重大な問題がケンブリッジ・アナリティカ事件と結びついていたことが、遅れて証明されることになった。それが２０１６年のフェイスブックをおもな舞台として行われたロシアによるアメリカの大統領選、そしてイギリスのＥＵ離脱をめぐる国民投票（同２０１６年６月）への介入行為だ。

## 3 分断こそゴール　ロシアの介入

セキュリティチームは６週間かけてサイト上でのＩＲＡ（インターネット・リサーチ・エージェンシー）の活動をマップ化した。ＩＲＡは３３００を超える広告枠を購入しており、およそ10万ドルをフェイスブック上での活動に費やしていた。それらの広告の一部は主にＩＲＡが運営する１２０のフェイスブックページを宣伝するものだった。その他にオーガニックコンテンツ（広告料の支払いを伴わないコンテンツ）も８万以上作成していた。合計すると１億２６００万人ものアメリカ人が彼らのコンテンツを見ていた。（前掲書）

ＩＲＡはロシアの民間企業ではあるが、ロシア政府に近く影響工作を担う企業だ。民間軍事会社ワグネルの創設でも知られる悪名高いエフゲニー・プリゴジンが運営している。[45]ちなみに、米ブルームバーグからアメリカ中間選挙への関与の有無について問われたプリゴジンは「われわれは介入したし、介入しているし、今後も介入するだろう」との発言を行っている。[6]

ロシアが大統領選（２０１６年）への介入でめざしたものは、国論の分断・対立の激化であり、それによって引き起こされる社会の混乱だった。分断や対立はアメリカ社会の混乱を招き、ひいてはアメリカ（社会）の弱体化へと通じるとの戦略にもとづいていた。

ニュース
政治・経済
ウクライナ危機
ロシア大統領に近い実業家プリゴジン氏、米選挙への介入認める
2022年11月7日 23:35 発信地：モスクワ/ロシア [ ロシア, 米国, 北米, ウクライナ, ロシア・CIS ]
1/6
ロシア・サンクトペテルブルク郊外で、ウラジーミル・プーチン氏（左）に自身の経営する学校給食センターを案内する実業家のエフゲニー・プリゴジン氏（2010年9月20日撮影、資料写真）。(c)Alexey DRUZHININ / SPUTNIK / AFP

[図1] ロシアの実業家プリゴジンは、米選挙への介入を公然と認めた（出典:AFPBB News「ロシア大統領に近い実業家プリゴジン、米選挙への介入認める」から）

分断や対立こそがゴールだとすれば、当時のロシアの介入意図は、トランプ政権の樹立をめざすものでは必ずしもなかったとされる。ヒラリー・クリントン民主党候補（当時）の支持につながる政治広告、トランプ共和党候補（当時）の支持へとつながる政治広告というように、両陣営の支持者の双方にマイクロターゲティング広告による影響工作が行われたことからも、めざしたのは両陣営の対立の煽動だったと見て取れる。双方に対して火に油を注いで回ったのだ。マイクロターゲティングによる影響工作については、第２章「デジタル影響工作のプレイブック」に詳しい。

引用したように、報道メディアまがいの情報サイトでニセ情報が「オーガニックコンテンツ」としてふんだんに発信された。そしてマイクロターゲティング広告が、この生み出された真偽不明のコンテンツを、それぞれに最適なプロフィールを有する有権者一人ひとりに向けて配信して効果をあげていった。

さらに、よく知られていることだが、民主党陣営内のメールのやり取りをハッキング、漏洩《ろうえい》させるなどによって、クリントン氏の「メールスキャンダル」を生んだ。主要メディアにリークして追跡取材を促し、火に油を注ぐ反響効果を生むといったこともロシアは行っていた。

これと同期するように、イギリスにおいてはブレグジット国民投票をめぐり、ここでも残留派および離脱派の双方に向けた扇動を行い、同国でも分断と対立の高まりに拍車をかけた。このような国際的な影響工作は続けられ、2018年には、フランスで猛威をふるった「黄色いベスト」運動にもロシアが関与してきたことが指摘されている。これが分断と対立を深めていったのは、周知の通りだ。[7]

## 4　メディアと影響工作の「進化」、対称性が浮き彫りに

さて、このようなロシアの工作を俯瞰して注目したいのは、社会における分断や混乱を意図した真偽不明情報の拡散、そしてターゲティングしたプロフィールに向けた煽動的なコンテンツの

配信に、おもにフェイスブックが正規に提供するサービス（たとえば、フェイスブックページやフェイスブック広告）が用いられたことである。つまり、偽の情報の生成や情報の意図的な漏洩工作を手がけたという点を除けば、ロシアの振る舞いは、フェイスブックを（非常に効果的な）マーケティングの場として活用する企業広告主の振る舞いと異なるところがないという点だ。

ロシアの影響工作と選挙に勝つキャンペーンとして通常行われているマーケティングとの間に異なる要素はない。違っているのは、国家レベルでの介入意図の有無だけにすぎない。

筆者は、「メディアの変化は世界を変える。そして、世界の変化はメディアを変えていく」との命題を本章冒頭で示した。メディアは明らかに、人びとの判断と行動を（意図した方向に向けて）変容させる影響力を発揮する。その影響力を磨きあげ、また、それをめざす成果に向けて自在に利用できるような商品として提供されるところにまで、メディアは「進化」を遂げたというわけだ。

それはインターネットの時代だからこそ可能となったと言える。

◎誰もが携帯するパーソナルメディア：スマートフォン
◎超安価にメディアを開設、運用することができるクラウドサービス
◎情報の受発信を追加コストほぼゼロで実現できる〝個人メディア：ＳＮＳ〟
◎膨大なインターネット利用者をめぐる種々さまざまなデータを収集しマイクロターゲ

ティングする仕組み

これらが次々実現するなか、「進化」が劇的に進んだのだと理解できる。このような、インターネット時代におけるメディアの進化、変容が、残念ながら、国家レベルでの影響工作の進化をも支える基盤へと発展していくことになった。

加えて、本章の最後で触れることになるが、ここで述べたインターネットテクノロジーがメディアに与えたのと同様の革命的なインパクトを、AI（人工知能）の発展と活用が改めて生み出そうとしている。メディアはもちろん影響工作はさらに劇的に〝深化〟していく可能性を見せているのである。

## 5　極化する言論のためのメディアが輩出

インターネットの時代、超安価にメディアを開設、運営し、そのコンテンツを広く拡散できるようになると、影響力を広げるにはブランド価値の高い商業メディアに手間ヒマかけて浸透するより、自ら影響工作用の専門メディアをゼロから作り上げるという選択肢の方が現実解となる。

各々政治的な傾きはあるにせよ、自律的な規範をもって運営されている商業報道メディアに、なんらかの手法で浸透しその言論を支配するにいたるプロセスは手間がかかるし、タイムリーに効果を発揮するとは限らない。

繰り返しになるが、自らの主張に即したメディアを促成栽培したり、小ぶりな事業を買収して経営を支配してしまった方が近道だということにもなるわけだ。

掲記するのは、アメリカのシンクタンク、ピュー・リサーチセンターが調査したものを清原聖子氏がまとめたものだ[8]（図2）。2016年当時、トランプ・クリントン両大統領候補に投票した有権者が定期的に利用したインターネット・ニュースメディアは何だったかを図示している。

見れば分かるように、アグリゲーション型（さまざまなメディアのニュースを集約し表示する）メディアである「グーグルニュース」「ヤフーニュース」を別とすれば、他はおおむね〝新興メディア〟で占められている。その極性（どちらかの陣営支持者との親和性が強い傾向）は鮮やかだ。

2016年の選挙戦当時、メディアの風雲児と注目の的となったのは「ブライトバート（Breitbart News Network）」だ[9]。2005年の創業当時は、大手通信社やメディアの記事をアグリゲートする一般的なネットメディアだったが、創業者の死去以降、後にトランプ大統領の主席戦略官（チーフ・ストラテジスト）を務めた人物スティーブン・バノンが経営トップに座り、頭角を現した。ちなみに、同氏は、ケンブリッジ・アナリティカ社の役員を務めていた時期もある。選挙戦当時、バノンが参謀役を果たしていたトランプ陣営が、アナリティカ社を選挙キャンペーンのコンサルティング会社としたことは偶然ではない。

ブライトバートは、「オルト・ライト（オルタナティブ・ライト：新興右派）」としてその影響力

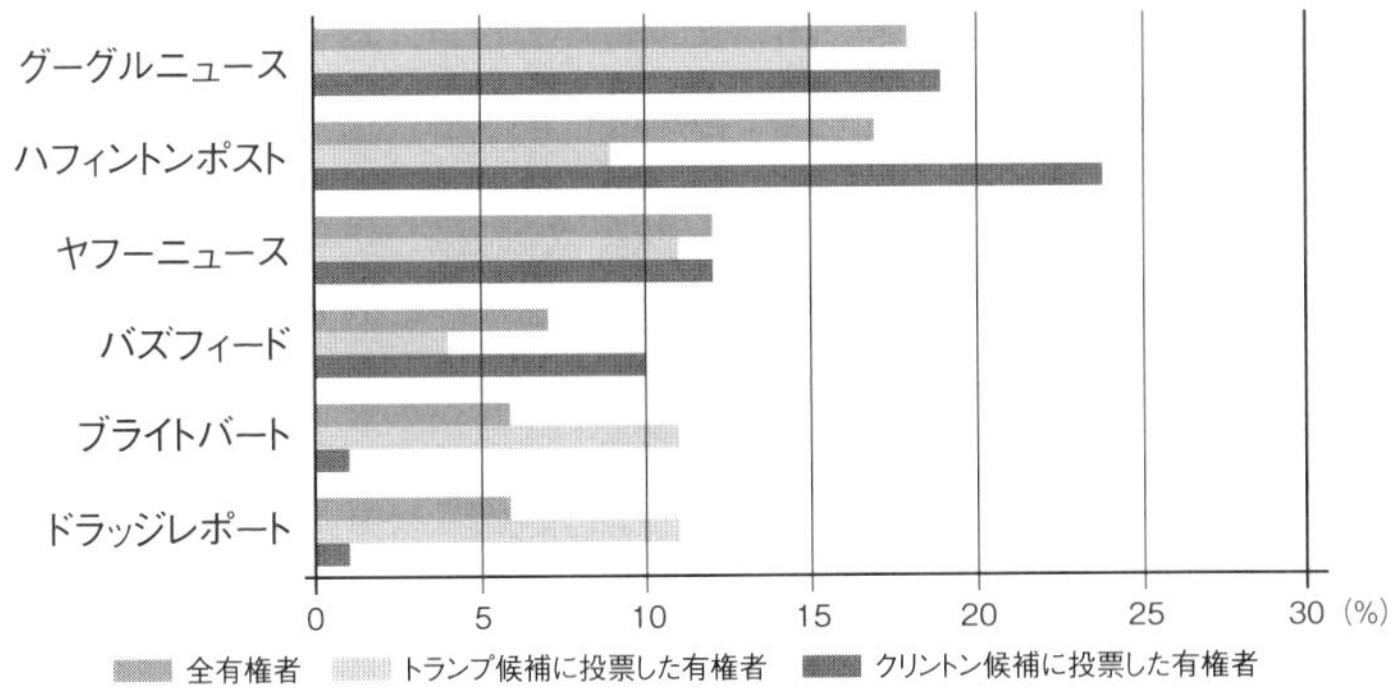


[図2]トランプ、クリントン両候補に投票した有権者が定期的に利用したニュースサイト(参照:清原聖子「ソーシャルメディアは政治・社会の分断を加速しているか? ~アメリカにおけるフェイクニュース現象を手がかりに~」より)

を高めたが、バノン氏のような安全保障、経営学、そしてメディア投資家でもあるような多方面の才能と野心にあふれる人物が、自身の政治的野心を実現するのに最適化したメディアを速やかに生み出すことができる環境が、当時には整ったと理解すべきだろう。

伝統メディアと異なるオルタナティブなメディアが続々輩出、影響力を発揮したのも、2016年大統領選の特徴と言える。昨今のマーケティングトレンドで語られる「オウンドメディア」(マーケティングを行いたい企業が、広告には頼らず自ら独自にメディアを構築、運営するマーケティング手法)と符合していることがわかる。従来、既存の影響力が高いメディアを対象に働きかける「アーンドメディア」(商業メディアの広告を購入するマーケティング手法)と対照的なアプローチだ。

もう一人、オルト・ライトメディアのスターを紹

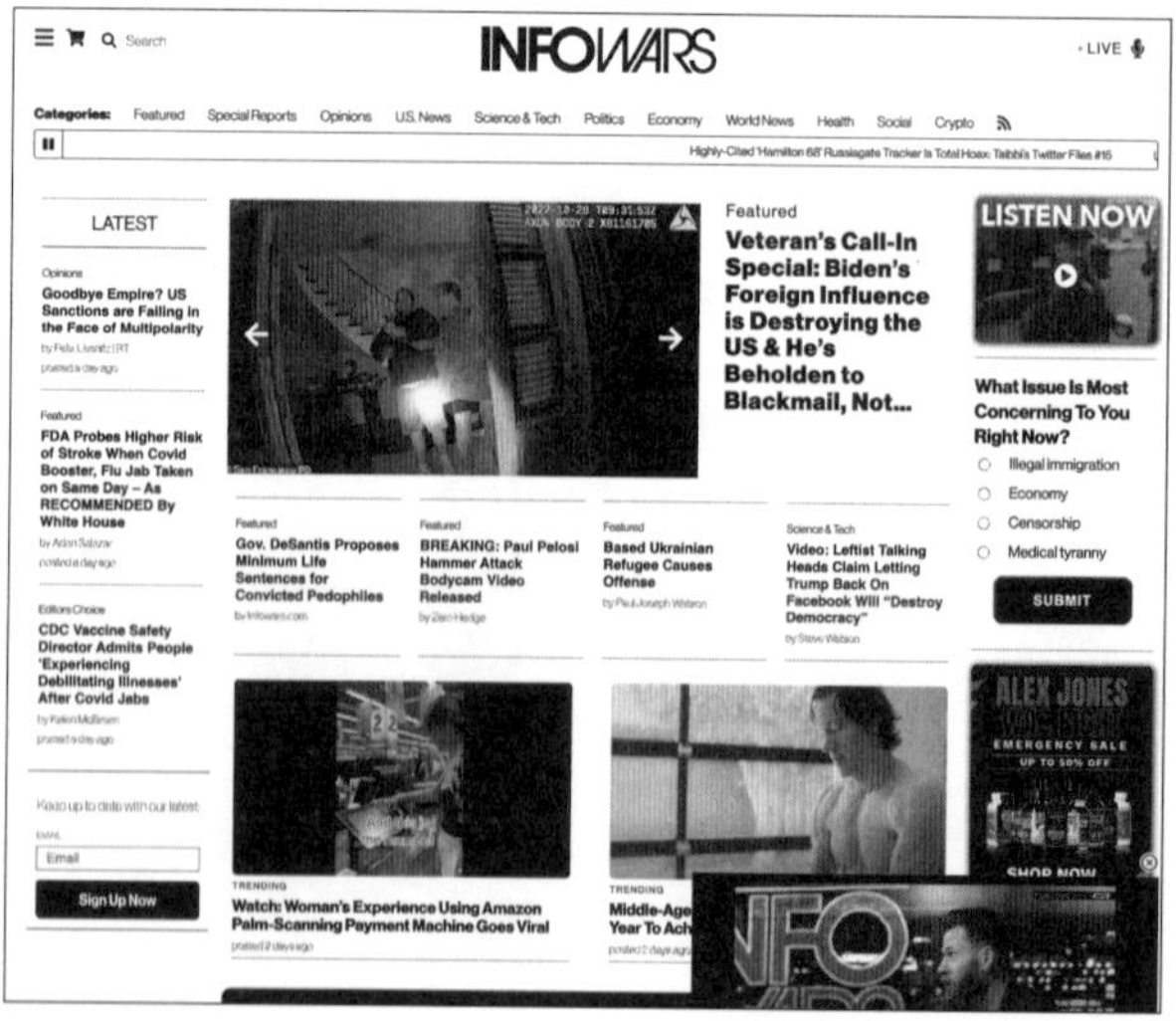


［図3］現在も稼働する「インフォウォーズ」サイト（2023年1月28日にアクセス）

介しておこう。ラジオ放送局のキャスターを皮切りに有名になり、「インフォウォーズ（InforWars）」という自身のメディアコングロマリットを主宰、ウェブサイト、ユーチューブチャンネル、ポッドキャスト……と統合的なメディア戦略で影響力を築いたアレックス・ジョーンズだ。[10]

　同氏は自らが率いるインフォウォーズで数々の陰謀論的言説を発信し続けた。

　2012年、アメリカ・コネチカット州サンディフックの小学校で起きた凄惨な銃乱射事件について、同氏はこの事件を政治的主張を持つ人々によるでっち上げだったと主張したことから、遺族らから名誉毀損で提訴され、同氏の非を認める判決が下されている。[11]

　インフォウォーズが、その過激かつ事実に基づかないと批判される数々の情報を発信して、伝統的なメディアをしのぐほどのアクセスを稼いできたことは、ブライトバートと同様だ。ウェブサイト、動画チャンネル、ポッドキャストなどで広告収入を得る一方、主張する陰謀論を題材に物販（ＥＣ）まで手がけ、情報発信とその収益化の手法を次々と広げてきたが、主たる収入源であった広告を配信してきたグーグルをはじめとする広告配信ネットワークが次々と同サイトとの関係を絶ち、またアップルは、インフォウォーズをアプリストアから〝永久追放〟（２０１８年）を決めるなど、包囲網の広がりによって最近では経営的な窮地に陥っていると言われる（２０２２年４月に破産手続きを申請した）。

この２例からだけでも、政治的な分断や対立を沃野として、それぞれの主張に添って影響力を高めて成長してきた新興メディアのイメージが得られるだろう。

## ６　〝目的別〟ＳＮＳ？「オルト・ソーシャルメディア」が台頭

次に、２０１６年以降のこれらオルト・ライトに最適化したメディアの新たなありようについて見ておきたい。

重要な役割を果たしているのは依然としてＳＮＳ、すなわちソーシャルメディアだ。２０１６年以降激化してきた「フェイクニュース」潮流の担い手としてのメディアだ。

なお、フェイクニュースという用語はあまりに汎化しすぎており、影響工作を論じるなどには

適さない。以後は、工作を行うアクターの意図を念頭に、

◎ ミスインフォメーション　誤情報・勘違いや誤解により拡散した間違い情報
◎ ディスインフォメーション　意図的／意識的に作られたウソ、虚偽の情報
◎ マルインフォメーション　悪意ある情報

を使い分けていくこととする（用語の整理は、総務省「インターネットとの向き合い方――ニセ・誤情報に騙されないために」による）[12]。

２０１６年の選挙を頂点に、ミスインフォメーション、ディスインフォメーションと目される情報を大量に吐き散らす大規模オルト・ライトメディアに対する包囲網が徐々に形成され、これらへ広告配信を行うことで結果的にその資金源となってきた大手広告配信ネットワークが、ようやくこれらとの関係を絶つに至りオルト・ライトメディアの勢いは失速した。

と同時にその包囲網は〝だれもがメディア〟を可能にしてきたＳＮＳにも影響が及んでいる。特に２０２１年1月６日に起きたアメリカ連邦議会議事堂襲撃事件を機に、最も影響力の大きかったトランプ前大統領のツイッター、フェイスブックのアカウントが停止に追い込まれたことは周知の通りだ（ツイッターについては、その後２０２２年11月にアカウント凍結が解除された）[13]。また、ジョーンズ氏を筆頭にした著名な陰謀論者らにも同様の措置が広がった。

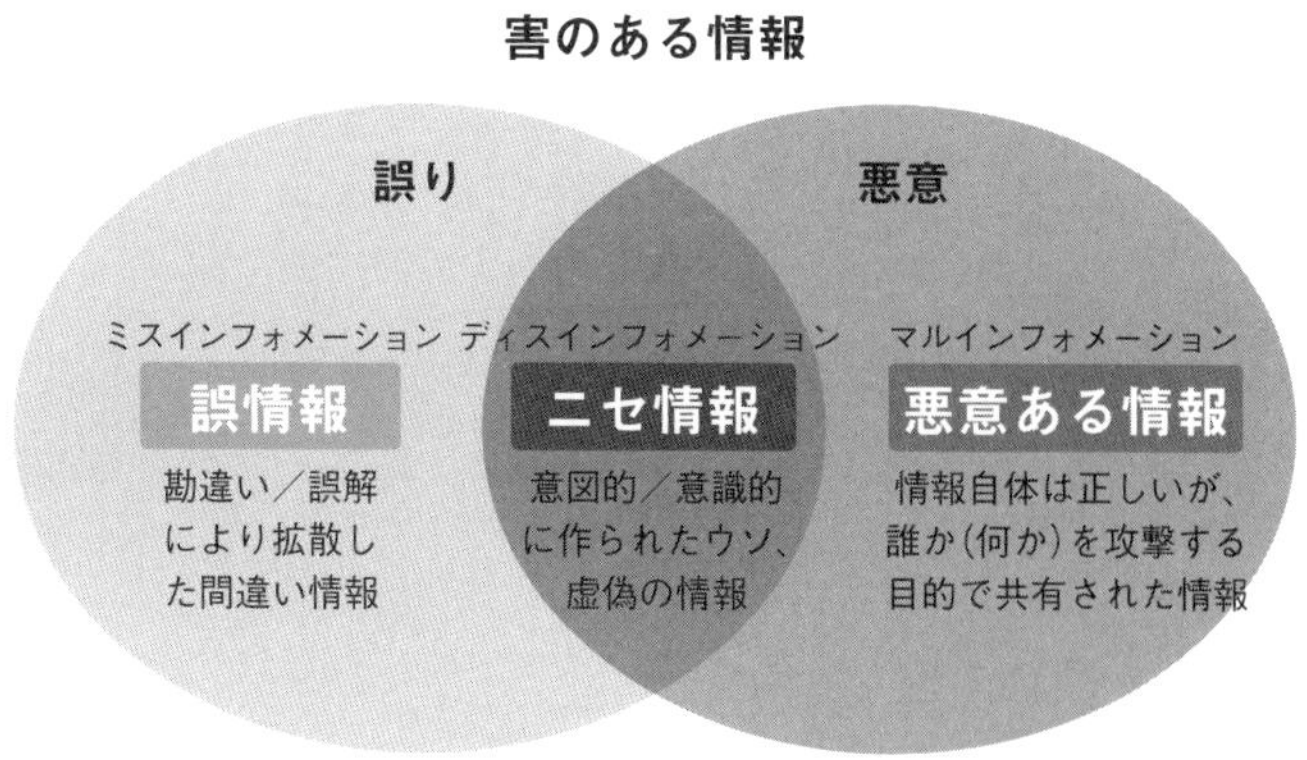


［図4］総務省「インターネットとの向き合い方――ニセ・誤情報に騙されないために」による整理

その反作用として動き始めたのが、「オルト・ソーシャルメディア」（オルタナティブ・ソーシャルメディア：オルトＳＮＳ）という新たなメディアトレンドだ。

ピュー・リサーチセンターは「ニュース・情報環境におけるオルトＳＮＳの役割」を調査した。[14] 調査は対象とするオルトＳＮＳを、フェイスブック、ツイッター、ユーチューブといった既存のＳＮＳに代わる新たな選択肢となるものだとし、「言論の自由の制限」抜きで時事問題について情報を得られるものと定義する。簡単に言えば、既存の大手ＳＮＳからは排除、もしくは規制されてしまうような過激なオルト・ライト勢力が自由に情報発信できる場所ということだ。実際、調査結果でも、オルトＳＮＳ上で著名なアカウントの15％が、従来のＳＮＳでは禁止された（おもに）個人だったとわかったという。

オルトＳＮＳの代表格は、ＢｉｔＣｈｕｔｅ（ビットシュート)、Gab、GETTER(ゲッター)、Parler(パーラー)、Rumble(ランブル)、テレグラム、Truth Social(トゥルース・ソーシャル)の7つだ(なかでも規模が大きいのは、Parler、Rumble、テレグラム、Truth Socialの4つ)。調査の結果から、これらオルトSNSの一つでもニュースの情報源として定期的に利用する人の66%が共和党支持者とわかった。また、トランプ前大統領が、フェイスブックおよびツイッターから排除された後に立ち上げたTruth Socialのように、MAGA(Make America Great Again:アメリカを再び偉大に)などのようにトランプ氏支持派的な党派色が非常に強く、元来のSNSの定義をはみ出して政治目的に最適化された動きが鮮明だ。

では、このオルトSNS勢力の影響力はどのくらい拡大しているだろうか?

調査結果では、「米国成人の6%が、7つのメディアのいずれかから定期的にニュースを得ている」とする。これ自体は決して大きな規模とは言いえないが、同時にこれらオルトSNSの利用者の73%が「ユーチューブ、フェイスブック、ツイッターからもニュースを入手している」。伝統的な報道メディアを迂回する政治的情報源として、既存SNSとオルトSNSの組み合わせ利用が一定の機能を果たしていると理解すべきだろう。

## 7 SNSを超える? 新たなプラットフォームの台頭

以上、メディアの変化が、政治的な分断を含め極化した方向へと最適化していく動きについて述べてきた。

その中心に、情報（コンテンツ）を大規模に拡散するＳＮＳ、その逆にピンポイントのターゲティング（マイクロターゲティング）を可能とするＳＮＳというプラットフォームの存在があった。利用者とそれを取り囲む交流関係（ソーシャルグラフ）データを大規模に蓄え、それを自在に活用できるようなＩＴ基盤に牽引されて、メディアの変容が加速してきたのだと言える。

次に取り上げるのは、その先のトレンドである。

２つ取り上げよう。ひとつは「ＴｉｋＴｏｋ」であり、もうひとつが「テレグラム」だ。いずれもが、スマートフォンとの結びつきの強いアプリだ。

ＴｉｋＴｏｋを知らない読者は少ないだろう。中国バイトダンス社（北京字節跳動科技）傘下の事業であり、ショート動画を撮影、投稿するスマホアプリだ。利用者は最長３分程度の動画を撮影、ＢＧＭを動画に重ね合わせたり、楽曲を口パク同期するなどの機能を使って簡単にコンテンツを生成、共有できる。ダンス動画などエンターテインメントへの利用が主流で、青少年から圧倒的な人気を獲得してきた。２０２１年９月には10億ＭＡＵ（月間アクティブユーザー数）にまで成長し[15]、いまでは、フェイスブックやツイッターなどの主流ＳＮＳはもとより、青少年らに人気のインスタグラムやスナップチャットなどをも凌駕、もしくは肩を並べる人気と影響力を持つにいたった。

そのＴｉｋＴｏｋだが、エンターテインメント目的にだけ使われているわけではない。世界のさまざまな局面において、残念ながら影響工作に用いられるリスクがトランプ政権時代から指摘され続けてきており、２０２２年11月には、トム・コットンおよびマーク・ウォーナー両上院議員がＴｉｋＴｏｋを危険視する表明を行った。[16]

コットン議員は「それは単にＴｉｋＴｏｋにアップロードされるコンテンツだけでなく、電話端末や他のアプリの全てのデータ、あらゆる個人情報、それに顔画像や目が端末のどこを見ているかの情報も含まれる」「特に米国の若者を対象にした、これまでで最も大規模な監視プログラムの一つ」とし、ウォーナー議員も「このアプリは『計り知れない脅威』だとし、「あなたの子供が入力し、受け取る全てのデータが北京のどこかに保管される」と述べたという。

利用者データの漏洩リスクという〝バックドア〟脆弱性だけではない。

ＴｉｋＴｏｋは、その利用者が好みそうな、話題のショート動画を次々と繰り出す〝オススメ〟アルゴリズムを最大の武器にして中毒性の強い魅力で人気を博してきた。その魅力によってディスインフォメーションを広げるプラットフォームとしても発展してきた。

２０２１年のはじめには、俳優のトム・クルーズ氏の〝そっくりさん〟を人工的に合成したコンテンツがＴｉｋＴｏｋで見つかり話題となった。[17]

ディープフェイクは、ＡＩなどの技術を用いて動画や音声などを人工的につくり出して人を欺くなどに悪用する手法だ。映像、動画、音声などを用いるので説得力の高いディスインフォメーションを実現できる。
ファクトチェックを事業化しているアメリカのニュースガード社（NewsGuard Technologies）はリポートで、

話題となったニューストピックに関する検索では、検索結果として表示された動画の20％近くが誤った情報を含んでいたことが判明した。つまり、ロシアのウクライナ侵攻から学校銃乱射事件や新型コロナワクチンまで、さまざまなトピックに関する検索で、ＴｉｋＴｏｋのユーザーは常に誤った、あるいは誤解を招く主張を与えられているということだ。

と、ＴｉｋＴｏｋ上でのディスインフォメーションのまん延ぶりを指摘する。[18]
少し旧い資料だが、ＮＡＴＯ戦略的コミュニケーション能力向上センター（NATO StratCom COE）による「ソーシャルメディア操作２０２０」というリポートがある。[19] ＴｉｋＴｏｋを含む５つのＳＮＳ（フェイスブック、インスタグラム、ユーチューブ、ツイッター、そしてＴｉｋＴｏｋ）が、それぞれ自社のプラットフォームを用いたディスインフォメーションの動きへの対策をどう実施しているかを検証する調査であり、ロシアの商業ベース情報操作企業3社に隠密裡にこれらソーシャルメディアでの情報操作を依頼し、その結果を分析した。
その調査結果によれば、たった数百ユーロを費やしただけで、８０００を超える偽アカウントが生成され、コメント、「いいね！」などを数千の規模で得ることができ、その効果が1か月以上持続した。5つのソーシャルメディアのなかでもTikTokは最も脆弱であることも判明した。

TikTokは、プラットフォームの操作に対してほぼ無防備であるように見える。どのような操作も同プラットフォームによって妨げられたり、取り除かれたりすることはなく、圧倒的な操作のしやすさだった。

また、各種情報操作をパッケージしその成果で価格を比較すると、TikTokは最も安価だった。つまり、調査の時点でTikTokは最もコスト・パフォーマンスの高い情報操作プラットフォームだったといえる。もちろん、その後、TikTok人気が世界で上昇を続けている中、現在も同程度のコスト・パフォーマンスにあるとは言いえないが。

## 8　世界初の「TikTok戦争」

TikTokと影響工作、ディスインフォメーションの組み合わせが突出したのは、2022年2月からのロシア軍によるウクライナ軍事侵攻をめぐってだ。

2022年、戦争の生々しい情景をはじめてTikTok動画を通じて浴びるほどに視聴する世代が生まれた。その影響は大きい。「ウクライナ」と検索すれば、ＴｉｋＴｏｋは次から次へと戦場での光景を、音声や音楽などと組み合わせた〝楽しく魅力的な映像〟として見せつける。親指のフリックだけでそれは飽きるまで続く。ＴｉｋＴｏｋのアルゴリズムがそれを可能にした。最強の戦争プロパガンダマシーンの出現というわけである。

アメリカのＡＰ通信はＴｉｋＴｏｋ（だけとは限らないが）を用いた反ウクライナ、反欧米論調を煽動する合成動画などディスインフォメーションの組織的制作体制について指摘した[20]。サイバーセキュリティの専門家は、これらアカウントのかなりの部分が、ロシア政府とつながりのあるグループによりコントロールされた、偽アカウントであると指摘する。記事は、ロシアによるプロパガンダだけでなく、ウクライナ支援者によるプロパガンダや、手づくりながら合成映像を用いた投稿作品なども取り上げている。

［図5］TikTok上にはウクライナ、ロシア双方を支援する映像があふれる

アメリカの「ニューヨーク・タイムズ」は、ロシア軍が侵攻を開始して約1か月後の2022年3月時点ですでに、

ダンスや口パクのバイラル動画で知られる中国系の動画アプリ「TikTok」が、ロシア・ウクライナ戦争に関する動画や写真を共有する最も人気のあるプラットフォームの1つに浮上した。タイムズのレビューによると、過去1週間で、紛争に関する数十万件の動画が世界中からこのアプリにアップロードされたという。「ニューヨーカー」誌は、今回の侵攻を〝世界初のTikTok戦争〟と呼ぶ。

と分析し、中にはウクライナ支援側が加工した映像を投稿しているケースにも言及している。[21]

## 9 〝非公開〟で国家統制を免れるSNS

ウクライナ側、またロシア側でも多用されるアプリが「テレグラム」だ。

テレグラムは、テレグラムメッセンジャーLLPが運営するロシア発（現在は国外に拠点を持ち、開発拠点は世界に分散）のメッセージングアプリで、2022年6月には7億MAUに達している。[22] メッセージは暗号化され、さらに発信者・受信者双方で、一定時間が経てばメッセージ

が消滅するなどの機能もサポートされ守秘性の高さが売りである。このような機能の徹底で、「(メッセージの)1バイトたりともどんな政府とも共有しない」と創業者でCEOのパヴェル・ドゥロフが述べるように、ロシアのような強権的な国家管理下でもメッセージは検閲することができないとする。

ロシアは一時期このアプリの国内での利用禁止を試みたが、開発および運用が国外で行われることとなり、事実上、利用禁止を断念。逆にロシア政府やそれに近い諸団体が、テレグラムを情報発信(プロパガンダ)プラットフォームとして積極的に利用するという動きに転じた。テレグラムが最大20万人も参加可能な大規模チャンネルのサポートなど、単に1対1のメッセージのやり取りだけでない機能をサポートすることも、多用される理由だ。つまり、テレグラムには新時代のSNS、「非公開のSNS」という特性があるというわけだ。

また、ロシア国内で自由な立場で情報を発信するジャーナリストのイリヤ・ヴァルラモフが運営するテレグラム内のロシア語ニュースチャンネルは、2022年2月の侵攻以降、加入者が5倍に激増、130万人近くとなったとする報道もある。[23]政府の統制が及ばない情報源として、ロシア国内でもテレグラムに関心が高まったことの現れだろう。

興味深いのは、テレグラムはウクライナでも多用され、ウクライナ側によるプロパガンダにも多用されていることだ。ウクライナのウォロディミル・ゼレンスキー大統領は、同アプリで国民を鼓舞する動画メッセージをたびたび発信することがよく知られている。同時に、テレグラムの守秘性の高さを活かし、ロシア国内の反政府的な人々やウクライナ側からの情報に関心を持つ層に向けて、自らロシア語による情報発信も行っている。[24]

## 10 プロパガンダがまん延するテレグラム

このように、強権的な政府は、テレグラムのような守秘性の高い情報プラットフォームで流通するプロパガンダの取り締まりに手を焼く一方、自らは、他国に向けた影響工作でこれを活用するという矛盾に満ちた振る舞いを見せる。すでに、ロシア国営メディアの国際版「スプートニク」、「ＲＴ」がテレグラム内にニュースフォーラムを設置し、情報発信に努めている。さらに、数多くのロシア政府に近い〝ボット〟的アカウントが、これら政府系メディアのニュースを拡散すると同時に、さまざまなディスインフォメーションの発信源ともなっていることが指摘されている。[25]

また、数多くの戦闘、さらには残虐な光景がテレグラムを通じて発信されている。たとえば、２０２２年７月、チェチェン人（らしき）兵士による捕虜のウクライナ兵士に対する残虐な殺害映像を投稿したのは大きな衝撃、恐怖、そして怒りを与えた。[26]

先に取り上げたＴｉｋＴｏｋ同様、テレグラムの利用においても動画が影響工作上、大きな役割を果たしている。特にテレグラムではＴｉｋＴｏｋなどとは異なり、チャンネル向けに大規模な動画のライブ配信ができることも特徴だ。
ロシア・ウクライナ双方に影響力ある人物（たとえば、ゼレンスキー大統領）が動画による投稿を行うのは、メッセージ発信における動画の威力が認識されているからにほかならない。ゼレンスキー氏が「私は首都にとどまる。家族もウクライナにいる」とロシア軍の侵攻開始直後に、キーウ市街を背景に動画メッセージを発信したことが国民を強く鼓舞する結果となったことは広く知られている。[27]
動画の影響力が大きいことは、ディスインフォメーションの影響力を高めることともなる。２０２２年10月には、ウクライナの各都市へのロシアによるミサイル攻撃下、ゼレンスキー大統領が首都キーウを脱出しポーランドに向かっているというディスインフォメーションを、元ウクライナの議員でロシア支持者のイリア・キヴァがテレグラムチャンネルで発信。続けて、ゼレンスキー氏のキーウ市街を背景にした動画メッセージは合成されたものだとも主張したが、その証拠の欠如や、同時期にゼレンスキー氏が米国大使と首都キーウで会談したことも公開されているなどファク

［図6］テレグラム上のウクライナ・ゼレンスキー大統領の公式フォーラム

トチェックによってその虚偽性が暴かれた。[28]

テレグラムの最大の特徴である機密性の高さは、発信されるメッセージの真偽やその社会的影響力の大小にかかわらず適用される。つまり、メッセージを受信した利用者が指摘する以外に、事前に真偽が問われることがない。ディスインフォメーションも基本的に野放しだということでもある。

最近になって犯罪者集団の商売の場（たとえば、ハッキングされて流出した利用者データが売買されるなど）となったりしていることが指摘され、極端なヘイト、陰謀論を集積するチャンネルなどで一部排除が進んでいるともされるが、いずれにせよ限定的で、テレグラムは、今後ともディスインフォメーションやプロパガンダに最適化されたプラットフォームであることを免れないだろう。難しい問題だ。

## 11 「ジェネレーティブAI」がもたらすインパクト

次に、変容するメディアの、現在、そして未来に目を向けていこう。

「ジェネレーティブＡＩ」というＡＩ（人工知能）の新たな分野が、いま注目の的だ。

簡潔に言えば、ＡＩが独自の創造物を生成する分野のことだ。膨大なデータを解析した成果を用いて、文字、音声、映像（静止画像から動画までを含む）、あるいはプログラミングコードなどを生成するものだ。人間が簡単な指示やヒントを与えるだけで、ＡＩがそれに沿って高度な〝作品〟を創りだす。[29]

近年、ジェネレーティブＡＩの第一世代として、動画像を高度に合成する技術である敵対的生成ネットワーク（Generative Adversarial Network：GAN）、小説や論評などの文章・作曲・プログラミングコードなどを、簡単なヒントから生成するＧＰＴ－３（Generative Pre-trained Transformer 3：事前学習済み生成変換器３）などが注目された。後者のＧＰＴ－３は、自然言語処理向けの深層学習モデル「トランスフォーマー」を用いる。

２０２２年には、簡単なテキストによるヒントで画家やプロのイラストレーターも驚くような非常に精細な画像を生成するオープンソースコードの「ステーブル・ディフュージョン（Stable Diffusion：安定的拡散）」が公開された。これをベースに、いまではＡＩによる実用的な画像ジェネレーターが各種、安価もしくは無料で提供されるまでになった。図７は、筆者が簡略な指示を与えて生成された画像だ。[30]

りんな@AI画家 @ms_rinna · 20時間
返信先: @ms_rinnaさん
@afujimura 真っ黒な熊が東京の街角で並んでダンスを踊る。
藤村厚夫 @afujimura · 20時間
返信先: @ms_rinnaさん
真っ黒な熊が東京の街角で並んでダンスを踊る。
［図7］ジェネレーティブAIにより仮想の画像が生成された例

調査会社ガートナージャパンは、

2022年の戦略的技術の「トップ・トレンド」としてこのジェネレーティブAIを取り上げた[31]。同社は次のように述べている。

ジェネレーティブAIは、ソフトウェア・コードの記述、医薬品開発、ターゲット・マーケティングの促進といったさまざまな活動に利用できます。しかしその一方で、詐欺、不正、政治的な偽情報の発信、なりすましなどに悪用される可能性もあります。2025年までに、生成される全データのうちジェネレーティブAIによるものの割合は、現在の1%未満から10%になるとGartnerは予測しています。

ガートナーによる予測、「生成される全データのうちジェネレーティブAIによるものの割合は、現在の1%未満から10%になる」は比較的穏便なほうだ。政治およびAI技術コメンテータであるニーナ・シックは「合成の動画が、わずか3年から5年のうちにすべての動画コンテンツの90パーセントを占めるようになる」と、取材したAI関連スタートアップの創業者のコメントを引き予測する[32]。先に、インターネットテクノロジーがメディアに与えたのと同様のインパクトを、AIの発展と活用が持ち始めているとしたことの意味がわかるだろう。

さて、このジェネレーティブAIを利用したディスインフォメーションがすでに国内で生じている。2022年9月、ある投稿者がツイッターに「ドローンで撮影された静岡県の水害。マジで悲惨すぎる…」とのテキストを沿えて、水害を撮影したとおぼしき写真を複数点投稿した。映像に不自然な部分があり、これを見かけたツイッターユーザーからの疑問や指摘の声があがり、投稿者自身が謝罪（と開き直り）のコメントを発したことから、終熄した。投稿者が用いたのはステーブル・ディフュージョンだったという。[33]

経緯からすると単なる〝愉快犯〟だったようだが、一般ユーザーがジェネレーティブＡＩをディスインフォメーション生成に容易に利用できる段階になっていることがわかる事案だ。

Right-Wing Media Outlets Duped by a Middle East Propaganda Campaign
FAKE NEWS

[図8]「人工合成」メディアによる事件を暴いた「デイリー・ビースト」記事

今後世界では、ジェネレーティブＡＩを利用したディスインフォメーション事案が数多く報告されることになるものと懸念される。たとえば、現在すでに架空の人物が、特定の国家や勢力の主張に即した発言、情報発信を行うといった事案がすでに目につくようになっている。

２０２０年７月、アメリカの「デイリー・ビースト」は、複数の保守系メディアで論陣を張ってきた中東湾岸諸国問題を専門とする地政学コンサルタント「ラファエル・バダーニ」という「人物」が架空の存在だったと報道した。バダーニのプロフィール写真は合成であり、また、学歴を含む略歴は偽造だった。この「人物」は報道される前の１

年間に46ものメディアに意見や論考を寄せていた。また、同様の人工合成と目される19もの「人物」とネットワークを形成していたというのだ。[34]

さらに、このネットワークは「アラブ・アイ」と「ペルシャ・ナウ」という2つの偽論説サイトで論陣を張ってきたことがわかっている。複数の人物やメディアを統合した大がかりなディスインフォメーション・プロジェクトだったというわけだ。

「人物を人工合成する」と聞くと、精巧なディープフェイク動画像で人々を欺瞞するという派手な工作を想像しがちだ。だが、本事案は、総合的なシナリオにもとづいて大きなディスインフォメーションを進行させている点で、先の「静岡県の水害巡りフェイク画像が拡散」のような個人プレーとはケタ違いのレベルにある。このような動きにおいて新世代のAI技術も部品として活用され始めたと見るべきだろう。

## 12　人工合成メディア（シンセティック・メディア）の脅威

最後に、「人工合成メディア（シンセティック・メディア）」の脅威について触れ、本章を終えることにしたい。

アメリカ・ノースイースタン大でAI研究を行うモハメド・スリマンは、

◎　人工合成メディアとは、AIを使って「ディープフェイク」映像を生成することなども含む、包括的な言葉である

◎　この技術は急速に進歩している。悪意あるアクターはこれを利用して、極めて説得力のあるプロパガンダを広めている

◎　政府や大企業は反撃に出ているが、意図しない結果を招くことになる

と述べている。[35]

ここまで読まれた読者には理解できることと思うが、人工合成メディアとは、ジェネレーティブＡＩなどの技術やサービスを用いて生成したキャラクターや背景映像などで作られたコンテンツである。また、そのようなコンテンツを集約したメディアというトータルなプロダクトである。当然ながら、人物が語りかける情報は、単なるテキスト以上の説得力、影響力を生む。それが見知った人物ならなおさらだ。であれば、人工的に合成されたその人物に意図したメッセージを語らせることにより、それを受け止める人々に対し多大な影響、興奮、認識そして行動をもたらすことができる。

もちろん、社会が許容し得るような応用例も種々生まれている。すでに存命でない俳優が出演する映画の制作、亡くなった親族が会話の相手となってくれるようなＶＲサービス、外国人移住者が多い自治体において、首長が多言語で住民向けメッセージを発する動画映像など。

だが、やはり懸念されるのは、人工合成メディアのディスインフォメーションへの応用だ。米FBIは、産業向け警告文書を2021年3月に発表している。[36]

この文書では、ロシア語、中国語のアクターによる海外の影響工作に関連する事例が報告されているとする。同時に、2017年以降、未知のアクターにより架空の「ジャーナリスト」が創りだされ、その言説がオンラインおよび印刷メディアを通じて拡散している事例も報告されていると指摘している。技術とディスインフォメーションが結びついた高度な影響工作がいたるところで動き始めていると受け止めなければならない。

FBIのこの文書は、対策として、

◎オンラインで情報を入手する際、特に対立や煽動的な話題には注意を払う
◎複数の独立した情報源を確認する
◎オンライン上の人物写真、動画、音声を信用しない
◎メディアリテラシーの基礎を身につける
◎すべてのシステム（ログインなど）で多重認証を活用する……

等々をあげているが、個人任せ、それも自覚と教養に期待するのは、これほどAI技術の高度化した時代では、心許ないとしかいいようがない。やはりテクノロジーの側からのアプローチを強

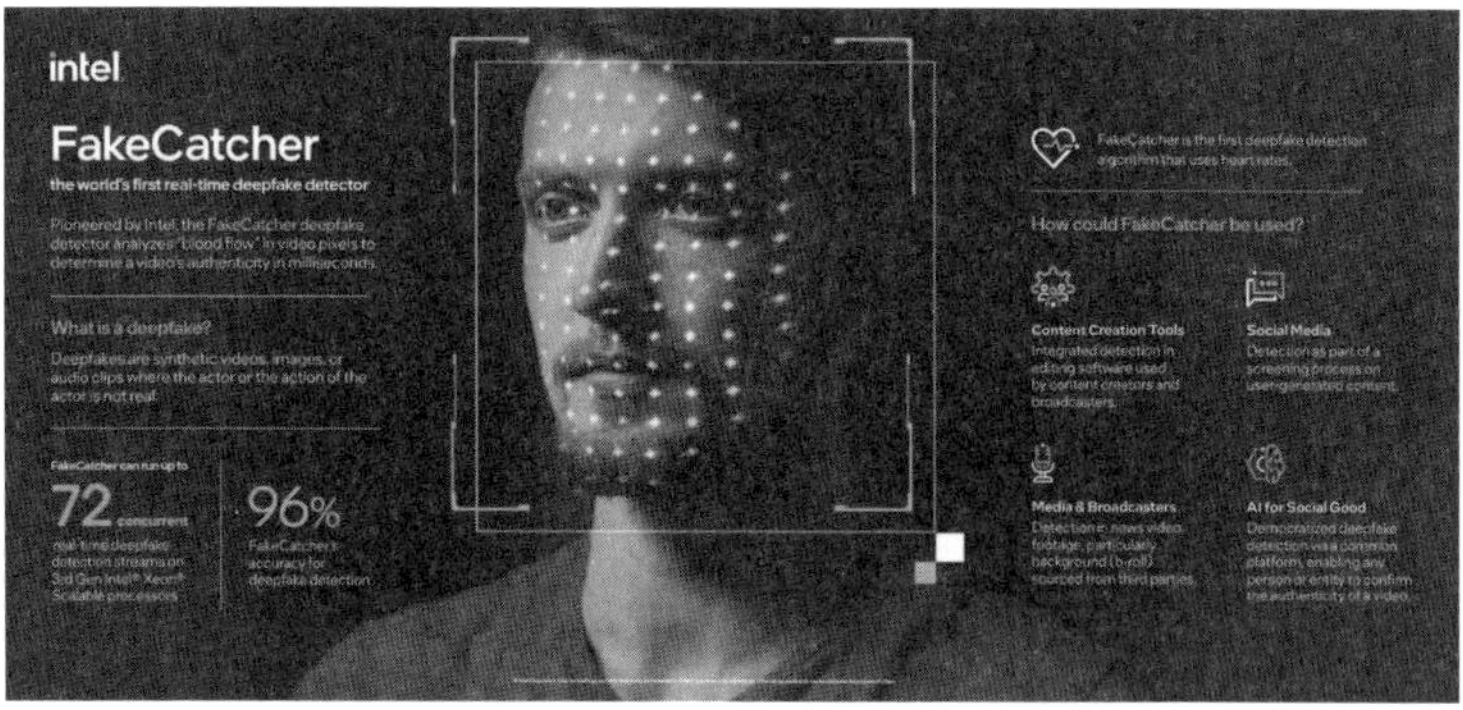


[図9]インテル社が開発した「フェイクキャッチャー」のインフォグラフィック（出典:Intel Introduces Real-Time Deepfake Detector）

く求めることになるだろう。真偽判定を行える専門家の労力を有効に活用するためにも、高速な自動判定能力をもった対抗力としてのＡＩ技術の開発、その実装が必要である。

すでに、ディープフェイク映像における人工合成の痕跡を精度高く識別するアルゴリズムなど、日本を含め各国で開発が進んでいる。[37] たとえば、２０２２年11月には、インテル社が、映像中の人物の顔における血流を識別することで人工合成を見破る「フェイクキャッチャー」というアルゴリズムを発表している。[38]

特に日本では既存のジャーナリズムがテクノロジー利用に知見が薄いこと、また、過度に「人間力」に頼りがちな傾向が強いことなど、高度なディスインフォメーション対策に不安を残している。

これまで述べてきたように、膨大な利用者データの集積やその利用を可能にする高度な基盤技術を、悪意あるアクターによって利用されてしまうケースが多々あったことを忘れてはならない。悪用を抑止し、高度なディスインフォメーション、プロパガンダに対抗しうる技術の開発と、安全な運用をデジタルプラットフォームに強く求めるような（全世界的に監視する）国際的合意形成が喫緊の課題だと考える。

第4章

# 日本のニュース生態系と影響工作

藤代裕之

**藤代裕之（ふじしろ・ひろゆき）**

ジャーナリスト、法政大学社会学部メディア社会学科教授。1973年徳島県生まれ。広島大学文学部哲学科卒業、立教大学21世紀社会デザイン研究科前期修了。徳島新聞で記者、NTTレゾナントでニュース編集や新サービスの立ち上げを担当した。日本ジャーナリスト教育センター（JCEJ）代表運営委員。国内のフェイクニュース研究にいち早く乗り出し、2017年に『ネットメディア覇権戦争　偽ニュースはなぜ生まれたか』（光文社新書）を出版しニュースメディアの構造が課題であることを指摘、2021年には具体的なフェイクニュース事例がどのように生成・拡散するかを追った『フェイクニュースの生態系』（青弓社）をまとめた。

## 1　問題は嘘・偽のニュース化

本章では、国内におけるフェイクニュースとデジタル影響工作についてニュースの側面から検討する。結論から述べれば、ニュースが生成され拡散する日本のニュース生態系は、デジタル影響工作に対し非常に脆弱であるということだ。脆弱さをもたらす構造とその対策について述べていきたい。

筆者は、ソーシャルメディア時代のメディアやニュースのあり方にいち早く着目し、研究と実践を行ってきた。ソーシャルメディアの教科書を執筆・編集したり[1]、ここ数年は国内のフェイクニュース研究を行い、「フェイクニュースの生態系」にまとめたり[2]、している。本章では「フェイクニュースの生態系」での知見を踏まえ、検討が不十分であったデジタル影響工作にフォーカスする。

フェイクニュースは２０１６年のアメリカ大統領選挙で改めて注目され、欧米で対策や研究が進んでいる。国内では同年の熊本地震時の「ライオンが逃げた」に代表される災害時の情報混乱が中心であったが、２０２０年の新型コロナウイルス感染症への反ワクチン情報や陰謀論の出現、

２０２１年のロシアによるウクライナ侵攻で、ようやく危機感が高まりつつある。

フェイクニュースとは言葉の如く、フェイクとニュースが組み合わされたものである。ニュース記事は一般的に信頼性が高いと考えられているため、ニュースに嘘・偽が混じることは社会の混乱や分断の要因となる。デジタル影響工作において相手を劣位に追いこむことは短い期間で効果を上げやすいとされているが、選挙や政策の判断材料となるニュースの信頼性を低下させることは、民主主義社会を不安定にさせる効果的な手法といえる。テレビや新聞という既存メディアでは、ニュースは限られた人たちによって担われていたが、ソーシャルメディア時代になり、誰もがニュースの生成・拡散に関わるようになったことが、嘘や偽が混じる危険性を高めている。

フェイクニュース問題では、ソーシャルメディアにおける嘘・偽情報の対策やリテラシーに議論が集まりがちであるが、それは根本的な対策ではなく、むしろ状況を悪化させかねない。前述したように嘘や偽がニュース化により広く社会に伝えられていくことで、さながら事実のように報じられていくという部分にこそ対策を行う必要があり、そのプロセスを狙ったマニピュレート（操作）に目を向けるべきである。そして、その危険性はソーシャルメディア前から指摘されている。

「ニューヨーク・タイムズ」が２０１８年に公開した動画「Meet the KGB Spies Who Invented Fake News」[3]は、ＨＩＶがアメリカ軍の兵器開発によって作られたというフェイクニュースを生み出したソ連国家保安委員会（ＫＧＢ）の工作を紹介したものだ。

概略を説明する。１９８３年にＫＧＢが工作のために設立したインドの新聞「パトリオット（Patriot）」に、ＨＩＶは米国防総省の生物兵器研究の結果生まれたと主張する匿名の手紙が紹介される。その後、東ドイツの生物学者夫妻がＨＩＶ米兵器説を主張し、ソ連の通信社、新聞、雑誌で繰り返し報じられ、それがアフリカに広がる。そしてアメリカでは人気番組「イブニング・ニュース」の著名アンカーであるダン・ラザーが紹介するに至る。その結果、フェイクニュースはアメリカに拡大し、いまなお燻り続け、社会の混乱要因となっている。

ＫＧＢは嘘・偽の記事や冊子を用意し、それが話題となり他国のニュースになるように工作をしていた。ソーシャルメディアの時代となり工作コストは大幅に削減された。新聞や雑誌を立ち上げるより、ソーシャルメディアに広告を出したり、動画サイトを立ち上げたりするほうが簡単だ。さらに、ソーシャルメディアはグローバルなプラットフォームであり、瞬時に情報が伝わる特徴もある。当然ながら日本も工作と無関係ではいられない。

## 2　侵入するロシアのプロパガンダ

２０２２年３月11日、中日新聞社が発行する中日スポーツオンライン版は、ロシアのウクライナ侵攻に関連するプロパガンダ記事をヤフーニュースに配信した。タイトルは「米国がウクライナで『日本の７３１部隊似』の研究 露通信社報じる」で、アメリカがウクライナで行う実験が旧日本軍で細菌兵器などの開発を行った７３１部隊に似ている、とロシアの放射線・化学・生物学防護部隊を率いる軍幹部が指摘しているとし、困惑するツイートが相次いでいるという内容であった。情報源はロシアの政府系メディア「スプートニク」だ。

スプートニクは、２０１７年のフランス大統領選挙でフェイクニュースを拡散していると指摘されており、ロシアのプロパガンダを担っているとされる。2月末にＥＵは「ＲＴ」（旧：ロシア・トゥデイ）とともに域内での提供を禁止し、グーグルやツイッターの検索結果からスプートニクとＲＴのコンテンツが除外された。

266
3/11(金) 11:55 配信
中日スポーツ
プーチン大統領（AP）
ロシアの通信社「スプートニク」の日本語版は11日、「米国によるウクライナ生物学研究所での実験作業」と題した記事を掲載し、「日本の731部隊に似ている」とするロシア生物学防護部隊のコメントを伝えた。

[図1] 中日スポーツが配信しヤフーニュースに掲載したスプートニクを情報源にした記事。筆者がキャプチャ

生物兵器ネタは前述したようにロシアのプロパガンダの典型例と言えるが、「中日スポーツ」は、取材による確認や検証は一切行っておらず、スプートニクの記事内容をそのまま掲載した記事を公開、配信している。ＥＵが禁止措置を講じているといった読者に注意を促す情報も書かれておらず、多くの人は一般的なニュースと同列に扱ったはずだ。

筆者が中日スポーツに問い合わせたとこ

ろ、記事はヤフーニュースからも中日スポーツからも削除された。中日スポーツは取材に対し「デジタル部門の記者とデスクが、ロシア政府系プロパガンダメディアとして認識できておらずネット配信してしまったのが経緯です」「報道引用に関しては、ウクライナ問題をはじめ深刻な事案では特に、海外メディアの報道内容を取り上げる時には複数のソースにあたるなどして記者がまず事実確認することを原則とし、デスクがチェックしての配信を徹底するよう指示しました」と回答した。[4]

スプートニク記者の主張も人々の目に注釈なく触れる状況にある。デイリー新潮は、9月11、12日にロシア在住ジャーナリストの記事として、ウクライナ東部の親ロシア組織が自称しているドネツク人民共和国側の話題や志願兵が金銭に加え動機として「非ナチ化のためと答える場合が多い」とロシア側の主張を展開している。毎日放送（ＭＢＳ）も10月14日に同じ記者が情報源となる記事を配信している。いずれの記事にも、スプートニクが問題のあるメディアであることやＥＵが禁止措置を講じていることは記載されていない。

工作の侵入ルートは国内メディアだけではない。韓国の通信社である聯合ニュース、同じく韓国の主要メディア中央日報日本語版が、スプートニクを情報源にした記事をヤフーに配信している。スプートニクは日本語サイトを持ち、ツイッターのアカウントには認証マークが付与されている。ソーシャルメディアだけでなくニュースメディアもグローバル化しており、工作の進入路は多岐にわたる。

注意してもらいたいのは、スプートニクやロシア側の主張を流すなと言っているわけではなく、ロシア側のナラティブを何ら検証することなく、読者が判断できる情報もない状態で多くの人の目に触れることが問題なのである。

## 3　ニュース化をいかに防ぐか

どのような話題をニュースにするのかは各メディアに委ねられており、それをコントロールすることは、民主主義社会においては表現の自由を脅かすために慎重でなければならない。だからといって各メディアやプラットフォームが対策を行わなければ、工作を許すことになる。このジレンマはロシアに隣接する民主主義国家の悩みの種だ。

筆者は、フェイクニュース研究のために2019年にバルト三国のひとつリトアニア国防省や、フィンランドに設置された欧州ハイブリッド脅威対策センター（The European Centre of Excellence for Countering Hybrid Threats）を訪問した[5]。リトアニアは、親ロシア国家のベラルーシとロシアの飛び地でありバルチック艦隊司令部があるカリーニングラードに隣接しており地政学的に重要な地域に位置する。

リトアニア国防省で担当者がフェイクニュース対策の事例として紹介してくれたが工作のニュース化をいかに防ぐのかということであった。

[図2]事故を紹介するツイート（左）とフェイクニュースサイト（右）。いずれも筆者がキャプチャ

バルト三国を舞台にした米軍主導の軍事演習「セイバーストライク２０１８」で、装甲車の事故があり兵士が負傷したことがあった。すぐに「装甲車が自転車に乗っていたリトアニアの子供をひき殺した」というフェイクニュースサイトが立ち上がり、ソーシャルメディアで拡散した。

ニュースの情報源は、バルト三国の有力ポータルサイトＤｅｌｆｉ（デルフィ）であると表示されている。壊れた自転車と装甲車の前に横たわる人影のようなものと、それをリトアニア軍警察が見ている構図の写真が紹介されている。この写真はチェコスロバキアで撮影された装甲車に、自転車や警察を合成したフェイクである。

軍事演習には20カ国近い国が参加しており、メディアが取材している。図２のツイートにもあるように事故は実際に起きており、装甲車が子供をひき殺したとすれば国際的な問題になりかねない。各国政府関係者は問い合わせを行い、メディアは取材を行う。その過程で、不確かな情報をニュースサイトが速報したり、関係者がソーシャルメディアに書き込んだりすれば、騒ぎは大きくなり、「事実化」していくことになる。これがフェイクニュースサイトを立ち上げた側の狙いだ。国防省ではソーシャルメディアをモニターしており、フェイクニュースであることを確認すると関係各国に連絡して警戒を呼びかけて対応した。

訪問当時、リトアニアがロシアの影響下にあるテレビ局のコンテンツを規制しようとするとEU側から慎重な姿勢を求められ、対策が不十分になってしまうとの話も聞いた。国防省の担当者は、表現の自由が大切であるとの前提は理解していると強調した上で、民主主義社会における表現の自由や取材プロセスをフェイクニュースやプロパガンダ拡散に利用されていることを説明し、「ロシアはクレバーだ」と表現していた。その後、ロシアがウクライナに侵攻すると、EUはスプートニクやRTを禁止措置とする踏み込んだ対応を行った。

ニュース性の高い事件や事故に対し、フェイクニュースサイトが立ち上がったり、ソーシャルメディアに嘘・偽情報を流されたり、する工作が行われるとすれば、間違った話題をニュース化しない工夫が必要となる。そのためには軍、警察、情報機関との連携は不可欠で、メディア側にも危機感や訓練が必要となる。もちろん連携には危険性があるが、国内メディアの状況は中日スポーツの回答を見ても分かるように、危機感は皆無に等しくそれ以前の状況である。

## 4　国内のニュース生態系とミドルメディア

日本にとってロシアは隣国であり、中国による脅威も高まる中、ロシアのプロパガンダがニュース生態系に侵入する脆弱性があることも明らかになった。なぜ、まともに取材もしないプロパガンダを垂れ流すニュース記事が配信されているのか、ヤフーは記事を確認しているのではないのか、といった疑問が出るのは当然だ。脆弱性を理解するためには、ニュースが生成・拡散するニュース生態系の構造を知ることが重要であり、対策にも不可欠だ。

ニュース生態系は国によって異なる。例えば、アメリカではソーシャルメディアの影響力は大きいが、日本ではテレビが依然として大きな存在であり、インターネットではポータルサイトの影響力が大きい。ロイタージャーナリズム研究所「Digital News Report」の２０２２版[6]によると、アメリカにおけるニュースのソースは、オンライン67％、テレビ48％、ソーシャルメディア42％、新聞15％となっている。日本では、オンライン65％、テレビ56％、ソーシャルメディア28％、新聞27％となっている。特筆すべきは国内におけるオンラインでのヤフーニュースの強さだ。オンラインでのソースはアメリカが、ヤフーニュース、テレビや新聞のオンラインなどに分散しているのに対し、日本はヤフーニュースに集中している。オンラインではヤフーニュースが多くの人々にニュースを伝えるマスメディア的な位置づけを占めている。

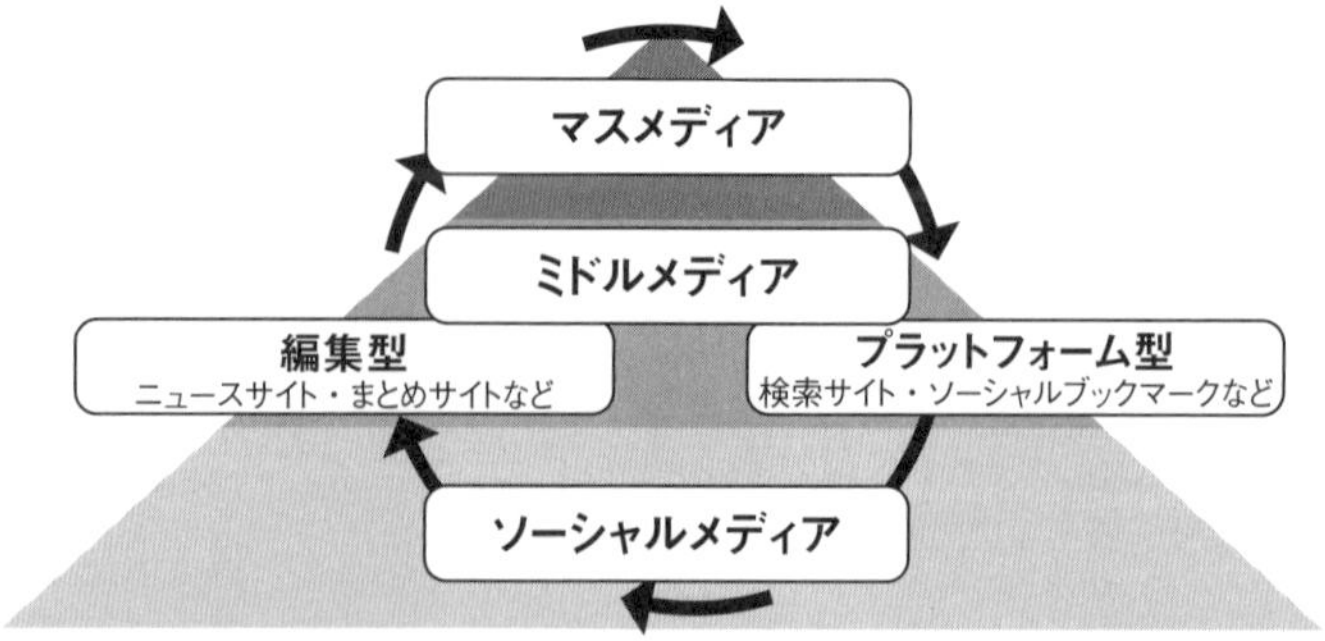


［図3］ニュースや情報の生成・拡散の中心にあるミドルメディア。筆者作成

筆者は、インターネットにおけるニュース・情報の流通構造をソーシャルメディア、ミドルメディア、マスメディアと3つに分けて捉えてきた。

人々が発信するソーシャルメディアからは事件や事故の現場だけでなく、ネットの反応や話題が生まれ、ミドルメディアに位置づけられるニュースサイトやまとめサイトに取り上げることで広く知られることになる。例えば、ネットでの炎上事案は、ミドルメディアが「炎上」とニュース化することでヤフーやテレビといったマスメディアに取り上げられ、多くの人が知ることになる。マスメディアが報じると、その話題はまとめサイトやソーシャルメディアに再び取り上げられることで循環していく。

ミドルメディアを運営する企業や個人は既存メディアに比べると取材体制が脆弱であり、低コストで多くのページビューを稼ぎ、広告収入が得られる記事制作手法を考え出した。それが「こたつ」記事である。「タレントがテレビでこんな発言をした」「ネットで批判されて炎上」といった、現場取材や検証を十分に行わず、スポーツや芸能人のテレビやソーシャルメディアの発信を基にして書いた記事のことを言う。

国内のフェイクニュース研究を進めていくと、ミドルメディアが、嘘・偽情報を付与することでフェイクニュースを作り出していることが分かってきた。嘘・偽が入り混じった記事は、ヤフーなどのポータルサイトに配信されることでミドルメディアやソーシャルメディアがフェイクニュースを取り上げることでネットに拡散されていく。筆者はこれを「フェイクニュース・パイプライン」[7]と名付けた。「こたつ」記事は取材や検証が不十分であり、嘘・偽情報が入り交じりやすい。

ニュース化のプロセスで嘘・偽が入り混じることは、KGBの工作手法で使われたものであり、第2節で紹介したように「フェイクニュース・パイプライン」によりロシアのプロパガンダが国内ニュース生態系に拡散している状況が既にある。「こたつ」記事はその大きな脆弱性となっている。

## 5　フェイクニュースの元凶「こたつ」記事

このような「こたつ」記事に手を染めるのはネットメディアだけではないのは、既に述べた通りだ。朝日新聞は2020年に「こたつ記事」謝罪・訂正続々という見出しで、著名人のソーシャルメディアの発言を引用して報じたスポーツ新聞が謝罪や訂正を行っている事例を紹介し、既存メディアにもページビューを効率よく稼ぐことが求められるようになったという背景を報じている。[8]

ところで「こたつ」記事という言葉はいつごろ生まれたのだろうか。広く知られるようになったきっかけは２０１０年12月のＩＴジャーナリスト本田雅一氏のツイートとされる。ツイートはメディアの一次情報の扱いに関するやり取り中に発信されたもので、「評論」を意味していた。

> 〝コタツ記事〟というのは、ブログや海外記事、掲示板、他人が書いた記事などを〝総合評論〟し、コタツの上だけで完結できる記事の事を個人的にそう呼んでます。[9]

ソーシャルメディアの登場以前は、既存メディア以外は多くの人に伝えるすべを持たなかった。ソーシャルメディアが登場すると、現場取材に行くことなく一次情報をソーシャルメディアで拾い集めることで記事を執筆することができるようになった。特に動画サービス登場の影響は大きく、２００６年にニコニコ動画が、２００７年にはＵｓｔｒｅａｍ（ユーストリーム）がサービスを開始するとイベントなどが生中継されていくことになる。

２００９年に政権交代した民主党が一部の大臣会見をネットメディアにも公開、２０１０年の事業仕分け第二弾ではニコニコ動画やＵｓｔｒｅａｍなどが会場から生中継を行った。経済分野でも同年2月にソフトバンクの決算説明会がＵｓｔｒｅａｍにより行われた。既存メディアが独占してきた政治や経済の話題も直接人々に届けられるようになった。11月には尖閣諸島沖での巡視船と中国漁船が衝突したビデオ映像がユーチューブに投稿される。国際関係を揺るがす事件を前に、２００８年に起きた秋葉原無差別殺傷事件ではソーシャルメディアに投稿された写真や動画の報道に慎重だった既存マスメディア各社はユーチューブの映像を紙面や映像をそのまま取り扱った。[10]

このような時代背景から「こたつ」記事という言葉は生まれたと言える。動画の生配信やツイッターでの実況ツイートは、既存メディアは一次情報の一部を都合よく切り取り報道しているのではないか、といった批判につながりメディア不信の要因ともなっていく。

政治家、タレント、企業、自治体など、様々な人々や組織がソーシャルメディアで発信するようになると、ネットメディアは著名人のソーシャルメディアの投稿やテレビやラジオ番組での発言が事実であるかを確認せずに取り上げるようになっていく。テレビで発言したことは「事実」かもしれないが、その内容が事実なのか不正確なのかという点とは異なるにもかかわらず、発言や投稿も「事実」として記事を書くようになる。「こたつ」記事は、「評論」から取材や検証をしない不確実な記事という意味に変化していった。

「こたつ」記事が、簡単に作れ、ページビューを稼ぐコストパフォーマンスが良いと分かると、ネットメディアだけでなく既存メディアやネット企業も手を染めるようになる。[11] 分野も芸能やスポーツだけでなく、医療や健康、社会問題や国際関係といった話題に拡大していった。芸能やスポーツであればリスクは比較的少ないが、社会問題や国際関係は前提となる知識が必要な場合も多く、工作の影響も生じやすい。だが、ページビュー稼ぎが優先され、正確性や信頼性は後回しとなっている。

## 6 「こたつ」記事を見分けるのは困難

ここまで指摘してきたように「こたつ」記事は、国内のニュース生態系の工作に対する脆弱性となっている。筆者は「こたつ」記事の根絶を提言しているが[12]、そのためには「こたつ」記事を見分ける能力が求められる。そこでゼミ生たちに「こたつ」記事を見分ける研究を行ってもらうことにした[13]。大学生の目から記事を見ることで課題が浮かび上がると考えた。

調査対象は2022年9月24日から30日にヤフーニュースのトップに掲載された、621本の記事である。ヤフートップは編集部が手作業で選んでいるため、比較的バランスが取れていることも対象にした理由だ。「こたつ」記事と見られる記事は少ないと予想した。

「こたつ」記事については明確な定義はないが、言及した書籍や新聞記事を調査し、「取材や検証をしていない」、「芸能人などの有名人の情報が対象になる」、「テレビやインターネットの情報を基にしている」、という3つの特徴を把握し、ひとまずこの特徴を手がかりに見分けることにした。

ゼミ生8人が2人ひと組となり分類したところ、判断が一致した４７６本のうち「こたつ」記事は76本だった。全体のなかで判断が割れた記事が１４３本あり、ゼミ生から様々な質問が寄せられた。その多くが、現場で取材した記事なのか、テレビやインターネットの情報などを参考にしたのかの判定が困難であるという点であった。

例えば、格闘技の結果を伝える記事では、添えられた写真にはカメラマンの名前が入っているがネット中継があるとの記載が本文にあったことで、ゼミ生の判断は「ネットで見ながら書いたのか、カメラマンが取材したのか分からない」となった。大リーグの記事では「ファン総立ち」「大熱狂に包まれた」と現地で取材しているような記述があるものの、添えられた写真は通信社ロイターのものが使われており、ゼミ生からは「取材しているか疑わしい」との指摘があった。筆者もこれらの記事を確認したが、現地で取材しているのか、どこかのメディアを見て書いたのかは判断がつかなかった。

「こたつ」記事とゼミ生が判断したジャンルはエンタメやスポーツが多かったが、判断が割れた記事を含めれば、国内や国際といったジャンルも多くあった。

例えば、ロシアのウクライナ侵攻を扱った記事では、冒頭にキーウ＝●●（記者名）と書いて記者が現場にいることを示していたが（学生からはこの記載はどのような意味なのかという質問があった。既存メディアの記事特有のルールは大学生には共有されていない）、記事は海外通信社や海外メディアを情報源としてまとめられたもので、ゼミ生からは「記者がウクライナにいるのに、なぜ取材せずに他のメディアをもとに記事を書いているのか」と質問があった。特派員が現地でメディアを参考にして書いた記事は「こたつ」ではないのだろうか。

経済では、企業が新商品や新サービスを発表したという記事に質問があった。記事には●●社が発表したと記載されているが、「どこでどうやって発表されたのかが分からない」「サイトにプレスリリースが掲載されているが、それを見て書いたのではないか」という指摘があった。筆者は記者経験があるため企業広報が新聞社などに連絡することで記事化されるルートがあることを知っているが、あらゆる情報がインターネットに存在している前提でニュースを見ていると、「こたつ」記事であることを隠している不誠実なものに見える。

調査の結果、ゼミ生たちは予想外の結論を出した。テレビやインターネットの情報を明示している「こたつ」記事のほうが信頼できる、既存メディアの記事で情報源が省略されているものは信頼出来ないように見える、というものであった。取材しているのであれば、取材に行ったことを明記するようにという提言も行われた。「こたつ」記事のほうが信頼できる理由は情報源を確認できるからなのだが、ではその情報源を確認するのかというとそうでもなく、テレビやインターネットに書いてあるなら、それは確かなのだろうという考えがあることも分かった。

筆者は、「こたつ」記事の根絶を提言したが、ネット上の記事の書き方はより巧妙になり、動画サイトなどを見ながら、さも現場にいるような記事を書く工夫がある一方、既存メディアでは取材を前提にしてその対象やプロセスは明記しないため、見分けるのを困難にしているということが理解できた。既存メディアの情報源のあいまいさは以前から問題とされてきたが、ニュースやジャーナリズムへの不信感や透明性のなさにつながる要因となりつつある。

リテラシーによるフェイクニュース対策を強調している人は、実際に取材している記事なのか、テレビやインターネットの情報を元にしているのか、さらに言えばその情報源は信頼できるものなのかの確認作業をやってみると良いだろう。相当に困難であることが分かるはずだ。ページビューを稼ぐことができれば良いというニュース生態系は、リテラシーを無効化しているのである。

## 7 ファクトチェックは根本解決にならない

フェイクニュース対策としてファクトチェックという手法が注目されている。国内でもグーグルとヤフーが活動資金を提供して、日本ファクトチェックセンター（ＪＦＣ）が活動を開始した。[14] これに対しネット上では、ＪＦＣがテレビや新聞をチェック対象外としたことに批判的な声が上がった。ネットにおけるメディア不信の強さを感じるが、新聞には第三者委員会などが、テレビには番組審議会やＢＰＯ（放送倫理・番組向上機構）といった検証・訂正を行う仕組みがある。これらが有効に機能しているのかは議論があるが、インターネットに嘘・偽情報を確認する仕組みが、プラットフォームの協力で立ち上がったことは前進といえる。

これまでにも国内ではファクトチェック・イニシアティブ（ＦＩＪ）の呼びかけなどにより取り組みは行われてきたが、国際連携と組織ガバナンスに課題があった。プラットフォームに対しファクトチェック結果を反映させるためには、ファクトチェックに関する国際団体である国際ファクトチェックネットワーク（ＩＦＣＮ）への加盟が前提となっている状況がある。しかしながら、国内には加盟団体がこれまで存在していなかった。ＦＩＪはガイドラインを定めているものの、ガイドライン違反に対する対応は行っておらず、ファクトチェック活動に対するガバナンスが不十分であった。

ＪＦＣはＩＦＣＮ加盟を目指すことを表明している。ファクトチェックを行う編集長に対し、監査委員会、運営委員会が設けられており、取り組みに対するガバナンスを構築している。ＪＦＣはソーシャルメディアの情報からファクトチェックを開始しているが、不確実なニュース記事、特に「こたつ」記事を対象とすることが期待される。媒体としてのテレビ・新聞は対象外としているが、テレビも新聞も今やネットに記事を配信しており、その部分ではファクトチェックの対象になり得る。

問題は現状のファクトチェックでは生態系の汚染に対する効果は限られることだ。ファクトチェック記事の拡散力が乏しく人々に届かないこともあるが、既存メディアの仕組みとの最も大きな違いは制作に対する影響力にある。ＢＰＯは審議対象となった放送局に再発防止策や報告を求めることもできる。対象となった番組が打ち切りとなることもある。だが、ファクトチェックは間違いを指摘するに過ぎず、ネットメディアやプラットフォームに対する影響を持たない。そのためフェイクニュースの発信を止めることや減らすことはできない。

ファクトチェックのような間違いを指摘する手法は、生態系全体の汚染を減少させないため効果は限られる。嘘・偽情報やプロパガンダ工作がニュース化することを減らす予防的な取り組みも合わせて行わねば、汚染そのものは減少しない。複数回ファクトチェックの対象として間違いの判定が行われたメディアの記事はポータルサイトや検索サイトに掲載しないようにしたり、ソーシャルメディアのアカウントを停止したりできれば、汚染の発生源を減らすことができる。ソーシャルメディアでの拡散を停止し、人々の目に触れにくくするのも良いだろう。

ファクトチェックを発信元の精査やニュース制作の改善に生かす取り組みが不可欠である。

## 8 影響工作に強い社会に向けて

本章では、デジタル影響工作に対し脆弱な構造について述べてきた。「こたつ」記事のような、取材や検証が不十分な記事が既存メディアにも拡大し、そこに工作が入りやすいことを指摘した。このような構造はメディア側の取り組みだけでは改善が望めない。ポータルサイトや検索サイトやソーシャルメディアといったプラットフォームは、配信や表示した記事の真偽を原則的に判断しないという姿勢をとっている。プラットフォームは、正確さよりも注目を求めることを重視するアテンション・エコノミーにより駆動されており、それに対応しようとすると正確性や信頼性は後回しとなるのは当然だろう。インターネットやソーシャルメディアのニュースは誰も責任を取らない状況に陥っており、デジタル影響工作への防波堤は存在しないと言える。

「こたつ」記事の分類で説明したとおり、リテラシー対策に求めることも現状では困難である。リテラシーを強化すると、フェイクニュースやプロパガンダを見抜けない人たちに対する社会的な分断を誘発する危険性がある。影響工作に強い社会に向けて注意しなければならないのは、さらなるリテラシーを人々に求める教育や仕組みを構築しないようにすることだ。子供からお年寄りまで誰もが日常的な注意レベルで騙されないようにする社会が望ましい。高度なリテラシーやシステムが必要になると、騙された人がリテラシーを理解していない人と位置づけられ、「見抜けないのは訓練が足りないのだ」、という自己責任が強調されてしまうことになる。

そこで大切になるのがニュース生態系のガバナンス構築である。[15] プラットフォームは配信や表示に責任を持つこと、メディアが取材や検証を行い信頼性が向上する取り組みを推進する仕組み作り、である。メディアによるニュース化やプラットフォームにより記事が拡散するタイミングで嘘・偽情報が入り交じらないように、確認精度を向上させることで生態系への汚染拡大を防止する手法だ。

プラットフォーム側が、「こたつ」記事の優先順位を下げることは大きな意味がある。そのためには「こたつ」記事を分類する必要があるが、重要なポイントは現場取材や事実確認を行っているかにある。[16] 取材状況を記事中に明示するルールとし、これらが明示されている記事のみ配信を受けたり、検索対象とすることで、ネットの発言や投稿が「事実化」していくことを防ぎ、工作に対する抑止効果が生まれる。

これは、広告業界でステルスマーケティングと呼ばれている手法に対する対策と同様である。インフルエンサーは、資金提供の有無や関係性を明示することを求められている。ニュース記事も、取材状況を明示することにより読者に判断材料を提供できる。さらに、テレビやインターネットに書いてあることをそのまま記載する「こたつ」記事には情報源へのリンクを提示するルールとする。こうすれば、ニュース化する際に記事が情報源とは別の意味が付与されていないか、などの確認も読者が行えるようになる。

ファクトチェックをニュース制作と有機的に結びつける方法については既に指摘したが、ウィキペディアのDeprecated sources（非推奨の情報源）というリストや、[17] ニュースサイトや情報ウェブサイトの信頼性を格付けづけているNewsGuardというサイトもある。[18] このように、ファクトチェックによる指摘が複数回行われたネットメディアをリスト化し、可視化することも重要だ。これらのリストを広告ネットワークに反映させることで、広告配信を停止することができるようになる。そうすれば、金儲けするためにフェイクニュース拡散に関わっているネットメディアやアカウントの活動を低下させることができる。

生態系のニュース拡散のプロセスの透明化も必要となる。大きな影響力を持つプラットトフォームが、どのような編集方針でニュースを表示しているのか、利用者に示し、課題があれば改善策を示す必要がある。現状では、このような生態系における嘘・偽情報防止の仕組みを設けるインセンティブがないため、法的な枠組みを構築し、自主的な取り組みを促していく必要がある。

民主主義社会において、誰もがニュースの担い手となれる状況は望ましいが、それこそが脆弱性でもある。ニュースを自由に発信できることと、不確実なニュースが大きな拡散力を持つことは別の問題である。ニュースの発信元であるメディアは編集方針、取材態勢、責任者、訂正方法などを明示することで、ニュースへの責任を明らかにできる。記者や編集者の専門性や経験、研修の有無を示すのも大切である。報道実務家フォーラムやデジタル・ジャーナリスト育成機構（DｰJEDI）といった研修の場を提供する団体がある。誤報やファクトチェック対象となった場合、これらの団体での研修受講を必須化するのもよい。そのためには、研修内容の整理や充実も必要だ。なにより大切なことは信頼性向上に取り組むメディアをプラットフォームが支援することである。

影響工作に絞れば、メディアやプラットフォームだけでなく防衛などの関係機関が問題意識を共有し、プロパガンダ対策への意識を高めて実践的な訓練を行うといった連携も必要だろう。ジャーナリズムや表現の自由を守りながら工作に対するために、ニュース生態系にどのようなガバナンスを構築するかを検討する必要がある。

# 原書房

〒160-0022 東京都新宿区新宿 1-25-13
TEL 03-3354-0685 FAX 03-3354-0736
振替 00150-6-151594

## 新刊・近刊・重版案内

2023年3月 表示価格は税別です。

www.harashobo.co.jp

当社最新情報はホームページからもご覧いただけます。
新刊案内をはじめ書評紹介、近刊情報など盛りだくさん。
ご購入もできます。ぜひ、お立ち寄り下さい。

NYタイムズ、ワシントンポスト他で激賞の全米ベストセラー！

## 新しい権威主義の時代 上・下

ストロングマンはいかにして民主主義を破壊するか

ルース・ベン＝ギアット／小林朋則訳

ムッソリーニ、ヒトラー、フランコ、カダフィ、そしてプーチン、トランプへ。強権的な国家元首「ストロングマン」はどのように現れ、権威主義化を推し進めたのか。そのプロパガンダ、「男らしさ」の政治的利用とは。

**四六判・各 2100 円**（税別）（上）ISBN978-4-562-07267-5
（下）ISBN978-4-562-07268-2

## IT技術と陰謀論思考をもとに台頭した支配者たち

# 道化師政治家の時代

**トランプ、ジョンソンを生み出したアルゴリズム戦略**

**クリスチャン・サルモン／ダコスタ吉村花子訳**

トランプ、ジョンソン、ボルソナロ、サルヴィーニ…パンデミックの時代、カーニバル化する政治状況下で、ＩＴ技術を駆使して大衆の中にある陰謀論思考や差別感情、被害者意識を掘り起こし台頭した支配者たちを分析する。

**四六判・2000円**（税別）ISBN978-4-562-07269-9

## 第一線の専門家による最新の知見を集約！

# ネット世論操作とデジタル影響工作

「見えざる手」を可視化する

**一田和樹、齋藤孝道、藤村厚夫、藤代裕之、笹原和俊、佐々木孝博、川口貴久、岩井博樹**

第一線の専門家がそれぞれの視点から浮かび上がらせるデジタル社会の「見えざる手」。日常生活から政治・軍事にいたる手法や対応を、豊富な実例と図表を交えてわかりやすく総覧する。これからを生きるための必読書。

**四六判・1800円**（税別）ISBN978-4-562-07265-1

## 「歴史」の本性は物語（ナラティブ）である

# 捏造と欺瞞の世界史 上・下

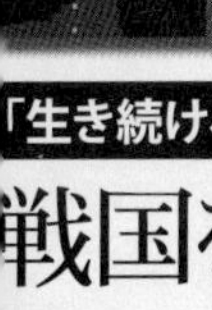


**創作された「歴史」をめぐる30の物語**

**バリー・ウッド／大槻敦子訳**

偉人の誕生や国家隆盛を支える「歴史」は、どのように解釈され「創作」され拡大していったのか。「物語」を求める人々の性（さが）が生み出した「歴史」の本性を、さまざまな角度から照らし直した話題作。

**四六判・各2200円**（税別）（上）ISBN978-4-562-07262-0
（下）ISBN978-4-562-07263-7

## 「生き続けることが勝利なのだ」と父は言い遺した

# 戦国を生き抜いた男

**織田・豊臣・徳川と主君を渡り歩いた侍、本城惣右衛門武功録**

**浅倉徹**

昨日の敵は今日の主君、生きるが勝ち……。織田、豊臣、徳川と、いくたびも主君を代えながら戦国の世を生き延びたある武士の物語。歴史学者が資料に基づいてリアルに書き下ろした「真の戦国の姿」。

**四六判・1900円**（税別）ISBN978-4-562-07266-8

研究面の充実も不可欠である。フェイクニュースの研究を進めていけば軍に関連することにつながる。研究者の団体である日本学術会議の姿勢は、「戦争を目的とする科学研究は絶対に行わない」であり、先端技術研究については軍事と民生のどちらにも応用できるデュアルユース研究は容認する方針を見せている。だが、フェイクニュースやリテラシー研究も軍事研究と密接に結びついている。メディア研究でいえばプロパガンダ研究も、軍事にも利用できる。リトアニアでは学校へのリテラシー教育や教材作成を軍も担当している。本格的な影響工作について分析するためにはネットワークも資金も、安全も確保されなければならず、どこで研究するのかも定まってすらいない。

フェイクニュースとデジタル影響工作の対策検討は、国内のニュース生態系が非常に脆弱であるということを前提としなければ出発することができない。

第5章

# デジタル影響工作に対する計算社会科学のアプローチ

笹原和俊

**笹原和俊（ささはら・かずとし）**

福島県生まれ。2005年東京大学大学院総合文化研究科修了。博士（学術）。理化学研究所BSI研究員、日本学術振興会特別研究員PD、名古屋大学大学院情報学研究科講師を経て、現在、東京工業大学環境・社会理工学院准教授、国立情報学研究所客員准教授（兼任）。2009年カリフォルニア大学ロサンゼルス校客員研究員、2016年インディアナ大学ブルーミントン校客員研究員。2016年〜2020年JSTさきがけ研究者（兼任）。専門は計算社会科学。主著に『フェイクニュースを科学する　拡散するデマ、陰謀論、プロパガンダのしくみ』（化学同人）がある。

## 1　はじめに

ツイッターやフェイスブック、インスタグラムやＴｉｋＴｏｋなどのＳＮＳは、我々の日常生活の一部といっても過言ではない。友人や知人とのコミュニケーションだけでなく、ニュース、ビジネス、政治経済など様々な情報の収集と発信の主要チャンネルとなっている。しかし、ＳＮＳに流れている情報は真実ばかりとは限らない。単なる誤報、誰かの嘘、意図的に操作された情報など、確かな情報と不確かな情報が混じりあい、極めてＳＮ比が悪いノイジーな状況になっている。

ミシガン大学のアビーブ・オバディアは、虚偽情報が溢れ、あらゆる情報が信じられなくなる未来をインフォカリプス（情報の終焉）と呼んで、警鐘を鳴らした。それは杞憂とは言い切れない状況になってきている。

２０１６年の米国大統領選では、フェイクニュースがＳＮＳ上に氾濫し、社会を混乱させた。中には、「ローマ法王がトランプ氏を支持」のようなデマ、広告収入が目当ての偽記事、選挙ビジネスや国家による情報操作を目的とした偽情報もあった。トランプ元大統領は選挙後も不正確な情報をＳＮＳで発信し、不都合な事実を報道するメディアを「フェイクニュース！」と糾弾した。「ポスト真実」という言葉が生まれ、事実を軽視する空気が生まれたのはこの頃である。

２０２０年に大統領選で敗れた後も、トランプを英雄に祭り上げるＱアノン陰謀論は消滅せず、２０２１年１月６日には、Ｑアノン信奉者たちが連邦議会議事堂を襲撃する事件が生じた。主要なプラットフォームを追い出されてもなお、Ｑアノン信奉者たちはマイナーなＳＮＳに場所を移して活動を続けている。

２０２０年は、新型コロナウイルス感染症（ＣＯＶＩＤ－19）のパンデミックの発生にともない、再びフェイクニュースが氾濫した。「お湯で新型コロナウイルスが死滅する」という誤情報や「新型コロナのワクチンを人々に接種させ、監視用のマイクロチップを埋め込もうとしている」という陰謀論が登場し、人々の不安を煽った。

そして、ＣＯＶＩＤ－19のトンネルの出口がようやく見えてきた２０２２年２月24日、ロシアによるウクライナへの軍事侵攻が始まった。ＳＮＳは現地の様子を伝え、遠隔の人々をつなぐ役割を果たしているが、プロパガンダを増幅するのにも加担してしまっている。「ゼレンスキー大統領が国民を見捨てて逃亡」や「市民虐殺はウクライナ軍の自作自演」などの悪意あるフェイクニュースが拡散している。

ＳＮＳに不確かな情報を流して人々を操作しようとする様々な不正行為を定量化し、その特徴や仕組みを明らかにすることは、計算社会科学における重要な研究テーマである。計算社会科学とは、ビッグデータやコンピュータの活用が可能にするデジタル時代の社会科学である。[1]その中でも、「ボット」と呼ばれるコンピュータプログラムによって自動化されたアカウントは、詐欺や不正行為、陰謀論の増幅、公衆衛生の誤報キャンペーン、政治的プロパガンダなど、SNS上での様々な影響工作に使われているため、その実態解明は急務である。また、「ディープフェイク」と呼ばれる高度な視聴覚デマの制作技術や、SNS自身がプロパガンダの道具として使われているという事実がある。

本章では、ボット、SNS、ディープフェイクが引き起こす問題に関する計算社会科学の研究を紹介し、デジタル影響工作の対策について論じる。

## 2　ボットによる影響工作

米国大統領選挙の年だった2020年は、政治関連のフェイクニュースがオンライン上に出回った。さらに、新型コロナウイルスの感染拡大によって社会不安も高まり、ワクチン陰謀論やQアノン陰謀論などが猛威を振るい、こうした虚偽情報が政治的に悪用された。影響工作における虚偽情報の拡散は、ボットによる影響が大きいことが報告されている。[2][3]

ボットが、特定の候補者を支持するメッセージを自動投稿したり、逆に特定の候補者を陥れるようなデマを拡散したりし、投票行動を操作しようとする動きは、２０１６年以降、数多く見られるようになった。オックスフォード大学インターネット研究所のフィリップ・ハワードらの調査によると、２０１６年の米大統領選挙において、トランプ支持のツイートの方がクリントン支持のツイートよりも多く、その多くがボットによる自動投稿だった。[4] そして、アリゾナ州やミシガン州などの激選区で、デマの拡散により多くのボットが利用されていた。また、南カリフォルニア大学のエミリオ・フェラーラの研究によると、同選挙において、ボットの75%はトランプ支持で、ボットの投稿が人間による投稿と同程度にリツイート（共有）されていた。[5] 英国のＥＵ離脱に関する国民投票の際も、離脱派と残留派のそれぞれのツイートの約15%がボットによる投稿だったことがわかっている。[6]

これらの事実は、政治的介入の意図のもとにボットが活用されていたことを示唆している。ボットによる投稿や偽のリアクションであっても、ＳＮＳにおける「エコーチェンバー」（似たもの同士がつながって生じる偏った情報環境）や「フィルターバブル」（アルゴリズムによって生じる偏った情報環境）の影響を受けて、情報の真偽とは無関係に、フェイクニュースはますます拡散され、共有されてしまう。

我々の研究グループは、新型コロナウイルスに関するツイッターのデータを大規模に収集し、「Trump」「5G」「Bill Gates」の各トピックに関する投稿が、ボットによってどのように拡散されたのかを調査した[7]（「Trump」は政治、「5G」と「Bill Gates」は陰謀論に関連している）。

まず、ユーザがボットかどうかを判定するために、インディアナ大学が開発しているBotometerを使用した。Botometerは、ツイッターユーザの投稿内容や行動パターン、情報共有の傾向や社会的つながりのデータを元に訓練されたAIモデルで、ボットらしさを0から1のスコアで推定する[8]。さらに、ジャーナリストが選定した信頼できるサイト（例えば、BBC）と虚偽情報ばかりを掲載する信頼できないサイト（例えば、インフォウォーズ）のリストを参照して、もっぱら前者を投稿するユーザを「信頼できる」、後者ばかりを投稿するユーザを「信頼できない」と分類した。以上に基づき、ユーザを「信頼できるボット」、「信頼できないボット」、「その他」に分類し、情報拡散におけるボットの役割を分析した。

図1は、これら3つのトピックに関する情報拡散を示したリツイートネットワークである。ノードはユーザ、リンクはリツイートを表す。白いノードが信頼できないユーザで、灰色ノードが信頼できるユーザ及びその他を表している。

3つのトピックに共通する特徴として、ネットワークが2つのクラスターに分かれていることがあげられる。Aの場合、保守系のトランプ（@realDonaldTrump）とリベラル系のバイデン（@JoeBiden）やヒラリー・クリントン（@HillaryClinton）の間の情報の流れの分断を示している。同様にBやCにおいても、BBCやザ・ヒルなどのリベラル系とそれ以外（保守系アカウントや陰謀論者のデーヴィッド・アイク［@davidicke］など）という2つのクラスター構造が見てとれる。

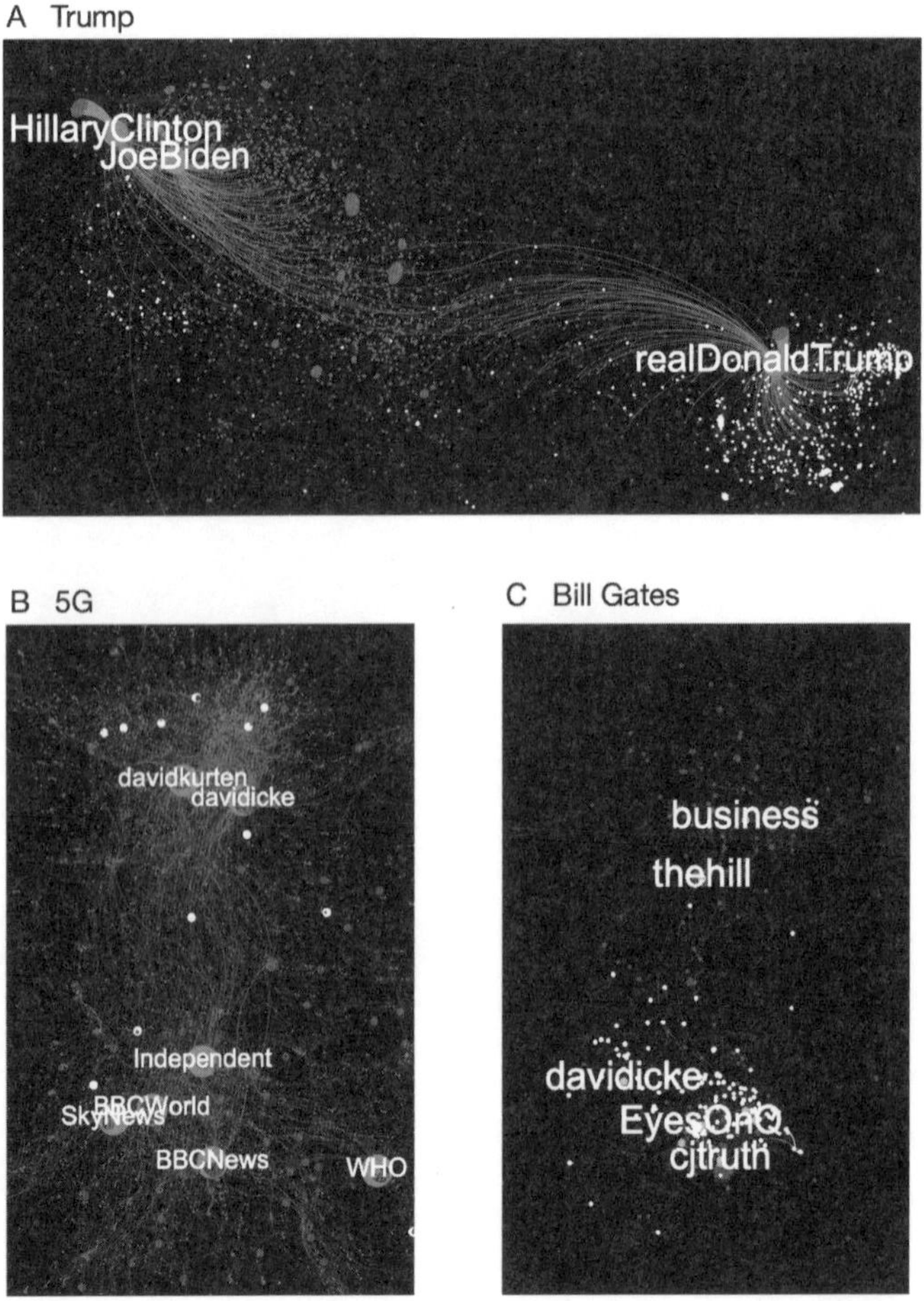


[図 1] 3つのトピックにおける情報拡散（リツイート・ネットワーク）。ノードがユーザ、リンクがリツイートを表す。明るい白ノードは信頼できないボット、薄いグレーのノードは信頼できるボットを表す。

そして、AからCのすべてにおいて、信頼できないボットが、@realDonaldTrumpや@davidickeなどの保守系や陰謀論者の有力アカウントの投稿を多く拡散していることがわかる。リベラル系のクラスター周辺には、信頼できないボットはあまり見られない。

次に、信頼できるボットと信頼できないボットが、頻繁にリツイートしているユーザを調べた結果が図2である。左はリツイート・ネットワーク、右は頻繁にリツイートされたユーザのトップ5とその回数（入次数）を示している。これを見ると、信頼できないボットは、信頼できない保守系アカウントや陰謀論者を多くリツイートしているのに対し、信頼できるボットにはそのような特徴は見られなかった。リツイート・ネットワークの次数分布（リツイートされた回数の分布）は、ファット・テイルと呼ばれる裾の厚い分布になっていることがわかった。

これらの結果は、信頼できないボットが選択的に信頼できないユーザをフォローしていることや、スーパー・スプレッダーの役割をするボットがいることを示している。

以上の分析から、COVID－19のパンデミック下において拡散した不確かな情報は、政治的な党派性を帯び、保守系や陰謀論者の有力アカウントが情報拡散の起点になり、信頼できないボットたちがそれらの情報を選択的に拡散している様子が浮き彫りとなった。

2016年以降、ツイッターはスパム行為に関するガイドラインを厳しくし、それを破るアカウントの凍結を進めているが、一部のボットはガイドラインの抜け穴をついて、依然として不確かな情報を拡散している。ツイッターの経営体制が変わり、今後のコンテンツ・モデレーション

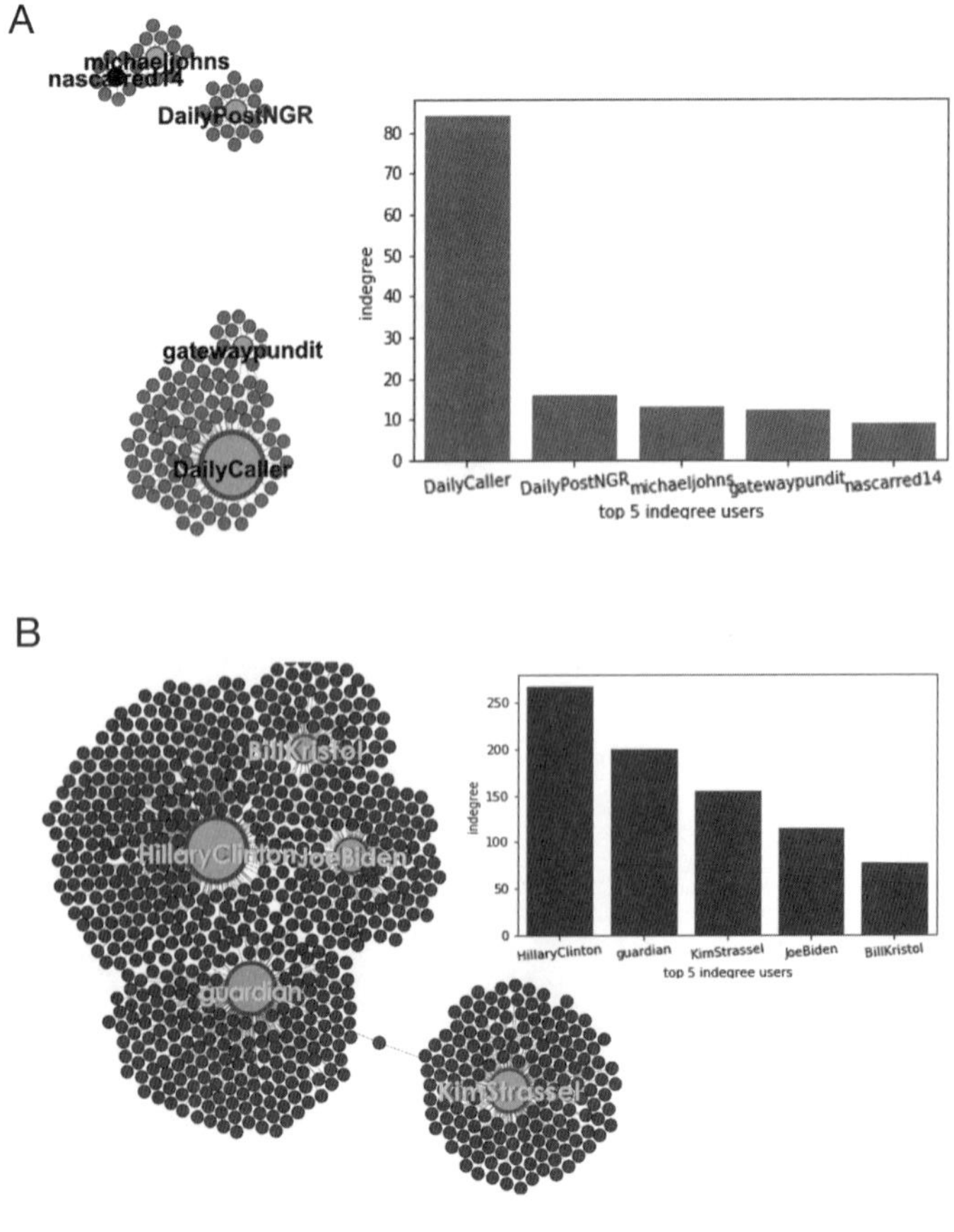


[図 2] ボットのリツイート行動の選択性。Aは信頼できないボットがリツイートしているユーザのトップ5、Bは信頼できるボットがリツイートしているユーザのトップ5

の方針が転換される可能性が大きいが、それはフェイクニュースの拡散に影響を与える。

## 3　武器化するＳＮＳ

新型コロナウイルスに関するフェイクニュースがＳＮＳ上を拡散して問題となったのと時を同じくして、特定の集団が非難されるヘイトスピーチが世界中で多発し、社会の分断を煽った。とりわけ中国人やその他のアジア人への差別は、オンラインでも現実社会でも大きな問題となった。インドでは、タブリギ・ジャマートというイスラム教徒団体が、新型コロナウイルスを広めたという根も葉もないデマを意図的に広めて、ＳＮＳ上ではヘイトスピーチとイスラム教徒排斥運動が展開された。

我々の研究グループでは、ＳＮＳが武器化している実態を知るために、タブリギ・ジャマート事件を調査した。[9] CrowdTangle APIを用いて、このタブリギ・ジャマート関連のフェイスブックの公開投稿を収集し、イスラム嫌悪のヘイトスピーチに関わる主要アカウントとその情報共有の特徴を分析した。その結果、イスラム嫌悪のヘイトスピーチは、インドの現政権の有力政党で右翼的な思想を持つグループ（インド人民党［ＢＪＰ］）によって拡散されていることが明らかになった。

タブリギ・ジャマートの情報共有ネットワークを示したものが図３Ａである。ノードがユー

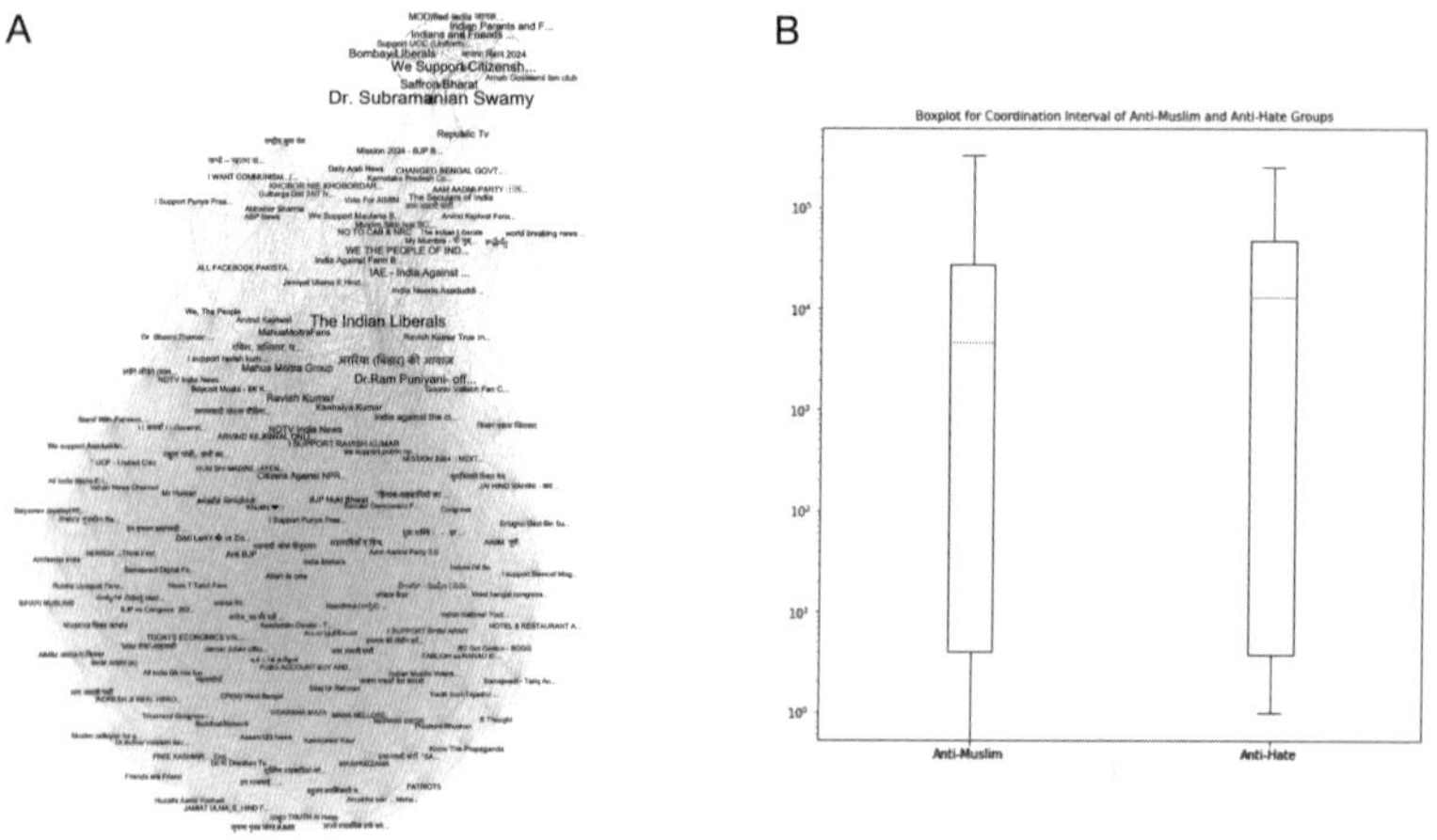


［図3］フェイスブックにおけるタブリギ・ジャマートの情報共有（A）とその速度（B）

ザ、リンクは情報共有（シェア）を表す。このネットワークにも社会的繋がりが分断されている様子が見てとれる。上部の小さなクラスターは、ナレンドラ・モディ首相のアカウントを中心とする、BJPに関係するアカウントのネットワークである。一方、下部の大きなクラスターは、インドの国内外の反ヘイト派の団体や個人によるネットワークである。明らかに反イスラム派よりも反ヘイト派の方が数は多いが、反イスラム派の方がネットワークの密度が高いことがわかった（反イスラム派は0・66、反ヘイト派は0・43）。

さらに反イスラム派は、インド国内外の反ヘイトのグループの3倍の速さで情報拡散していることがわかった（図3B）。グーグル・ファクトチェックツールを用いて調べたところ、ヘイトスピーチに使用されたコンテンツのほとんどがフェイクニュースだった。これらの結果は、COVID-19を口実として、SNSが宗教間の争いや政治的な影響工作の武器として使用されていることを示している。

ＳＮＳの武器化に関するもう1つの事例として、ロシア・ウクライナ戦争におけるテレグラム使用について調査した。テレグラムはＬＩＮＥのようなチャットツールで、自由なコミュニケーションを実現するために、セキュリティとプライバシーに配慮された設計になっているのが特徴だ。

２０２２年2月24日、ロシアによるウクライナへの軍事侵攻が始まった。２０２２年3月上旬、ロシアはツイッター、フェイスブック、インスタグラムなどの主要なＳＮＳへのロシア国内からのアクセスを遮断した。ただし、テレグラムとユーチューブだけは例外で、これらのツールはロシア国内外をつなぐチャンネルとなっている。

ロシア・ウクライナ戦争において、テレグラムがロシア側とウクライナ側にどのように使われているかを知るために、ロシアの国営メディアのＲＴ（旧ロシア・トゥデイ）の公式アカウント（@rt_russian）、ウクライナ政府の公式アカウント（@UkraineNow）、ゼレンスキー大統領の個人アカウント（@V_Zelenskiy_offocial）の3つに関して、テレグラムＡＰＩを用いてのデータを取得し、分析した[10]。

その結果、戦争時にテレグラムを使って自国や国外に対してメッセージを発信する方法が、アカウントごとに異なることがわかった。まず投稿数で見ると、月ごとに多少の違いはあるが、

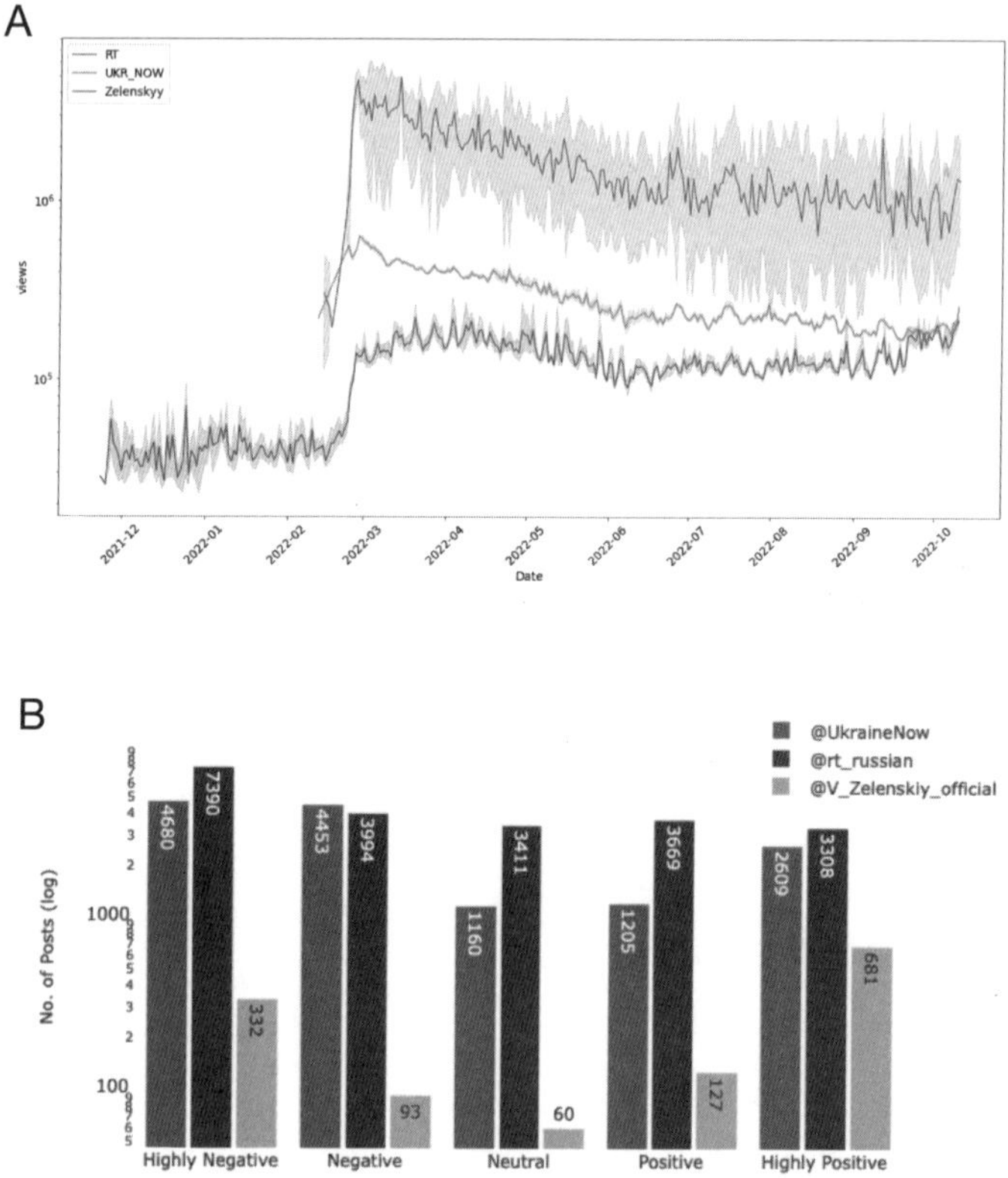


[図4]ロシア・ウクライナ戦争におけるテレグラムの利用特徴。Aは3つのチャンネルの閲覧数、Bは投稿に用いられた言葉の感情値

RTとウクライナの公式アカウントの投稿数が圧倒的に多く、ゼレンスキーの個人アカウントの投稿数は最も少なかった。しかし閲覧数で見ると、図4Aのように、ゼレンスキーの投稿の閲覧数は桁違いに多かった。

次に、これらのアカウントの投稿に含まれるテキストを感情分析した。非常にネガティブから非常にポジティブまでの5段階があり、感情のバランスで言うと、RTのアカウントとウクライナの公式アカウントは、ややネガティブの方が相対的に多かったのに対して、ゼレンスキーの投稿は、不自然なぐらいに最もポジティブが多かった。実際、ゼレンスキーは「thank」「freedom」「great」などの語を多用していた。

最後に、これらのアカウントに返信しているアカウントを調べたところ、ウクライナの公式アカウントの場合は、アカウント名に「bot」という文字が入ったユーザがたくさん見られ、ウクライナ政府公式アカウントの情報を拡散しようとしている痕跡がうかがえた。一方、RTの場合、不自然なほどに「bot」という文字が入ったアカウントが見当たらず、身元を偽ってコミュニケーションに参加しているボットがいることが疑われた。

これらの結果から、戦争中にSNSが用いられる際、指導者がポジティブな言葉づかいでエンゲージメントを高めることに寄与することや、ボットが集団として情報拡散を行う危険性が示唆された。

## 4　ディープフェイクの潜在的脅威

真実を変えたり、歴史を書き換えるために視聴覚メディアを操作するというのは、フォトショップ以前の昔からあるプロパガンダの手法である。ソビエト連邦の独裁者ヨシフ・スターリンも、印象操作のために様々な写真の改ざんを行ったことが知られている。しかし、ディープフェイクは、それらとは比べ物にならない視聴覚メディア操作の最先端技術である。

それが可能になった理由は、ディープラーニング（深層学習）が登場したことや、人物に関する膨大なデータをインターネットから取集し、利用できるようになったことである。さらに、ディープフェイク技術がサービス化されたり、オープンソース化されたことにより、誰もが簡単かつ安価にフェイクメディア（画像、音声、映像）を作成することが可能になった。

現在のディープフェイク技術は、敵対的生成ネットワーク（Generative Adversarial Networks：GAN）と拡散モデル（Diffusion Model）の2つの方式が主流である。

画像の生成を例に説明しよう。ＧＡＮには生成器と識別器の2つがあり、生成器は識別器をだますような画像を作れるように、逆に識別器はそれが贋作であることを見抜けるように、互いに競い合って学習することで、リアルな偽画像を生成できるようになる。一方、拡散モデルは、画像にノイズを加えていき、ノイズ混じりの画像から元画像を復元できるように、ＡＩが訓練される。そして、ノイズ除去の能力を獲得することで、ノイズから画像生成できるようになる。動画

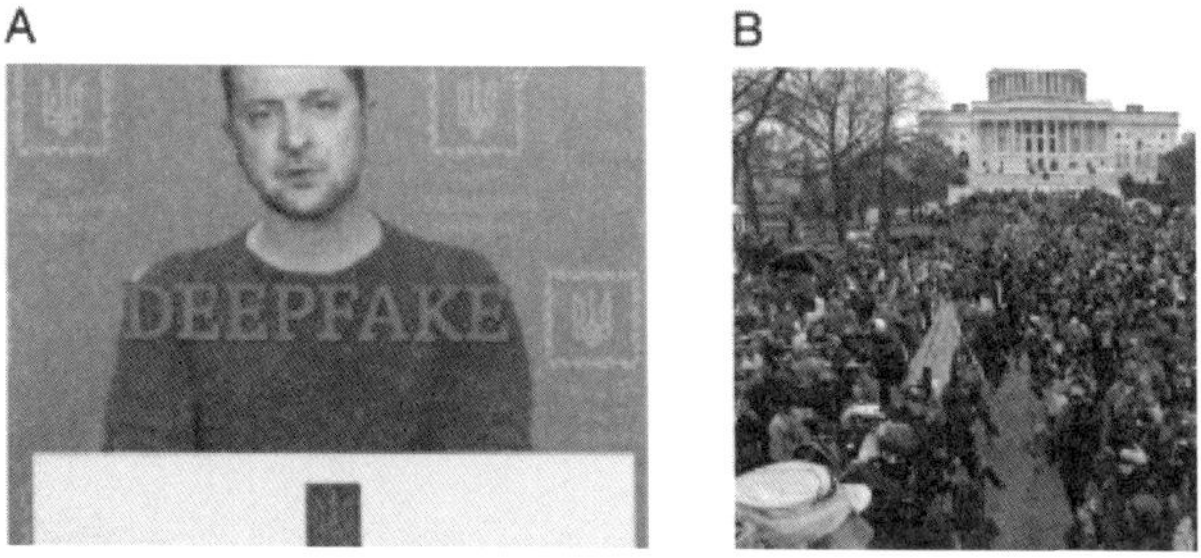


［図5］ディープフェイクの例。Aはゼレンスキー大統領の偽動画の一部、Bはステーブル・ディフュージョンで作成した偽画像（民主党議員たちが米連邦議会議事堂襲撃）。

の合成も同様である。

２０１７年にディープフェイクを使った偽ポルノが登場し、２０１９年にはこれを使った詐欺事件が発生した。そのため、２０２０年の米大統領選挙や２０２２年の米中間選挙では、ディープフェイクが蔓延して、選挙結果に影響を及ぼすことが警戒されていた。幸いにして、そのような事態にはならなかった。

２０２２年３月、ディープフェイクが戦争に使われるという事態が起こった。先述したロシアによるウクライナへの軍事侵攻が本格化していく中、ウクライナのゼレンスキー大統領が、国民に武器を置いて降伏するように呼びかける偽動画が、ウクライナのニュースチャンネルのサイトで公開された（図５Ａ）。しかし、この動画のゼレンスキーは、不自然に体の動きが少なく、声が本人よりも低いなど、すぐに偽動画だと見抜ける程度のものだった。それでも、この偽動画は、フェイスブックやユーチューブなどで拡散した。

この事態を受けてゼレンスキーは、自らのインスタグラムの投稿で、この偽動画の内容を速やかに否定し、プラットフォーム事業者は、誤解を招く恐れのある操作されたメディアに対するポリシーに違反したとして、直ちに投稿された動画を削除した。人類史上初のディープフェイクの戦争利用は、幸いにして大惨事を防ぐことができたが、これがもっと精度が高いディープフェイクだったらと思うと背筋が凍る。

図5Bは、民主党議員たちが連邦議事堂を襲撃している画像である。もちろん偽画像である。AI拡散モデルの1つであるステーブル・ディフュージョンを使って、著者が作成したものだ。AIに与えた指示文は「民主党議員たちが連邦議事堂を襲撃（Democrats stormed the Capital）」で、要した時間は40秒ほどだ。しかし、すでにこのクオリティである。ディープフェイク技術の民主化によって、フェイクメディアを使った影響工作は、今後ますます高度化することが予想される。

実際、人間はディープフェイクに騙されやすいという研究結果もある。マサチューセッツ工科大学とジョンズ・ホプキンス大学の研究グループは、GANを用いて偽の顔画像を作成し、400人分の実在の顔と400人分の偽の顔を用意して、それらを用いて複数の被験者グループで異なる条件で実験を行った。

その結果、本物とディープフェイクの顔の識別の成功率が50％を切ること、顔の見分け方を学習する機会が与えられても、顔の識別能力はさほど改善されないこと、そして、リアルな顔よりディープフェイク顔をより信頼するということが分かった。

もちろん現実世界では、画像だけでなく、それが使用される文脈、その他の言語的・非言語的情報が手がかりになるので、この実験結果を過度に一般化することは禁物だ。しかし、人は自分のフェイクを見抜く能力を過信しがちなので、ディープフェイクが悪意のある目的に使用された場合、効果的である可能性がある。ディープフェイクは影響工作における新たな武器である。

## 5 おわりに

AIの発展によって、ボットはさらに攻撃性を増し、SNSはますます巧妙なフェイクニュースを拡散し、ディープフェイクは真実を稀釈する。悪意ある個人や国家がこれらに加担するのは想定内のシナリオだ。計算社会科学のアプローチで、これらの実態を科学的に理解したならば、このシナリオに抗う対策を立てる必要がある。

ボットとSNSの武器化に関しては、ファクトチェックの活性化や個人の情報リテラシーの向上は重要ではあるが、これだけでは多勢に無勢で限界がある。SNSプラットフォーム上で機能し、スケールするような「行動介入」も合わせて検討する必要がある。

グーグルのシンクタンクであるジグソーが、不確かなコンテンツによる被害を抑止・軽減するための行動介入の方法を紹介したウェブサイト「情報介入（Info Interventions）」を公開している。[11]

いずれの方法も学術研究による根拠があり、プラットフォームのレベルでの効果が確認されたものだ。

そのうちの1つが、「正確性のプロンプト（Accuracy Prompts）」[12]だ。これはマサチューセッツ工科大学のデビット・ランドのグループが発表した研究成果に基づいている。ランドたちは、虚偽の可能性のあるコンテンツに出会ったときに、プロンプトを表示して、ユーザに対してコンテンツの正確性に注意を向けさせる介入をすると、虚偽のコンテンツを共有する確率が減少することを示した。この実験結果は複数の研究グループによって再現されている。こうしたスケーラブルな行動介入は、フェイクニュースの拡散を抑制するのに効果を発揮することが期待できる。

また、ディープフェイクの潜在的脅威に対抗するための研究も進められている。著者も関わっている「CREST FakeMedia」という研究プロジェクト[13]（研究代表は、国立情報学研究所の越前功教授）では、ＡＩによって生成された高度なフェイクメディアがもたらす潜在的な脅威に対処し、多様なコミュニケーションや意思決定を支援する情報技術を確立することを目指している。

このプロジェクトでは、ＡＩによって生成されるフェイクメディアとして、「メディアクローン型」（本物に限りなく近いが本物ではないもの）、「プロパガンダ型」（世論操作や印象操作を目的として意図的に編集されたもの）、「敵対的サンプル」（人間には識別困難だが、ＡＩを誤動作させるもの）の3つを想定して、これらに対応するフェイクメディアを生成する技術やそれらを検出する技術を開発している。さらに、フェイクメディアが印象操作や思考誘導に悪用されたり、

ＡＩシステムが誤動作しないようにフェイクメディアを処理した上で、通常のメディアとして活用する「無毒化」という新しいコンセプトの技術についても検討を行っている。著者のグループでは、これらの技術を用いて意思決定の補助情報を提示するシステムを構築し、大規模なオンライン行動実験によって検証することを目指している。

同プロジェクトからはすでに多くの研究成果が生まれており、２０２１年９月には、ＡＩによって生成された偽の顔映像を自動判定するシステム「シンセティック・ビジョン」[14]が開発され、社会実装に向けた検討が進んでいる。

ＡＩによるフェイクの生成と抑止の研究は、いたちごっこの様相を呈している。しかし、ボット、ＳＮＳ、ディープフェイクがデジタル影響工作の最強兵器となる前に、計算社会科学による実態解明と、悪意ある個人や国家の攻撃を先回りして封じる技術開発は重要である。

第6章
# ロシアによるデジタル影響工作
佐々木孝博

**佐々木孝博（ささき・たかひろ）**

広島大学法学部客員教授、富士通システム統合研究所安全保障研究所主席研究員、東海大学平和戦略国際研究所客員教授、明治大学サイバーセキュリティ研究所客員研究員、博士（学術）〔広島大学〕。1986(昭和61)年、防衛大学校（電気工学）卒業後、海上自衛隊に入隊。その後、米海軍第3艦隊連絡官、オーストラリア海軍幕僚大学留学、護衛艦ゆうべつ艦長、在ロシア防衛駐在官、第8護衛隊司令、統合幕僚監部サイバー企画調整官、指揮通信開発隊司令、下関基地隊司令を経て、2018年防衛省退職（海将補）。在ロシア防衛駐在官や、初代の統合幕僚監部サイバー企画調整官としての勤務経験から、ロシアの軍事・安全保障、情報戦、サイバーセキュリティ、インテリジェンス問題などを専門としている。著書に「近未来戦の核心サイバー戦 ― 情報大国ロシアの全貌」（育鵬社）、「現代戦争論 ― 超『超限戦』」（共著、ワニプラス）などがある。

筆者は防衛省ＯＢで、防衛省在勤時には、在ロシア防衛駐在官や、初代の統合幕僚監部サイバー企画調整官などの勤務を経験したことから、現在、ロシアの軍事・安全保障、情報戦、サイバーセキュリティ、インテリジェンス問題などを専門とした研究を行っている。その関係で本章では「ロシアのデジタル影響工作」について考察していく。

## 1　はじめに

近年、ロシアが行う「情報空間における影響工作活動（以後、『デジタル影響工作』、または単に『影響工作』とも呼称）」が活発化している。それは、２０１４年のクリミア半島の併合事例、２０１６年の米大統領選挙での介入事例及び２０２２年のロシア・ウクライナ戦争などにおいて明らかになってきた。

ロシアによる影響工作活動は、情報戦の一環として実施されている側面がある。ロシアによる情報戦は、歴史的には長年プロパガンダ活動として行われてきており、それは、世論操作、世論誘導、情報操作、世論分断などの言葉でも語られてきた。いずれも、ロシアの国益を追求するために国家安全保障上の施策として採られてきた活動である。それゆえ、ロシアによる影響工作活動を論じるには、メディア論や技術的な情報セキュリティ論はもちろん、安全保障に軸足を置かなければ「木を見て森を見ず」といった議論になってしまう可能性がある。また、このようなプロパガンダ活動は、長年行われてきており、なんら新しいものではないが、近年それが注目されているのは、デジタル領域を使い、以前とは格段に速く、より広範囲に、よりターゲットを絞り、より効果的に実施でき、行為自体を秘匿化することも可能だということから新たな戦い方と位置付けられるためである。

このように、ロシアを巡る安全保障環境が変化する中、2022年12月、我が国政府は、いわゆる「安全保障関連3文書」（すなわち「国家安全保障戦略」、「国家防衛戦略」及び「防衛力整備計画」）を制定した。特に、「国家安全保障戦略」では、情報戦に関して、「偽情報等の拡散を含め、認知領域における情報戦への対応能力を強化する。その観点から、外国による偽情報等に関する情報の集約・分析、対外発信の強化、政府外の機関との連携の強化等のための新たな体制を政府内に整備する。さらに戦略的コミュニケーションを関係省庁の連携を図った形で積極的に実施する」とされた。この情報戦の分野は、これまで各国の取組に比べて我が国での施策が大きく遅れていたことから、早急な体制整備が必要とされていたところである。その脅威対象の1つであるロシアの情報戦（本章の主眼である「ロシアのデジタル影響工作」）を分析することは今後の我が国の当該分野での具体策を制定する際に必須の事項と考えられる。

そこで、本章では、まず、ロシアが情報空間におけるデジタル影響工作活動というものをどのように位置付け、どのような戦略・施策を有しているのかを、各種戦略文書（「国家安全保障戦略」、「情報安全保障ドクトリン」など）を読み解くことにより明らかにしていく。また、この影響工作活動が実施される情報空間の特性についても、改めて振り返ってみたい。そして、その代表事例として「２０１４年のクリミア併合事例」及び「２０２２年のロシア・ウクライナ戦争での影響工作事例」を取り上げ、実際にどのような活動が行われたのかを考察していく。最後にこれらのロシアによるデジタル影響工作活動にどのように対処すべきなのかについても考えてみたい。

## 2　ロシアの安全保障におけるデジタル影響工作の位置付けと狙い

### 安全保障に関する公文書体系[1]

ロシアの安全保障を規定する戦略文書には、次のものがある。まず、最上位の文書として、「国家安全保障戦略」が定められている。この「国家安全保障戦略」の規定を受け、軍事分野・国防産業分野を具現化する文書としては「軍事ドクトリン」や「海洋ドクトリン」などが、外交・国際関係分野については「対外政策構想」などが、サイバーセキュリティ分野・情報戦分野においては「情報安全保障ドクトリン」などが規定されている。その他にも、経済分野では「エネルギー戦略」や「食料安全保障戦略」などが、公安分野では「国境政策の概念」や「公安の概念」など

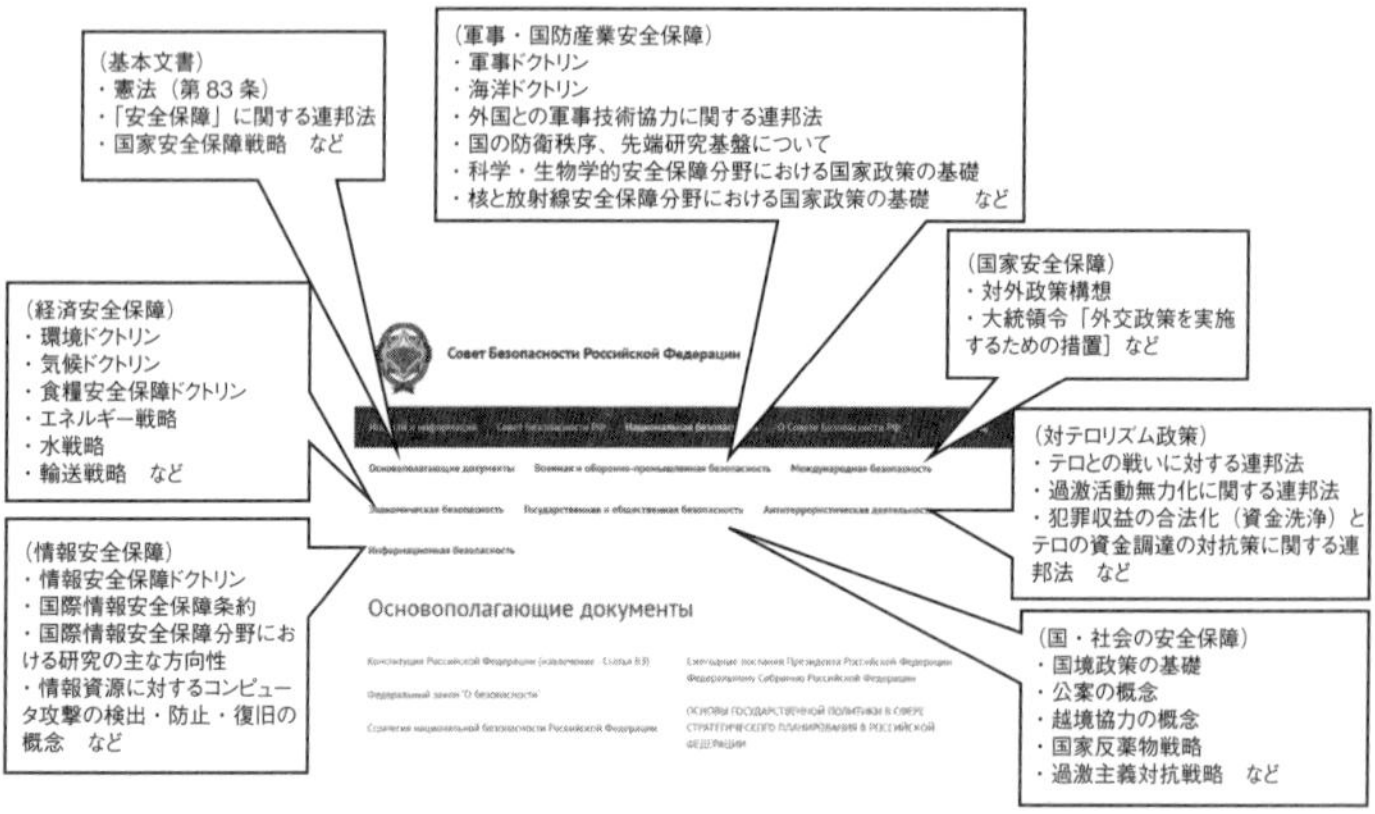


（出典：ロシア安全保障会議 HP の政策文書体系より筆者作成）

［図1］ロシアの安全保障に関わる公文書

が、対テロ活動分野では「テロとの戦いに関する連邦法」や「過激活動無力化に関する連邦法」などが規定されている。その概要を図1に示す。

この中で、本章で取り上げる「（デジタル）影響工作」に主として係わる文書は、「国家安全保障戦略」、「軍事ドクトリン」及び「情報安全保障ドクトリン」である。そして、これらの戦略文書に大きな影響を及ぼしたといわれるのが、後述する「ゲラシモフ参謀総長論文（正確には、ゲラシモフが軍事学アカデミーで実施した講話の講話録）：先見の明における軍事学の価値（２０１３年）[2]」である。「国家安全保障戦略」等の公文書には、このゲラシモフ論文の内容がほぼそのままの文言で採用されている。ロシアでは、正式な政策・戦略文書が制定される前に、政府や軍の高官の論文によって、その内容が示されることが多々ある。プーチン大統領もそのようにしてきた経緯がある。そのような見地から「ゲラシモフ参謀総長論文」もその一環の文書と考えられている。

## 国家安全保障戦略における記述[3]

ロシア・ウクライナ戦争勃発前年の２０２１年7月2日に、ロシアは「国家安全保障戦略[4]」を改定した。クリミア併合後に改定された前バージョンの２０１５年から概ね6年ぶりの改定であった。新生ロシアになって、この「国家安全保障戦略」は、国際情勢の変化に応じて、概ね5年から10年程度の間隔で改定されてきた。２０００年にプーチン大統領が登場して最初にこの戦略を改定したときは「国家安全保障コンセプト」と呼称されていた。「コンセプト」の名のとおり、現在の「戦略」と比較すると、より概念的な内容であった。以後、２００１年の米国における同時多発テロを経て一時欧米諸国との協調を模索する動きがありつつも、２００７年頃からは、米国のミサイル防衛システムのグローバルな拡大等の安全保障環境の変化を受けて、改めてＮＡＴＯの脅威を強調する形で２００９年に「２０２０年までの国家安全保障戦略」として定めた。「戦略」の語が用いられたのは、これが初めてであった。さらに以後、２０１４年のクリミア併合後、２０１５年12月、期間を限定せずに「国家安全保障戦略」として新たに制定し直した。

２０２１年の改定は、国際安全保障環境が、民主主義諸国の陣営とロシアや中国などいわゆる権威主義諸国の陣営との間で対立が深まる中で行われた改定であったが、クリミア併合を受けて改定された前バージョンとは異なり、安全保障上の大きな事象を受けての改定ではなかった。

しかし改訂の理由は、内容を精査すると明らかとなった。それは、今回の「国家安全保障戦略」では、新たに「情報安全保障」という項目を付け加えており、この分野での安全保障の細部について、新たに定める必要性が生じ、改訂したのではないかということである。これは、本章の主題である「デジタル影響工作」に密接に関係している事項であり、以後、改定された「国家安全保障戦略」の中の特に情報安全保障を中心に考察していきたい。

この「国家安全保障戦略」の第3章では、「ロシアの国益」と「戦略的な国家の優先事項」が規定されている。この章の中で「国益」が列挙されているが、その1つに「安全な情報空間の発展、破壊的な情報（攻撃）や心理的な影響からロシア社会を防護すること」を定めている。また「戦略的な国家の優先事項」を列挙している条項の中に「情報安全保障」の規定が新たに出現したということを取り上げてみたい。

その内容を精査すると、第3章第52項及び第53項に、「ロシアの社会的状況・政治的状況を不安定化するために、テロの実行に必要な恣意的な偽情報が、主としてロシアの若年層をターゲットにインターネットにより拡散されている」、「（米国の）多国籍企業[5]がインターネットにおける独占的な地位を強化し、情報資源をコントロールしたいという願望をもち、そのような企業が法的な理由もなく国際法の規範に反して検閲を行い、インターネットを遮断することも行っている。政治的な理由から、歴史的事実やロシアや世界で起こっている事象についての歪んだ見方をロシアのインターネットユーザーに押し付けている」ということを明示している。これらの項目の内容から、ロシアは、「敵対国（米国や西側諸国）より、ロシアの弱体化や不安定化を目的として、インターネットにより偽情報が流布されており、特に、米国の多国籍企業を中心とするIT企業が、インターネットを監視し、要すれば遮断まで行っていることを最大の脅威に感じている」ということを読み取ることができる。

次に、これらの脅威への対処戦略についてもみていきたい。

第3章第57項には、「ロシアの統一通信網、インターネットセグメント、その他の重要な情報通信インフラを防護し、その持続可能性を向上し、それらの機能に対する外国からの攻撃を阻止すること」との規定がある。この条文から読み取れることは、ロシアは、米国が開発し、米国に有利な形で運用される現存のインターネットに不信感を持っているということである。そして、これに対抗するには、ロシアがコントロールできるインターネットセグメントを開発し、有事には必要に応じて外国からのアクセスを遮断することが必要だと考えている。それによって、外国からの攻撃や干渉を防止したいという狙いがあるということである。

第3章第57項では、さらに、「外国の特殊部隊や宣伝機構がロシアの情報インフラを利用することに対処すること」と「ロシアの国内政策及び外交政策に関する信頼できる情報をロシア国内及び国際的な民衆に伝達すること」を対処方針として定めている。ここから読み取れるロシアの狙いは、外国の特殊部隊などがロシア国内で影響工作活動を行っているため、それを極度に恐れており、そのような外国の特殊部隊に対抗することが喫緊の課題であると考えているということである。また、国際社会に向けての戦略的な情報発信を重視しているということである。

これらを総括すると、ロシアは情報空間（特にデジタル領域）においてどのような脅威を受けていて、その脅威に対してどのような対処をする方針かということが明確に定められていると言える。さらにその戦略の行間を読み込むと、ロシアが受けている情報空間における脅威というものは、ロシアの敵対国にとっても同様な脅威と位置付けていることも読み取ることができる。彼らが近年実行している行動態様を鑑みれば、情報空間での戦いに打ち勝つために、攻勢的な活動も考慮しているということは疑いようがないだろう。

ロシアの国家戦略文書を読み解くときは、自国に対する脅威は、他国にとっても同様であり、防御の立場ではそれらの脅威に対抗するための措置を講じるとともに、敵対国に対しては、その脆弱性を積極的に攻撃する施策を持っていると読み取ることが重要である。それゆえ、ロシアが他国への「デジタル影響工作」を重視していることが「国家安全保障戦略」から読み取ることができるということである。

### 情報安全保障ドクトリンにおける記述[6]

「国家安全保障戦略」を情報安全保障の見地から具現化するための下位の戦略文書が「情報安全保障ドクトリン」である。

このドクトリンでも「国家安全保障戦略」と同様に、情報空間における脅威を具体的に掲げている。

脅威の条項で第1に、「軍事目的のために、IT（情報技術）インフラに影響のあるような、次世代の外国の情報技術能力が確立してしまうこと。同時に、それは、ロシアの政府機関、研究機関、軍事産業に対してのインテリジェンス活動を強化することにもつながる」ことを取り上げている。ロシアの戦略文書では、通常、複数の項目を掲げた場合、記載順が優先順としているので、この条項が、彼らが最も警戒している脅威と読み取ることができる。

第2に掲げた脅威は、「世界各地の政治的、社会的情勢の不安定化を目的とする情報戦・心理戦に対する資金提供を行う国家の特殊部隊や組織の拡大は、他国の主権や領土の一体性に対する侵害を導くものである。この活動には、宗教、民族、その他の人権団体や市民団体が参加し、情報技術の潜在的能力を広く使おうとしている」である。第3には、「民族的・社会的緊張の拡散、宗教的憎しみや敵意、イデオロギー拡大のプロパガンダ等のために、様々なテロ組織や過激派組織は、個人、グループ、社会意識に対する情報の影響を広く利用している。これらの違法な組織は、重要情報インフラに対し積極的に破壊的な影響を及ぼしている」ということを掲げた。すなわち、「敵対国による情報空間におけるプロパガンダ活動」を非常に恐れているということである。

第4には、「国家防衛における情報安全保障の状況には、国際法に反する行為、主権侵害、政治的・社会的安定への侵害、ロシア領土の一体性への侵害を含む軍事・政治目的で国家や組織が情報技術を利用するという特徴がある」ということ、第5には、「国家の安全と治安における情報安全保障は、重要な情報インフラへのサイバー攻撃の複雑化やその規模の拡大、ロシア連邦に対する外国によるインテリジェンス活動の増大、ロシアの主権、領土の一体性、政治的・社会的安定を侵害するために情報技術を使用することの増大によって特徴づけられている」ということも脅威として掲げた。改めて、国家による情報空間におけるITの軍事利用が、ロシアはもちろん同盟国にとっても重大な脅威として顕在化してきており、それらに外国の情報機関によるインテリジェンス活動が深くかかわっていることを警戒していることを読み取ることができる。

同ドクトリンでは、脅威の条項に引き続き、「情報空間における戦略目標及び指針」を細分化して定義している。国防分野では戦略目標を「国家の領土の一体性に反し、国際平和、安全保障、戦略的安定を脅かすような敵対行為を目的とし、国際法に反して政治的・軍事的目的で情報技術を使用することによる国内外の脅威から、個人、社会及び国の重要な利益を防護すること」とした。

そして、同分野における対処指針を次の5つとした。

① 情報技術の争いの結果として生じる可能性のある軍事衝突を防止し、戦略的に抑止すること
② ロシア連邦軍、その他の軍[7]が使用する情報システムの安全性を改善すること
③ ロシア連邦軍に対する情報空間における脅威を予測し、それを検出し、評価すること
④ 情報空間におけるロシア連邦及び同盟国の国益を防護すること
⑤ (国家にとって不利な)情報と心理的影響を無力化すること

これらの規定から、「情報空間での国家にとって不利な情報と心理的影響の無力化」が重要であり、この指針を達成するためには、情報空間における国家による管理や監視が必須だと考えているということである。

それゆえ、ロシアは、国際社会において、インターネット主権を訴えたり、治安・安全保障のためには情報空間を国家が管理できるようにするための国際規範を制定すべきとの主張を活発化させたりしているのである。

## ロシアのデジタル影響工作の背景に見え隠れするゲラシモフ論文[8]

ここまで考察してきた「国家安全保障戦略」や各種ドクトリンに大きく影響を及ぼしたのが前述のゲラシモフ参謀総長による戦略論文である。ここで、このゲラシモフ論文について改めてその詳細を見ていきたい。

ゲラシモフ論文の大前提となっているのは「アラブの春」[9]及び「カラー革命」[10]の事案である。これら2つの事案では、インターネット（特にSNSなど）が使われ、真偽が不明な情報や明らかに偽情報と言える情報が拡散された。その結果、民衆が蜂起し、それによって世論が動かされ、時の政権に対する激しい抗議活動が生起し、政権が転覆してしまった。

そして、ゲラシモフ論文では、「これこそが、『新たな世代における戦い方』である」と位置付

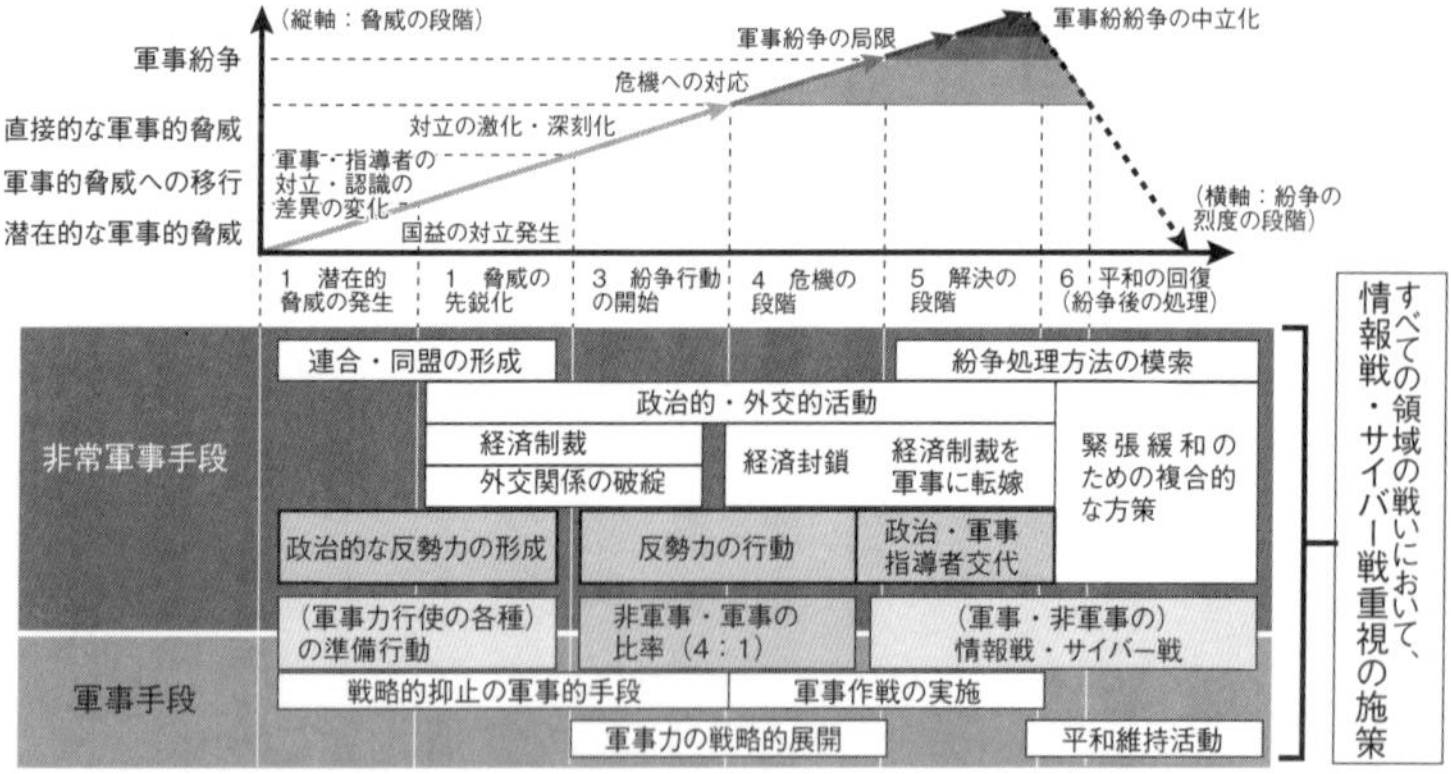


出典：図表は「**Герасимов, "Ценность науки в предвидении - Новые вызовы требуют переосмыслить формы и способы ведения боевых действий"**」から引用し、筆者の解釈により再構成した）

[図2] 国際間紛争（低烈度紛争）での軍事手段・非軍事手段の概念図

けるに至ったということだ。特に、国家間で低烈度紛争が起こった場合の非軍事手段の役割について、図を用いて解説した。ゲラシモフが引用した概念図を筆者の解釈の下に再構成したものを図2に示す。

この図で掲げた国際間紛争とは、大前提が「アラブの春」や「カラー革命」を念頭においた戦い方であることから、低烈度な武力紛争の戦い方を示したものである。[11] すなわち、ゲラシモフが示したこの戦い方の主眼は、一義的には「軍事ドクトリン」が規定する2国間が全面的な戦争状態（局地戦争以上[12]）に至る前の段階の「管理された低烈度紛争（武力紛争）」を戦うための指針を定めたものと言える。それゆえ、今回のロシア・ウクライナ戦争は、通称として「戦争」の用語を一般に用いているが、ロシアの位置付けとしては「紛争」扱いであり、「特別軍事作戦」と呼称してきたのである。それが、軍事侵攻から半年ほどが経過した時点においては、「部分動員令」を発し、「限定的な戦時経済体制」[13]にも移行しつつある状況から、局地戦争のカテゴリーに一部エスカレートしてきている状況にあるとも言えるだろう。

さて、ゲラシモフはこの図を説明するにあたって、「将来の軍事紛争」[14]においては、非軍事手段と軍事手段の比率は4対1で圧倒的に非軍事手段の比率が高い」とも言及した。

図2の上部の横軸が示すとおり、国際間紛争においては、まず「潜在的な脅威」が発生し、その「脅威が先鋭化」し、「紛争行動が開始」され、「危機」の状態を迎え、その後「解決」に向かい、「平和の回復（紛争後の処理）」に移行するという6つの段階を考えている。各々の段階において、「連合・同盟の形成」や「政治的・外交活動」により紛争の予防を企図するとともに「外交関係の破たん」をちらつかせ脅しをかけること（または実際に破たんさせること）などによる政治・外交施策や、「経済制裁」や「経済封鎖」など経済安全保障施策が行われる。

この図において特に指摘したいのが、「政治的な反勢力の形成」、「反勢力の行動」及び「政治・軍事指導者を交代させる」といった、いわゆる情報安全保障に関する項目である。これらの項目は、「国家安全保障戦略」で定義されていた情報安全保障（特に本書の主眼である「デジタル影響工作活動」）で実施する事項を具体的に示しているということである。

紛争に至る前の段階においては、「RT」や「スプートニク」といった政府系メディアを利用した情報拡散活動が行われる。紛争の段階が先鋭化した段階においては、メディアのみでなくSNSなどを利用し、ロシアの行動の正当性の主張や相手国を貶める情報拡散、国際社会の分断を煽るような情報拡散、ロシアに理解を示す国を拡大することを目的とした情報拡散などの情報戦が行われる。実際に軍事力行使をする段階に至った場合には、軍事力が効果的に行使できるようにロシアに有利になるような影響工作活動を行い、国内は勿論相手国や国際社会をターゲットに情報戦を挑む。ゲラシモフはそのような戦い方を想定しているということである。

## 3　ロシアを巡る情報空間の安全保障環境

### 世界に広がる情報圏

ここまでロシアの影響工作に深く関連する情報安全保障戦略について考察してきたが、その大前提となるロシアを巡る国際的な情報空間の特性についても考察していきたい。

世界には、それぞれの国家に都合がいい情報が流れやすい「情報圏」というものがある。この「情報圏」というものが情報戦（とりわけロシアの行う影響工作活動）には重要となってくる。ロシア研究者で国際政治アナリストの北野幸伯氏によれば「情報ピラミッド」と呼称されており、その代表的なものには「米英情報圏」「欧州情報圏」「クレムリン（ロシア政府）情報圏」「中国共産党情報圏」及び「イスラム情報圏」の５つがあるとされている。その各々の情報圏では、政権に都合のいい情報が流れやすく、都合の悪い情報は流れにくい（あるいは情報を統制・管制し、流れないようにする）状況に導く施策が採られているということである。例えば、「米英情報圏」で

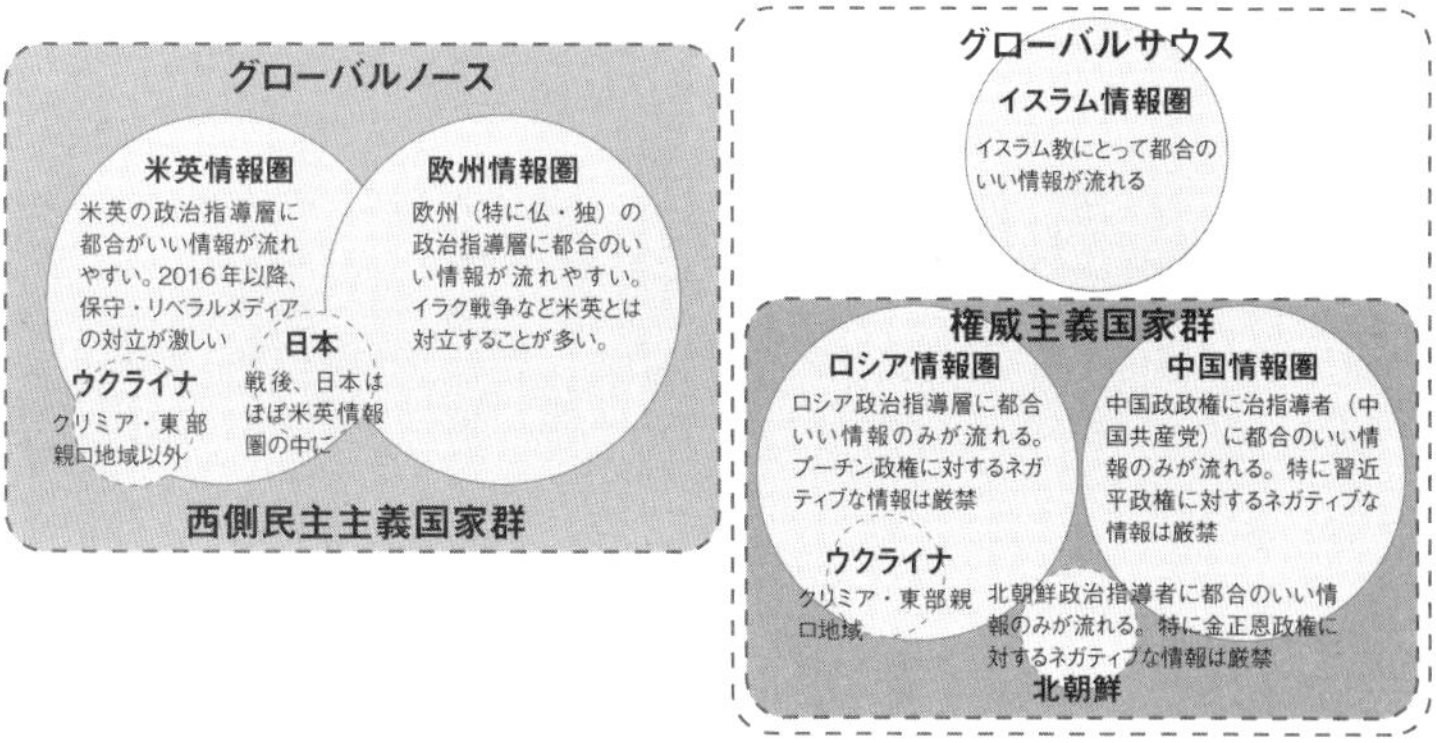

グローバルノース
米英情報圏
米英の政治指導層に都合がいい情報が流れやすい。2016年以降、保守・リベラルメディアの対立が激しい
欧州情報圏
欧州（特に仏・独）の政治指導層に都合のいい情報が流れやすい。イラク戦争など米英とは対立することが多い。
日本
戦後、日本はほぼ米英情報圏の中に
ウクライナ
クリミア・東部親ロ地域以外
西側民主主義国家群
グローバルサウス
イスラム情報圏
イスラム教にとって都合のいい情報が流れる
権威主義国家群
ロシア情報圏
ロシア政治指導層に都合いい情報のみが流れる。プーチン政権に対するネガティブな情報は厳禁
中国情報圏
中国政政権に治指導者（中国共産党）に都合のいい情報のみが流れる。特に習近平政権に対するネガティブな情報は厳禁
ウクライナ
クリミア・東部親ロ地域
北朝鮮政治指導者に都合のいい情報のみが流れる。特に金正恩政権に対するネガティブな情報は厳禁
北朝鮮

[図3] 世界に広がる情報圏
出典:北野幸伯「ロシア情報網で読み解くウクライナ侵攻の全貌」（ダイレクト社、2022年2月
及び一田和樹「ウクライナ侵攻と情報戦」（扶桑社、2022年7月）を基に作成

は、米英の政治指導層に都合のいい情報が流れやすい。２０１６年以降、保守・リベラルメディアの対立が激しいという特徴がある。「欧州情報圏」では、欧州（特に仏・独）の政治指導層に都合のいい情報が流れやすい。イラク戦争など案件によっては、米英とは対立することもある。「クレムリン情報圏」では、ロシア政治指導層に都合のいい情報のみが流れる。特に、プーチン政権に対するネガティブな情報は厳禁という特徴がある。「中国共産党情報圏」では、中国政治指導層（中国共産党）に都合のいい情報のみが流れる。特に、習近平政権に対するネガティブな情報は厳禁という特徴がある。「イスラム情報圏」も同様である。[15]

これらの情勢を、西側民主主義諸国を中心とした「グローバルノース」とその他の諸国「グローバルサウス」の対立と捉える包括的な視点も近年強調されてきた。[16] この視点は、西側民主主義国家群と中露を

中心とした権威主義国家群の対立の構図ともリンクしており、そのイメージ図を図3に示す。

　このような情報圏の中では、政権に都合のいい情報が拡散するように、プロパガンダ活動がなされ、近年では、インターネット（特にＳＮＳなど）を駆使したデジタル影響工作活動が行われている。情報圏の中では国内の情報統制・世論誘導に用いられることが多い。

**ロシアの情報圏の特殊性**

　前項において「ロシア情報圏」について取り上げたが、その情報圏の中では、具体的にどのような情報が流れているのだろうか。２０１４年のクリミア併合の事例を取り上げてみたい。

　クリミア併合の事例は、「米英情報圏」や「欧州情報圏」では、「ウクライナ領クリミア自治共和国とセヴァストーポリ特別市を、ロシアが武力を背景に併合した国際法違反の事例」と報道され、国際的な共通認識となっている。

「ロシア情報圏」ではどうだろうか。「ロシア情報圏」では「クリミアはエカテリーナ２世の１７８３年の時代から１９５４年に旧ソ連の時の最高指導者フルシチョフによってソ連邦構成国のロシア共和国からウクライナ共和国に編入されるまで、ロシアに属していたロシア固有の領土であり、クリミアで住民投票が実施されると、97％がロシアへの帰属を支持したからロシアに編入した」と認識しているということである。[17]ソ連時代は１つの連邦国家であったので問題は生起しなかったが、ソ連が分裂したために問題が勃発したと捉えているということだ。

つまり、「ロシア情報圏」に属しているほとんどのロシア国民が、政権の流す情報を、そのまま信じているということで、我々西側諸国の「米英情報圏」や「欧州情報圏」とは全く異なる捉え方をしているということだ。対立する「情報圏」を比較すれば、その矛盾から、どちらが事実か見えてくるということも重要となってくる。

## 三極化する世界の勢力図

情報圏を巡って、世界は2つの勢力に分割されつつあると表面上見受けられるが、実際の国際関係においては、3つの極に分かれ始めたとする研究も出てきた。それは、近年の各種の国連決議に見出すことができる。

ロシアによるウクライナ侵攻当初の2022年3月3日の国連総会における「ウクライナ侵攻に関するロシアの非難決議」では、ロシアやベラルーシ、シリア、北朝鮮、エリトリアの5か国が反対し、中国やインドなど35か国は棄権した。その他の、欧米、日本などを中心とした諸国141か国は同決議案に賛成した。ほとんどの加盟国がロシアの国際法違反の軍事侵攻を非難する決議に賛同した訳である。

ところが、紛争開始から1か月半が経過した4月8日に行われた「ロシアの国連人権理事会理事国資格停止決議」では、欧米、日本、韓国など93か国が賛成し、ロシア、中国、北朝鮮など24か国が反対、インド、ブラジル、メキシコなど58か国が棄権という結果であった。「非難決議」

と「軍事侵攻における人道的配慮がないロシアの人権理事会理事国の資格停止」の決議を同等に扱うことはできないが、ウクライナへ軍事侵攻したロシアに対する国連加盟国の態度を推し量る指標にはなると考えられる。ロシアを非難し、またはロシアの行動に賛同できないのであれば、決議案には賛成すればいいのであり、棄権や欠席というのは、ロシアに対し、何らかの理由があり忖度した結果と捉えるのが妥当であるとも言えるからである。

これらの情勢を見ていくと、国際社会は3つのグループに分けられるのではないかという視点が出てきたということである。6月28日付の日本経済新聞電子版では、英「エコノミスト」誌の調査部門ＥＩＵ[18]の調査結果を取り上げ、「そして3極に割れた世界」との分析記事を発表した。同記事によれば、「ロシアのウクライナ侵略を非難したり、制裁したりしている国々は、西側諸国を中心に世界人口の36％にすぎない（3月30日付ＥＩＵ分析）。32％はインドやブラジル、南アフリカのように中立を決め込む国々、残る32％はロシアの主張を理解するか、支持する中国やイランなどの国である」とのことである[19]。

さらに、「6月10日～12日にシンガポールで開かれたアジア安全保障会議（シャングリラ会合）においては、日米豪を中心にロシアの侵略を非難するとともに、中国の強硬な行動も牽制し、結束を呼びかけた。ところが、東南アジアや南太平洋の国々の反応は冷たかった」旨を指摘している。西側諸国と中露を中心とした陣営とで、中立諸国群の取り合いというのも始まっていると見ることができる[20]。

ロシアを軸足に考えると、国際社会においては必ずしもロシアは孤立してはいないのではないかということだ。そのためにも、ロシアは国際社会において、その正当性を主張するために各種の情報活動（特に影響工作活動）を実施しているものとみられている。

## 4　ロシアのデジタル影響工作に関する事例研究[21]

### 2014年のクリミア併合事例

前項で触れたように、国際社会が3つに分断されつつある情報空間の環境下において、ロシアによる偽情報の拡散による情報戦は、以前からも頻繁に行われてきたことが分かっている。代表的なものは2014年のクリミア併合時の情報戦や2016年の米大統領選での関与事例である。ここではクリミア併合事例を取り上げてみたい。

クリミア併合時では、侵攻前にウクライナ軍が使用する通信系を物理的に潰した上で、ウクライナ軍が携帯電話を使用せざるを得ないように誘導し、その携帯電話通信を乗っ取るという手法を採った。その上さらに、虚偽の指令を出し部隊をある場所に誘導し一網打尽に攻撃した。また、その携帯電話通信で「上級指揮官はすでに逃亡したので戦闘を継続する必要はない」など戦意を喪失させるような偽情報を流していたことも確認されている。[22]

## 2022年のロシア・ウクライナ戦争事例

2022年のロシア・ウクライナ戦争でも、2014年同様にロシアによる影響工作活動が激しく行われたことが確認されている。これらの状況を、米マイクロソフト社が分析し、6月にレポートとして発表した[23]。

同レポートによれば、ロシアによる影響工作の第1のターゲットは、ロシア国内およびクリミア、東部の親ロシア地域であり、「特別軍事作戦」の支持、政権支持の維持などを目的に行われているということだ。国内をターゲットとした情報戦に関しては、国内の支持基盤は未だ盤石であることから[24]（その後、部分動員令発令を境に支持率は低下し始めたが政権を脅かすまでには至っていない）、2014年も今回もほぼ意図どおりに目的は達成していると評価できるだろう。

第2のターゲットはウクライナ国内である。その目的は、ロシアの軍事攻撃に耐え、抵抗を継続するウクライナ国民の継戦意思を挫くことを中心に実施されている。2014年はウクライナ国内からの情報発信が一部封じられたので、ロシアとしては部分的な成果を得ていたと評価できるが、今回はほぼ失敗していると言えるだろう。

第3のターゲットは米国や欧州を中心とした西側諸国である。その目的は、米英と大陸ヨーロッパ（特に、フランス及びドイツ）との分断を図り、西側諸国の結束を弱め、一体となった制裁やウクライナ支援を阻止する目的や戦争責任の回避などのために行われている。2014年は国際社会が一体となった制裁とまではいかなかったこともあり、ロシアとしては限定的な成果は得たと考えられるが、今回はほぼ失敗していると言えるだろう。

第4のターゲットは、国連や西側諸国以外の国際社会である。２０１４年では一部の国々は国連の非難決議に賛同せず反対または棄権にまわり一定の成果を得ていたが、２０２２年３月の国連非難決議では圧倒的多数（７割強）の加盟国は非難に賛同し、ロシアの初動時の影響工作は失敗したと言えるだろう。しかし、その後は、前述のとおり、ロシアを巡る国連決議にも変化が見られる状況にあることは付言しておきたい。

今回のロシア・ウクライナ戦争を概観すると、ロシアは偽情報拡散による情報戦を多々挑んでいた形跡が認められる。その代表例がいわゆる「偽旗作戦」である。

特に、東部ドンバス地区で企図されていたようで、ロシアの特殊部隊や民間軍事会社の工作員などが事前に東部地区に隠密に侵入し、親ロシアの人民共和国兵士に対して攻撃を行う。これをウクライナ軍の行為として偽装する。これがいわゆる偽旗作戦である。その行為を根拠として、ロシア側は「ウクライナ軍がミンスク合意を反故にし、不当な攻撃を行った」と喧伝する。それを、以後のロシア軍の軍事侵攻の正当化の理由に使ったということだ。[25]

ところが、２０１４年とは異なり、このような偽旗作戦を使った情報戦はロシアの企図したとおりの結果は得られなかった。

その大きな要因は、ウクライナ側が２０１４年の事象を受けて、情報を拡散する主体を事前に把握し対応をしていたこと、偽情報には即座にファクトチェックが成される態勢にあったこと、さらには、一国民に至るまで情報（インテリジェンス）に対するリテラシー教育がなされていたことなどが考えられる。

ロシアは、このような偽情報の拡散を、どのくらいのレベルで実行していたのか。3月28日付のウクライナ保安庁（ＳＢＵ）ＨＰによれば、「ウクライナ保安庁は、ロシアによる侵攻が始まって以来、偽情報の発信拠点となっていた5つの大規模なボットファーム[26]を閉鎖した」、「これらのボットファームでは、10万以上のＳＮＳアカウントを使用してウクライナへの攻撃やウクライナ軍の状況に関する偽情報を発信・拡散していた」とのことである。[27]ロシアが情報戦を積極的に実施しているにもかかわらず企図したように成果が上げられないのは、このように、偽情報を拡散していた拠点を西側諸国の協力のもとで即座に潰していたことも大きかったのではないかと考えられる。

また、ロシアの偽情報拡散の統計をとっている「MYTHOS LABS」のレポートによると、２０２１年1月から10月までは、ロシアの偽情報を拡散するアカウントがわずか58であったのに対し、12月から２０２２年1月には６９７に、1月から2月の侵攻直前にかけては９１４と激増したとのことである。[28]ロシアの偽情報拡散が凄まじくなっていたことが受け取れるとともに、それらを把握していたウクライナ側（西側諸国の支援を含む）の偽情報対処能力の高さも伺い知ることができると言えよう。

さらに、8月になって米マンディアント社もロシアの影響工作についてレポートをまとめ発表した。[29]その中で、ロシアが行った影響工作の目的は3つあると述べられている。即ち、第1は

「ウクライナ国民の士気を下げること」、第2は「ウクライナを同盟国から分断すること」、第3は「ロシアに対するイメージの向上」ということである。前述のマイクロソフト社のレポートとほぼ同様な分析結果であった。

## ロシアによる影響工作の特徴

2022年11月4日、マイクロソフト社は「Microsoft Digital Defense Report 2022」という年次レポートを発表し、「国家によるサイバー犯罪（The State of Cybercrime）」、「国家主体の脅威（Nation State Threats）」、「使用されるデバイスと目標のインフラ（Devices and Infrastructure）」、「サイバー影響工作（Cyber Influence Operations）」及び「サイバー回復力（Cyber Resilience）」の5つの項目について分析結果を公表した[30]。

この中で、本章の視点である「サイバー影響工作（本章ではデジタル影響工作と呼称）」についてみていきたい。マイクロソフトでは、ロシアの行う「サイバー影響工作」の段階を、①準備段階、②開始段階、③拡散・増幅段階に区分し、2022年のロシア・ウクライナ戦争での例を挙げて図として示した（図4）。

まず、ロシア外務省などが行った「ウクライナの生物兵器開発に関する疑惑や生物研究所と称される施設に関する記者会見」を取り上げ、公の場において事前にナラティブ（事実・偽り双方の情報を融合し攻撃国に都合のいい理論武装の物語）を発信することが準備段階として行われる

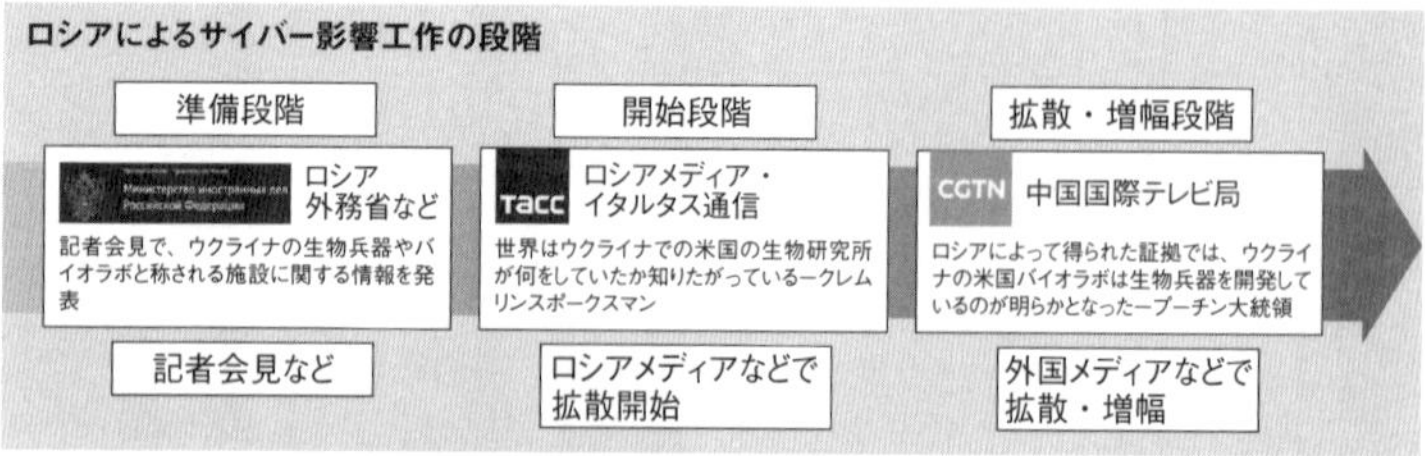
ロシアによるサイバー影響工作の段階
準備段階
ロシア
外務省など
記者会見で、ウクライナの生物兵器やバイオラボと称される施設に関する情報を発表
記者会見など
開始段階
TACC
ロシアメディア・
イタルタス通信
世界はウクライナでの米国の生物研究所が何をしていたか知りたがっているークレムリンスポークスマン
ロシアメディアなどで
拡散開始
拡散・増幅段階
CGTN
中国国際テレビ局
ロシアによって得られた証拠では、ウクライナの米国バイオラボは生物兵器を開発しているのが明らかとなったープーチン大統領
外国メディアなどで
拡散・増幅

サイバー影響工作では、公の場（記者会見など）において、事前にナラティブ（事実・偽り双方の情報を融合し攻撃国に都合のいい理論武装の物語）を発信する。

ロシア政府当局が支援し、影響力を持つメディアやソーシャルメディアを通じてナラティブを拡散するため、攻撃者の目標達成に最も有益な時期に、情報拡散のキャンペーンが開始される。

外国のメディアがロシアの代理人として、ロシア当局が発信した情報を拡散し、世論を形成させる。それによって、政治指導者の意思決定に悪影響を及ぼすことを企画する。

（出典：マイクロソフト「組織的指導者の攻撃性の増加に伴い、国家支援型のサイバー攻撃がより大胆に」2022年11月7日[31]を基に作成）

［図4］ロシアによるサイバー影響工作の段階

と位置付けた。そして、次の段階として、ロシアのイタルタス通信が行った「世界はウクライナでの米国の生物研究所が何をしていたかを知りたがっている」との報道を例示し、ロシアメディアによる情報発信が情報拡散キャンペーンの開始段階と評価した。最終段階として、ロシアと関係のない外国のメディアがロシアの代理人として、ロシア当局が発信した情報を拡散し、世論を形成させることが行われると分析した。

このような3つの段階によってロシアの影響工作が実施されるとの分析は、「欧州ハイブリッド脅威対策センター」が2018年5月に発表した「Addressing Hybrid Threat」においても類似の評価がなされている。[32] どちらの評価でも、準備段階としてトリガーとしての種が蒔かれ、初動段階としてロシアと関係の深いメディアから情報拡散が始まり、最終的にはロシア以外のメディアやSNSなどによって情報が増幅されるということである。

## 偽情報拡散による情報戦とナラティブ拡散による情報戦

ロシア・ウクライナ戦争では、前述のように「偽情報拡散」による情報戦が非常に目立っているが、いわゆる「ナラティブ優勢の戦い」ということも指摘しなければならない。米国などでは一般にプロパガンダ活動に該当する事項と捉えられるが、ロシアの考える「ナラティブ優勢の戦い」について付言したい。

「ナラティブ優勢の戦い」とは、専門家によれば「情報を攪乱させ自陣に有利な状況を、国際法や民主政治のプロトコール（＝取り決め）に抵触しない範囲で実現させようとする戦い」とされている[33]。

ロシアは独特の考え方で、このナラティブというものを構築している。即ち、実際に生起した事実を、彼らの都合のいいように選定し、それに彼らの（多分にプーチン大統領の）信じる一方的な理念を組み合わせて物語（ナラティブ）を作り上げ、情報戦（特に認知戦）を挑んでくるという構図である。

一例を挙げると、2021年7月にプーチン大統領は、「ロシアとウクライナの一体性」に関する論文を発表した。それによれば「ウクライナもロシアもベラルーシも、現在のキーウを中心にベラルーシからロシアにかけて存在した古代のキエフ大公国を起源としている。それゆえ、ロシア人とウクライナ人はひとつの民族で一体不可分であるので、ウクライナはロシアとともにあるべきだ」としていた。[34]

これを読み解くと、前半部分の「キエフ大公国を起源とした民族」という部分は歴史的な事実ではあるが、後半の「ウクライナとロシアは一体不可分でともにあるべきだ」との主張や、それを根拠として、「主権国家として存在するウクライナに軍事侵攻し、併合しようとする行為」は、国際法に照らし合わせても重大な違反行為であり、受け入れられるものではない。

ロシアの打ち出すナラティブには彼らの理念に関する部分に、大国意識に基づいた国際法違反の事項を含んでいるので注意を要すると言えよう。また、この戦い方が厄介なのは、「偽情報を使った情報戦」では、「ファクトチェック」で無力化することが可能だが、事実と理念を組み合わせた「ナラティブを使った情報戦」では、事実を争う「ファクトチェック」とは違う次元の対応が必要となってくるということだ。

ロシアは、2014年のクリミア併合時、「クリミアは帝政ロシアのエカテリーナの時代の1783年から1954年にフルシチョフによってウクライナに移管されるまで、ロシアに属していたロシア固有の領土である。だから、クリミアで住民投票を実施すれば、90%以上の住民がロシアへの編入を支持するので、ロシアがクリミア住民を支援に行った」とのナラティブを使用し、その正当性を主張した。[35]

さて、今回の侵攻ではどのようなナラティブを用いたのか。侵攻当日の2月24日プーチン大統領は、「ドンバスの2つの人民共和国はロシアに助けを求めてきた。これを受け、国連憲章第7章51条に基づき、特別軍事作戦を実施する決定を下した。その目的は、8年間ウクライナ政府によって虐げられ、ジェノサイドにさらされてきた人々を保護することで、そのために、ウクライナの非軍事化と非ナチ化を目指していく」と宣言し[36]、軍事行動を開始した。

ここで問題なのは、前半には実際に起こった事象が断片的にちりばめられてはいるが、後半の彼らの理念の部分を見ると、主権国家であるウクライナをナチと位置づけ、現ゼレンスキー政権を打倒し「非軍事化、非ナチ化を目指す」とのことで、国際的に到底受け入れることはできない内容となっている。

しかし、この内容をロシア国民が聞けば、政府の統制するメディアにしか触れていない年配者を中心として、これを信用してしまうということである。ただし、インターネットにアクセスができ、西側の情報を得ることができる若年者は、この政府の発するナラティブには疑問を持つ者も多くいることは付言しておきたい。

プーチン大統領は国内の支持を固めるために、5月9日の第二次世界大戦の戦勝記念日を境に、また異なったナラティブを国内統制に持ち出してきた。プーチン大統領は、戦勝記念日の演説で「ドンバスでは、さらなる懲罰的な作戦の準備が公然と進められ、クリミアを含むわれわれの歴史的な土地への侵攻が画策されていた。キエフは核兵器取得の可能性を発表していた。そしてNATO加盟国は、わが国に隣接する地域の積極的な軍事配備を始めた。(中略) 繰り返すが、軍事インフラが配備され、何百人もの外国人顧問が動きはじめ、NATO加盟国から最新鋭の兵器が定期的に届けられる様子を、われわれは目の当たりにしていた。危険は日増しに高まっていた。ロシアが行ったのは、侵略に備えた先制的な対応だ。それは必要で、タイミングを得た、唯一の正しい判断だった」と述べ、新たなナラティブを作り上げて正当性を強調したということである。

2月の軍事侵攻当初に掲げた、「ウクライナ東部のロシア系住民を助けに行く」という大義名分のナラティブはどこかに行ってしまい、「ウクライナに先制攻撃をされる恐れがあったから、それを防ぐために先に行動を起こした。そのタイミングはいましかなかった」と新たなナラティブを作りあげたということである。

ロシアの持ち出すナラティブは断片的には事実を組み合わせていることにより、国民の情報統制には非常に効果的に使われる。国際的な情報発信としても、処々の理由によりロシアに反対できない国々に対して理由づけを与えてしまうという点で、これへの対処が今後の喫緊の課題なのではないだろうか。

## 5　ロシアのデジタル影響工作への対処

### 国家による情報拡散の情報源の停止

ロシア・ウクライナ戦争をめぐり、ロシアによるデジタル影響工作に有効に対処した事例として、特に欧州諸国において、偽情報やナラティブを拡散する発信源であるロシア政府系メディアやプラットフォームを使用禁止にしたことが挙げられる。3月2日にはEUにおいて、ロシア政府系メディアである「RT」および「スプートニク」とそれらの子会社の衛星放送、オンラインプラットフォームやアプリの利用禁止を決定した。[37] 偽情報だろうが事実を含んだナラティブであろうが内容は問わず、その発信源そのものを絶つという戦略を実行した訳である。これらの施策は非常に有効に機能しているとみられ、ロシアの「国際社会をターゲットにした情報戦」がなかなか成果を得ず、ウクライナが優勢を保っている一要因になっていると考えられる。

ウクライナ政府は以前から、情報発信源を絶つという戦略を採用しており、ロシアの偽情報やナラティブにウクライナ国民が侵されないように、ウクライナ国内から、ロシア系インターネットサービス「フコンタクテ」（ロシア最大のSNS）、「アドナクラースニキ」（同級生と再び関係を築きたいとの意味で『同級生』の語を使ったSNS）、「ヤンデックス」（ロシアの検索サイト大手）、「Mail.ru」（ロシアの代表的なウェブメールサイト）のブロック措置が既に2017年には実施されていること[38]も付言しておきたい。

### プラットフォーマーの責任

国家による情報発信源の停止と同様、情報発信の主体としてSNSやインターネットプロバイダーなどのプラットフォーマーの責任も大きいと言わざるを得ない。明らかに偽情報である情報や国際社会に混乱をもたらすようなナラティブ、特定の国を貶め、または利するような一方的なナラティブを自由に拡散させていいのかというような議論である。近年、プラットフォーマー側もその責任を感じており、明らかに害を及ぼすような情報を発信するアカウントを停止するなどの措置が採られ始めている。プラットフォーマーが害のある発信源を止めることは、一義的には影響工作活動を制限するために効果的な対策ではあるが、情報発信の自由と情報空間の管理・統制の議論もあり、今後、どのようなスタンスが適切なのか議論していく必要があるだろう。

## ファクトチェックと情報リテラシーの醸成

今回のロシア・ウクライナ戦争においては、ロシアの行う偽情報拡散による影響工作活動には効果的に対処できている。その大きな要因は、市民自らロシアの偽情報を、スマートフォンなどを使いファクトチェックできていることが挙げられる。2014年のクリミア併合時に情報戦において惨敗してしまったウクライナがその教訓を活かし、政府中枢から一般市民に至るまで、情報に関するリテラシー教育が徹底されているのではないかということだ。市民の情報発信がファクトチェックに寄与している状況や戦術情報の世界でも、市民が通報するロシア軍の部隊行動に対する情報提供などからも、それらは証明できるのではないだろうか。戦略的な情報戦（情報操作、世論誘導や影響工作など）から戦術的な情報戦（敵の部隊行動の把握など）に至るまでウクライナ国民が担っている責務は大きいとみられる。国民の情報リテラシー教育というものが情報戦にとっては不可欠であると言えよう。

米国の研究者P・W・シンガーは、「情報リテラシーは、教育だけの問題ではなく、安全保障問題だ」と述べている。[39] これがロシアによる影響工作に対処するための1つの示唆となるべき言葉ではないか。

### 戦略的な情報発信

ゼレンスキー大統領が各国議会において演説し、ロシアへの制裁の同調とウクライナへの支援の強化を訴え、多大な成果を上げていることにも言及したい。

ゼレンスキー大統領は、西側諸国を中心に、2022年3月1日の「EU議会」では「真のヨーロッパ人であることを証明してください」の文言を用いてスピーチを行った。3月16日の「米国議会」では「真珠湾を、9・11同時多発テロを思い出してほしい」との文言を用いた。3月17日の「ドイツ議会」では「ベルリンの壁でなく、自由と不自由の壁に皆さんと我々は隔たれています。壁を壊してください」との言葉を使った。3月23日の「我が国の国会」では「侵略の津波を……。原発事故を、サリンなどの化学兵器を……」との文言を用いた。同日の「フランス議会」では「自由・平等・博愛の精神で……」との言葉を使ったスピーチを行った。その他多数の諸国の議会でスピーチを行ったわけであるが、どの国でも当該国の琴線に触れるような内容を含んだスピーチを行うことで賛同を得ていたということである。

ウクライナとして、「事実の」ナラティブを誠実に活用して、国際的な情報空間での優勢を獲得したとも言える。やはり、事実を用いたとしても不条理なナラティブを使うロシアと、事実を用い、各国の琴線に触れつつ、誠実に現実を訴えるウクライナのナラティブでは受け取る側の理解は天と地ほど変わるのではないだろうか。こうして、ウクライナは国際社会における情報戦（主として影響工作）において優勢を獲得することができたと言えるのではないだろうか。

このゼレンスキー大統領の演説に、ナラティブ拡散に対抗するための「戦略的情報発信」のヒントがあると考えられるということである。

## ロシアの影響工作を無力化する米国による「ハント・フォワード」作戦

ロシアはウクライナへの軍事侵攻に先立ちその1年以上前から、かなりのデジタル領域における情報戦を仕掛けていた。しかしながら、ロシアが企図したどおりの成果が出ていない。その大きな要因の1つに、米国による支援があったと言われている。

具体的には、ポール・ナカソネ米国サイバー軍司令官兼NSA（国家安全保障局）長官が、NATOのサイバー紛争に関する国際会議「CYCON」に出席した際、記者会見において、米国がロシアに対して『攻勢的な作戦』を行っている旨を認め、以下のように述べている。[40]

「我々は攻撃・防御・情報の全範囲にわたって一連の作戦を実施してきた」、「ロシアがフェイクニュースなどによる情報操作を行っているのとは対照的に、米国は様々な真実を明るみに出す戦略をとっている」、「２０１８年以来、同盟国にサイバー作戦の専門家を派遣して敵国の潜在的な情報を探り、悪意のある行動を戦略的に暴露する『ハント・フォワード（Hunt Forward）作戦』を実施した」、「ロシア・ウクライナ戦争でも同様にウクライナへの情報提供を行ってきた」、「正確でタイムリーな情報を共有し、より広い範囲で行動できるようにすることは、この危機において非常に強い力を持った」などである。また、「米国は、２０２１年12月にサイバー専門家をウクライナ入りさせ、約90日間にわたって『ハント・フォワード作戦』が行われ、２月中には同メンバーはウクライナから撤退したが、米国の支援によりロシアのサイバー空間における攻撃が阻止された」とも明らかにした。

このナカソネ司令官の発言にも、今後、デジタル影響工作を企図する国家に対する対応策のヒントがあると考えられる。

## 6　おわりに

近年、ロシアが行う「情報空間における影響工作（デジタル影響工作）活動」に着目し、ロシアの狙いがどこにあるかということを視点に、各種戦略文書（「国家安全保障戦略」、「情報安全保障ドクトリン」など）を読み解くことにより、ロシアが情報空間におけるデジタル影響工作活動というものをどのように位置付け、どのような施策を有しているのかを明らかにしてきた。

ロシアは、その戦略において、自国に対する情報空間における脅威を詳細に分析しており、そのような脅威にどのような対処をしたいかということを明確に定めている。さらに、ロシアが受けている情報空間における脅威は、ロシアの敵対国にとっても同様な脅威と認識しており、相手方に対する攻勢的な活動も考慮しているということが彼らの行動対応から伺うことができた。

また、この影響工作活動が実施される情報空間の特性についても、改めて振り返り、ロシアを取り巻く独特の情報安全保障環境というものも明らかにした。ロシアは独特の安全保障観を持った情報圏に属しており、ロシアの情報圏では彼らの理論がそのまま世論になっている実態というのも明らかとなった。

そして、ロシアの行う影響工作の実行例として「２０１４年のクリミア併合事例」及び「２０２２年のロシア・ウクライナ戦争での影響工作事例」を取り上げ、実際にどのような活動が行われたのかを明らかにした。それを受け、これらのロシアのデジタル影響工作活動にどのように対処すべきなのかについても考察し、「国家による情報拡散の情報源の停止」、「プラットフォーマーの責任」、「情報リテラシーの醸成」、「戦略的な情報発信」及び「米国が行っている『ハント・フォワード作戦』のような攻勢的な活動」が重要であるということを結論として導き出した。これらの提言が今後施策にどれだけ反映させられるのかについて今後とも注目していきたい。

第7章

# 権威主義国家によるデジタル影響工作と民主主義

川口貴久

**川口貴久（かわぐち・たかひさ）**

東京海上ディーアール株式会社　主席研究員。1985年、福岡県生まれ。専門は国際政治・安全保障、リスクマネジメント。慶應義塾大学大学院政策・メディア研究科修了（2010年3月）、横浜市立大学国際文化学部国際関係学科卒業（2008年3月）。2010年4月に東京海上日動リスクコンサルティング株式会社（現：東京海上ディーアール）に入社し、2021年7月より同・主席研究員。これまで、慶應義塾大学グローバルリサーチインスティテュート（KGRI）客員所員（2021年6月～現在）、一橋大学法学研究科非常勤講師（2022年4～9月）、慶應義塾大学SFC研究所 上席所員（訪問）（2010年5月～2015年3月）、キヤノングローバル戦略研究所外交・安全保障グループ スタッフ（2009年1月～2010年3月）等を兼任。主著に『ハックされる民主主義：デジタル社会の選挙干渉リスク』（土屋大洋との共編著、千倉書房、2022年）、「ウクライナ戦争と『ナラティブ優勢』をめぐる戦い」SYNODOS（2022年5月21日）他多数。

# はじめに

インターネットやソーシャルメディアを通じた影響工作（influence operation）は、特定の政策を誘導し、市民と世論を分断し、社会制度への信頼を失墜させるという点で、現在進行形の安全保障上の脅威である。権威主義国家は民主主義国家の選挙プロセスを混乱させ、新型コロナウイルスの起源や公衆衛生政策に関する不確実情報を拡散し、ロシアによるウクライナ侵略や台湾海峡をめぐる緊張下では自国・相手国・国際社会を舞台とする多様な情報戦を展開した。

とりわけ民主主義国家はデジタル影響工作に脆弱である。民主主義国家・開かれた社会は言論、表現、報道の自由を保障し、情報は自由に流通する。権威主義国家はこうした点を「弱さ」とみて、影響工作の効果を最大化する。デジタル影響工作をめぐる権威主義国家と民主主義国家の攻防は必然的に非対称戦となる。

本章は、戦時・有事下の権威主義国家による対外デジタル影響工作に焦点を当て、その特徴や民主主義社会での対応を考察する。もちろん、戦時・有事下における情報戦は新しい現象ではない。近現代の紛争に限っても、こうした活動は無数に存在する。約80年前、太平洋戦争で米軍は日本上空から航空機で伝単（ビラ）を撒き、日本人の士気を挫こうとした。１９９０年のイラクのクウェート侵攻直後、15歳のクウェート人少女が涙ながらに米国メディアの前で惨状を訴え、冷戦終結で内向きな米国世論を湾岸戦争に突き動かした（後に少女はクウェート政府の意向を受けていたことが発覚した）。２０１０年代には「イスラム国」がオンライン機関誌を多言語で展開し、世界の暴力過激主義を扇動し、イラク・シリアに外国人戦闘員を惹きつけた。

しかし、その「主戦場」はかつてのビラ（紙）、雑誌、ラジオ、テレビ、インターネットから、ソーシャルメディアに移しつつある。ソーシャルメディアとはユーザ生成コンテンツ（ＵＧＣ）を創造・伝達・交換するデジタルプラットフォーム（ＤＰＦ）を指し[1]、フェイスブック、ユーチューブ、ツイッター、インスタグラム、ＴｉｋＴｏｋ等が典型だ。ＬＩＮＥやテレグラムはもともとメッセージング・アプリであるが、オープンチャットやパブリックチャネルでＵＧＣを生成・伝達できるという点でソーシャルメディアと呼べる。デジタル影響工作はソーシャルメディアそのもの、投稿されたコンテンツ、参加者等を「兵器化」することで効果を最大化している[2]。

デジタル影響工作がもたらす効果の程度は、影響力を行使する側のみならず、行使される側の政治体制や市民社会の抗たん性・対応にも左右される。民主主義社会では少なくとも自由と安全保障の均衡が模索され、デジタルプラットフォームが果たすべき役割や責任が議論されている。

本章はまず、デジタル影響工作と民主主義の脆弱性を確認する。次に、事例として２０２２年に顕在化した2つの危機、ロシアによるウクライナ全面侵攻と台湾をめぐる情勢をとりあげる。

デジタル影響工作の特徴を示すとともに、民主主義国家が外国メディア規制やＤＰＦ規制を通じて対処してきた点を確認する。その上で、日本が特に念頭におくべき脅威として、中国による日本向けのデジタル影響工作の手法を整理する。

## 1　デジタル影響工作と民主主義

近年、民主主義は後退し、危機にあるといわれる。世界の民主主義国家の「数」や「スコア」もそうした見方を支持する。[3]「後退」「危機」の要因は複合的だが、その一因として、ソーシャルメディアをはじめとするＤＰＦや情報生態系が指摘されている。[4]フランシス・フクヤマはビックテック企業が情報、とりわけ政治的コミュニケーションを独占する力は民主主義にとって脅威であるという。[5]また「後退」「危機」は民主主義国家内部の問題に加えて、ロシアや中国といった権威主義国家による外部からの攻撃によっても促されている。[6]

ここでは、民主主義の「後退」を加速させる権威主義国家の対外デジタル影響工作、民主主義の脆弱性について確認する。

### デジタル影響工作

本章における「デジタル影響工作」とは、相対的な優位性の獲得・維持・拡大を目指し、デジタル空間を通じて、対象の認知や意思決定に働きかける調整された活動である。[7] ある研究では、2011年から2021年初頭までの間、少なくとも51カ国に対する103件（対外活動78件、国内活動25件）のオンライン上の影響力活動（influence efforts）が確認された。[8] デジタル影響工作が秘密工作（covert operation）を多く含むことを考慮すると、実際の活動はもっと多いだろう。実際、メタ社やツイッター社等のDPFは、当該事業者でしか把握できない秘密のデジタル影響工作の実態を定期的に公表している。

国際政治学・安全保障研究では影響工作は従来から注目されてきた。[9] 国際紛争の側面を有するため、「情報戦（information warfare）」「認知戦（cognitive warfare）」とも呼ばれる。影響工作の考え方は新しいものではないが、確立された定義や共通認識があるわけではない。

また、「影響工作」と重複・隣接する概念も多い。詳細な定義には触れないが、影響工作と親和性が高い概念として、世論戦・法律戦・心理戦から成る「三戦」、「超限戦（unrestricted warfare）」、「制度的和語権（institutional discourse power）」、「制脳権」、「アクティブ・メジャーズ」、「ディスインフォメーション」、「ハイブリッド戦争」、「シャープパワー」、「戦略的コミュニケーション」等があげられる。どの概念・用語を採用するかは目的や焦点によって異なる。例えば、パワーの源泉と形態、影響力行使の対象（認知・意思決定・行動）、用いられる情報の性質（情報の真偽等）、活動の秘匿性（公然、秘密）、活動の階層（戦略、作戦、戦術）、平時・有事の文脈、特定国の文脈（中国、ロシア等）、舞台（自国、相手国、国際社会）によって異なる。

本章で注目するのは、権威主義国家による民主主義国家に対するデジタル影響工作である。つまり、権威主義国家固有の意図やツール、民主主義国家の脆弱性、デジタル空間に固有の特徴に注目する。

権威主義国家によるデジタル影響工作の対象は3つ整理できる。第一に自国内部に向けられるもので、戦時・有事の文脈では、対外行動の正統性を高めるものである。これは、本稿では対象外にする。第二に紛争相手国を対象としたもので、優位性や恐怖によって相手国軍人・市民の士気を低下させる、相手国政府が弱体であることを示すものである。第三に第三国向けの影響工作で、紛争相手国への支援を弱体化させ、自国への支持を得るための活動である。

## デジタル影響工作に脆弱な民主主義

そして民主主義国家はこうしたデジタル影響工作に脆弱である。言論、表現、報道の自由が保障される政治・情報環境では、悪意ある情報攻撃や影響工作が効果をあげやすいからだ。そして、民主主義国家が外部からのデジタル影響工作に対抗するため、過度な規制や統制をしくこと、つまり権威主義国家と同様の手法でデジタル影響工作に対処することはできない。

米国ジャーマン・マーシャル財団のローラ・ローゼンバーガーが指摘するように、民主主義国家が「間違った方法で積極的・能動的になってしまえば、独裁体制の強引な手法を模倣し、独裁国家が求める硬直的な支配環境を生み出してしまうリスク」がある。[10] 例えば、外国政府が関与する偽情報・不確実情報に対処するため、テレビ・新聞、ソーシャルメディア等のDPF、一般市民の言論に幅広い制限を課す政策は、自由に関する諸権利との関係で緊張をもたらす。

他方、ウクライナでの戦争で明らかになったように、外国の支配・影響下にあるメディアを規制すること、DPF上で外国政府の影響を最小化する取り組みは事実、民主主義国家でも執行されているし、一定の効果を生んでいる（後述）。

民主主義国家が自由と開放性を維持しつつ、デジタル影響工作に対処するための鍵は影響工作の発信源を見極めることである。つまり、デジタル影響工作の発信源が外国なのか、国内（の有権者や市民）なのかを峻別することが重要だ。行為の発信源を特定するプロセスは、サイバーセキュリティ分野では「アトリビューション」と呼ばれる。

しかし、これは実際には難しい。オバマ政権で国務省政策企画室長を務めたプリンストン大学教授のアン＝マリー・スローターらによれば、現代の「情報生態系全体が、デジタル技術によって意図的かつ体系的に歪められているため」、そうした峻別は困難だという。

20世紀的な戦術、すなわち敵対者が放送するプロパガンダのチャンネルを隔離・ブロックする対策は十分ではない。そのようなチャンネルは、限られた既知の情報源から発信され、その発信源、ベクトル、通常のメディアとの対比によって容易に認識することができた。今日の情報戦は、何百ものチャンネルにまたがるマルチキャストである。放送メディアとソーシャルメディアを含むデジタルメディアの相互作用によって言論とリーチを最適化し、オンライン広告、ターゲティング、アルゴリズム操作の技術を活用して視聴者数を最大化する。…中略…こうした戦術は国内の陰謀を増幅させ、外国と国内のエージェントの区別を曖昧にする。さらに、その目的は単に説得することではなく、事実に対する信頼を弱め、あらゆるところに存在する「フェイクニュース」に関する疑念を植え付けることにある。[11]（傍点は引用者）

このように、民主主義国家が自由と開放性を維持しつつ、権威主義国家によるデジタル影響工作のみを外科手術的に取り除くことは難しい。スローターと同じ時期、国務省でインターネット政策の筆頭アドバイザーを務めたアレク・ロスは「20世紀の大きな争いは左と右［引用者注：イデオロギー］の間で生じたが、21世紀の紛争はオープン［開放的体制］とクローズド［閉鎖的体制］の間で生じる」と指摘した。[12]しかし、実際の主戦場は「オープン」「クローズド」の境界ではなく、「オープン」な社会の内部であるということだ。

こうした観点から、ロシアによるウクライナ全面侵攻（２０２２年2月〜）および台湾海峡をめぐる緊張下におけるデジタル影響工作とその対応についてみていきたい。

## 2　ロシアによるウクライナ全面侵攻

ウクライナでの戦争では、重火器が勝敗を決する伝統的戦争であると同時に、認知領域をめぐる情報戦争でもある。多くのウクライナおよびロシア人が利用する通信アプリ、テレグラムは自国・相手国に対するデジタル影響工作の主戦場だ[13]。

認知領域の戦いでは、開戦前後から今日まで、ウクライナ側が優位に立つ。正確にいえば、ゼレンスキー政権は日米欧等から強力な対ロシア制裁と武器供与を含む対ウクライナ支援を引き出すという開戦初期からの戦略を実現・維持すべく、「日米欧」を中心とする情報空間で優勢を維持している。しかし、中国、インド、アフリカ、中南米、東南アジア等の情報空間では必ずしもウクライナが優位とはいえないだろう。

プーチン政権は侵攻前から「戦争の大義」、例えば「ゼレンスキー政権はネオナチ」「ドンバス地方でロシア系住民が虐殺された」「NATOが東方不拡大の約束を一方的に破棄」といった言説（偽情報）を主張し、ウクライナ侵攻を正当化する認識をロシア国内や国際社会で形成しようとした。侵攻直後には、ウクライナの士気を低下させるため、「ゼレンスキー大統領が国外逃亡」といった偽情報を発信し、また同大統領のディープフェイク動画でウクライナ軍の降伏を促した。

こうした明らかな偽情報はファクトチェックによって対抗できる。事実、ゼレンスキー大統領自ら、キーウ市内にいることを証明するような「自撮り」でロシア発の「国外逃亡」情報を即時に否定した。

### 偽情報とナラティブ

しかし、影響工作で用いられるのは偽情報だけではない。例えば、「現代ロシアの起源はキエフ公国」は事実だが、ロシア側はこの「事実」を侵略正当化の文脈で用いる。特定の価値観や視点を反映・奨励し、真偽や価値判断が織り交ざる伝播性の高い物語は「ナラティブ」と呼ばれる。[14]あるナラティブが特に強力で広く拡散するのは、それが人々の怒りや憎悪といった激しい感情とともに共感をもたらし、大きな集団との繋がりを感じさせるもので、自らがナラティブの拡散や強化に参加可能な場合である。[15]

マイクロソフト社の分析によれば、ナラティブを含むロシアのデジタル影響工作は4つの標的グループを設定している。具体的には、①ウクライナ側の責任を強調し、戦争支援・継続のためにロシア国民を標的とするもの、②士気低下を目的にウクライナ国民を標的とするもの、③西側の結束を弱体化するため米欧の国民を標的とするもの、④国連等でのロシアへの支持（消極的支持を含む）を得るため、第三世界や新興国を標的とするものである。[16]

もちろん、ロシアの影響工作の焦点も戦争の推移とともに変化している。レコーデッド・フューチャー社の脅威インテリジェンス部門によれば、少なくとも2022年5月以降、ロシアは、ウクライナの対ロシア防衛を支援する西側連合を弱体化・分裂させると同時に、ヨーロッパの人々の態度をロシアとロシアに対して好意的に変化させるために、多面的な情報工作を行ってきた。[17]その中には、ドイツ国内におけるウクライナ難民への敵意を煽る明らかな偽情報もあれば、図1のように、ウクライナ支援を行う欧州は経済的に疲弊するという主張・ナラティブも含まれる。

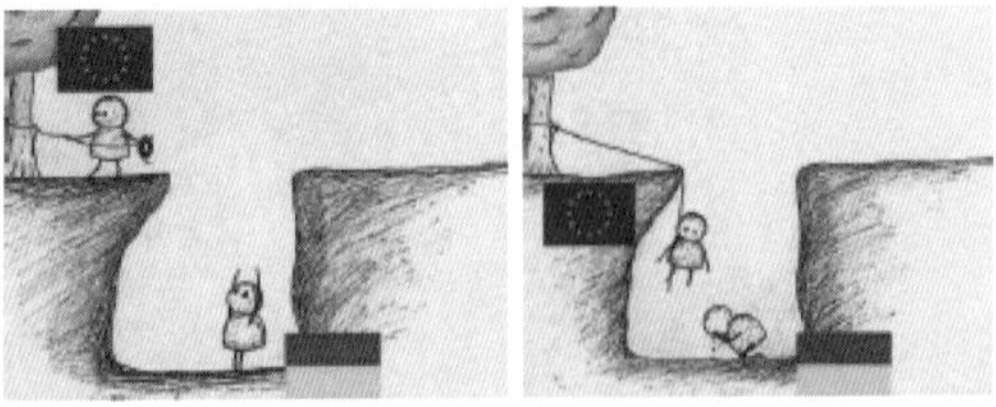

[図1]ウクライナを支援するEUが自死に追い込まれることを示唆するイラスト。出典:Z MEMESのテレグラム投稿〈https://Z_memes/10370〉より

後者のようなナラティブにはファクトチェックだけでは効果をあげにくい。そこで、ウクライナ側もまたナラティブでロシアに対抗する。

ミハイロ・フェドロフ副首相兼デジタル変革大臣は、ゼレンスキー大統領がソーシャルメディアを通じて「強力なサインを世界全体に送り続けている。真実はプロパガンダより強い」という。[18]確かにゼレンスキー大統領の発信するメッセージの多くは事実に基づくかもしれないが、ナラティブの要素がないわけではない。例えば、ゼレンスキー大統領は2022年3月のG7各国議会演説で、それぞれの国民感情や社会的記憶を刺激する言葉で語りかけた。英国向けにはシェイクスピアやチャーチルを引用し、日本向けには「原発事故」「サリン」「侵略の津波」といった言葉をちりばめた。ドイツには「ベルリンの壁」、イスラエルには「ホロコースト」、ベルギーには「イーペルの戦い」（第一次世界大戦で化学兵器が用いられた同国西部の都市）を用いたのは、単に「論理」のみならず、聴衆の歴史の記憶を呼び起こし「感情」に訴えるためだ。

同時にゼレンスキー大統領はソーシャルメディアで自国民や世界に発信する際、別の工夫を凝らした。彼は聴衆の関心を引き付けるため、「三十秒の動画」の重要性を理解し、「人々は面白くないものには付き合ってくれない」との考えに基づき発信を続けた。[19]

## サイバー領域と認知領域の融合

またウクライナでの戦争は、デジタル影響工作とサイバー攻撃の組み合わせが効果をあげた。ウクライナ国家特殊通信・情報保護局（ＳＳＳＣＩＰ）のビクトル・ゾラ副局長によれば、「ロシアのサイバー攻撃が始まったのは1月14日」「2月24日より前から戦いは始まっていた」という。[20]ロシアは、複数のウクライナ政府機関等でワイパー型マルウェア（データ消去型ウイルス）を展開し、データやシステムを消去した。またロシア側のハッキングによって、ウクライナ政府等のウェブサイトが改竄され、反ウクライナの画像と共に「ウクライナ国民よ…中略…全ての個人情報は公開された。恐れよ、最悪を覚悟しろ」とのメッセージが表示された。その目的について、ＳＳＳＣＩＰのユーリ・シチホリ局長は「多くのウクライナ国民をパニックに陥らせ、ウクライナが攻撃に対処できない弱小国家であることを世界に示すこと」「攻撃の結果は心理戦に近いもの」だという。[21]

2月15日には、ウクライナ国防省、国営銀行「オシチャド（Oschad）」「プリヴァト（Privat）」にDDoS攻撃が行われ、ウェブサイトが閲覧できない状態となる。後に米バイデン政権は、このサイバー攻撃にロシア連邦軍参謀本部情報総局（GRU）が関与したと断定している。DDoS攻撃による影響は限定的だったが、その後、「銀行のATMが機能していない」旨のテキストメッセージが流布した。多くのウクライナ市民が「ATMは機能している」とソーシャルメディアに投稿し、すぐに偽情報だと判明した。現在はグーグルグループ傘下のセキュリティ大手マンディアント社のサンドラ・ジョイスによれば、偽情報の狙いは①一般利用者が銀行のウェブサイトを確認するように誘導し、疑似的DDoS攻撃に加担させること、②より重要なことは、市民の恐怖を煽り、「政府は私達を守ってくれるのか」という不安を駆り立てることだったと分析する。[22]

このようにロシアは地上のウクライナ侵略に先行し、サイバー攻撃と偽情報を組みわせて、市民の恐怖を煽り、ウクライナ政府が脆弱であることを示唆する影響工作を展開した。1月14日および2月15日のサイバー攻撃は、ウクライナ市民の政府に対する信頼を貶めるための攻撃といえる。近年、サイバーセキュリティ分野では、「信頼（trust）」が注目されている。過去10年以上に渡り、サイバーセキュリティや安全保障の専門家は「サイバー・ハルマゲドン」「サイバー真珠湾」「サイバー9・11」、つまり通信・エネルギー・金融等の重要インフラに対する破壊的なサイバー攻撃と影響について警鐘を鳴らしてきた。しかし、実際に直面してきた脅威は、社会の信頼や紐帯を切り崩すようなサイバー攻撃である。[23]

## ウクライナや欧州の対応

しかし、前述のとおりロシアによる戦時下のデジタル影響工作はウクライナや米欧では十分な効果をあげていない。多様な主体によるファクトチェック、バイデン政権による機密相当のインテリジェンス公開、ゼレンスキー政権によるナラティブ発信、テクノロジーがもたらす影響等、[24]様々な原因が指摘される。

特に、真偽が織り交ざるロシアのナラティブに対しては、ウクライナや米欧による規制が効果をあげたと考えられる。2014年のクリミア併合および東部ドンバス紛争の経験を踏まえて、ウクライナ政府は2017年5月、同国内からのロシア系インターネットサービス、具体的にはロシア版フェイスブック「フコンタクテ（VKontakte）」、「同窓会」を意味するソーシャルメディア「アドナクラースニキ（Odnoklassniki）」、検索サイト「ヤンデックス（Yandex）」等のブロッキングを決定した。また、ゼレンスキー政権は2021年2月、ウクライナ国内のプーチン大統領の「個人的友人」ヴィクトル・メドヴェドチュクが実質的に所有する親露系テレビ局3局の閉鎖を決定した。[25]

ロシアによるウクライナ全面侵攻（2月24日）直後の3月2日、欧州連合（EU）はロシア政府系メディア「RT」および「スプートニク」とそれらの子会社の衛星放送、オンラインプラットフォーム、アプリ等のEU域内での活動を禁止するという前例のない決定を下した（その後、規制対象となるメディアが追加された）。加えて、ベラ・ヨウロバー欧州委員会副委員長（価値観・透明性担当）は、DPFに対して、外国の影響力行使に関する執行強化を要請した。ヨウロバーは「ロシア政府が情報を武器にしている」との認識の下、DPF各社に「ロシアの在外公館アカウントや政府機関アカウントの広範なネットワークがロシア政府に属することに鑑みて利用規約を厳しく適用し、法律やサービス規約に反するコンテンツに直ちに対処[26]」するように求めた。つまり、新たな政府規制ではなく、既存のDPF側の自主規制の執行強化を要請した、ということだ。

加えて、DPF各社は、事業者としての自主的対応（自主規制）を講じた。ロシア政府系メディアであることのラベリング、こうしたメディアの収益化の制限、レコメンドシステムのアルゴリズム変更といった措置である（図2を参照）。

このようにウクライナや欧州では、ロシアのデジタル影響工作を抑えるべく、規制が行われた。しかし、その手法は強力な政府規制に加えて、既に存在するDPFのルールや利用規約に基づく執行強化の要請、自主規制・対応が含まれる。

ただし、こうした規制にもかかわらず、RT等のロシア政府系メディアのコンテンツは欧州市民にリーチしている。規制回避の手法は、検出数が多い順に、単純なコピー&ペースト、ニュー

| | | Twitter | Google | Meta | TikTok | Telegram |
|---|---|---|---|---|---|---|
| ロシア政府系メディアのブロッキング | グローバルな削除 | | 3月11日 | | | |
| | EU域内でのブロッキング | 3月1日 | 3月1日 | 2月28日 | 2月28日 | 3月4日 |
| | ウクライナでのブロッキング | | | 2月26日 | 2月27日 | |
| | その他地域でのブロッキング（Metaの例は英国） | | | 3月4日 | | |
| ロシア政府系メディアに対するその他の措置 | ロシア政府系メディアのコンテンツ収益化の禁止 | 侵攻以前から | 2月26日 | 2月25日 | | |
| | ロシア政府系メディアのコンテンツやアカウントの推奨の制限 | | 2月26日 | 3月1日 | | |
| | 政府系メディアやそのコンテンツであることのラベリング | 2月28日 | 侵攻以前から | 3月1日 | 3月4日 | |
| その他の措置 | 広告宣伝の停止 | 2月25日 | 3月3日 | 3月4日 | 3月4日 | |
| | レコメントシステムの変更 | 2月26日 | 3月1日 | 2月26日 | 3月4日 | |
| | 安全確保のための機能の無効化・有効化 | | 2月28日 | | | |
| | アカウントレベルの安全機能の追加 | 2月26日 | 3月4日 | 2月26日 | | |
| | プラットフォーム上の操作を積極的に検出するための取り組み | 3月5日 | | 2月27日 | | |
| | コンテンツ・デモレーション・ポリシーの変更や執行の更新 | | 3月1日 | 2月26日 | | |
| | 重要な機能の無効化 | | | | 3月6日 | |
| | ブロッキング回避の有効化 | 3月8日 | | | | |

［図2］ソーシャルメディアおよびメッセージング・アプリの対応状況（2022年3月15日現在）「ロシア政府系メディア」の正確な原語は“Russian state-affiliated and state-sponsored media”。図表中の日付は対応を講じた日を指す。ただし上記では詳細や留意事項を割愛しているため、詳しくは出典元を参照。

出典:“Russia, Ukraine, and Social Media and Messaging Apps: Questions and Answers on Platform Accountability and Human Rights Responsibilities,” Human Rights Watch, March 16, 2022.

ス・アグリゲーター・ウェブサイトでの曝露、代替ドメインでの配信、ウェブサイトのミラーリングである。[27] デジタル影響工作に対する規制や対応は継続的に更新される必要がある。

## 3　台湾海峡をめぐる緊張

台湾は従来から中国共産党のデジタル影響工作の対象であり、2018年および2022年の統一地方選挙や2020年の台湾総統選挙ではデジタル空間を通じた干渉も確認された。また、危機という観点では、2022年8月のナンシー・ペロシ米下院議長の訪台に伴う大規模軍事演習の前後で中国からの情報戦が活性化したという。

### ペロシ米下院議長訪台と人民解放軍の大規模軍事演習

アジア歴訪中のペロシ議長は8月1日夜、翌日に台湾を訪問することを正式に発表した。ペロシ議長が2日夜に台北市内に到着した直後、中国人民解放軍が台湾島周辺の海空域で実弾射撃を含む軍事演習を行うことを発表した。演習期間は、ペロシ議長が台湾を離れる翌日の4日12時から7日12時（北京時間）までだ。

ペロシ訪台が正式に公表されてから、中国大陸からのサイバー攻撃や情報工作が激増した。サイバー攻撃によって台湾総統府や国防部等のウェブサイトが閲覧できなくなり、南部・高雄市の新左営駅やセブンイレブンのモニターが改竄され、ペロシ訪台を非難するメッセージが掲げられた。台湾政府は、掲示板やモニターの広告表示の委託先企業が中国企業の製品を使っていたことが原因だと判断している。

加えて、数多くの偽情報・不確実情報がデジタル空間上で氾濫した。例えば、「人民解放軍戦闘機Su－35が台湾に撃墜された」「桃園国際空港がミサイル攻撃をうけた」「中国政府が8月8日までに台湾在住の中国人民を退避させようとしている」といったものだ。

とりわけ台湾東岸の花蓮県にある和平《ホーピン》発電所の沖合12キロメートルまで中国人民解放軍駆逐艦「南京」が接近したとする写真は大きなインパクトをもった。これは元々、人民解放軍東部戦区の微博（ウェイボー）アカウントが投稿したもので、その後、多くのメディアやソーシャルメディアに転載・複製された。しかし、この写真は合成された可能性が高いことが判明した。台湾ファクトチェックセンター（台灣事實查核中心）は地球科学、画像解析、安全保障等の複数分野の専門家らと連携し、この写真や関連する主張を検証したが、情報の拡散から判断まで3日を要したという。[28] 危機におけるリアルタイムでの検証の難しさが再確認された。

一般的に、ミサイル等のキネティックな攻撃は視覚的に「見える」が、サイバー・認知領域の攻撃は「見えない」とされる。しかし、台湾のある安全保障専門家によれば、8月の軍事演習中、多くの台湾市民は台湾島や付近の上空を通過するミサイルを見る機会はほとんどなかったが、サイバー攻撃によって改竄された掲示板やモニター、偽情報をソーシャルメディア等で目にした。

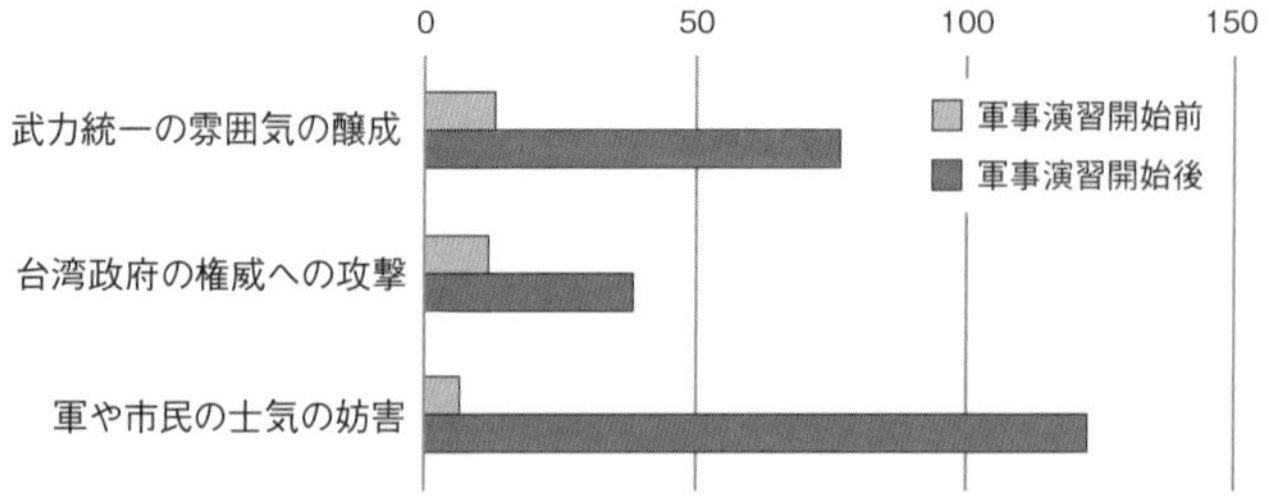


[図3] 中国発のディスインフォメーションの類型（台湾国防部）

出典:台湾国防部・陳少将の記者会見（2022年8月8日）から筆者作成。
Keoni Everington, “China launches 272 attempts at spreading disinformation in Taiwan in a week: MND documented 130 attempts at ‘disrupting morale of military and civilians’,” Taiwan News, August 8, 2022.

デジタル影響工作がもたらす視角的効果は無視できない。

軍事演習前後の中国からの情報戦の全体像は、台湾国防部がリアルタイムに近い形で把握していた。国防部の統計によると、8月1日から8月8日（午後12時）までに、中国は272件の偽情報流布を試みた。それは軍事演習に先立って展開され、演習中も継続された。その内容は「武力統一の雰囲気の醸成」「台湾政府の権威への攻撃」「軍や市民の士気の妨害」を意図したものに分類できるという（図3）。

台湾国防部の政治・戦争局副局長の陳育琳少将は8月の軍事演習前後の情報戦について、「（過去との）最大の違いは、ツイッターの英語圏から拡散したとみられることである」「以前は、英語のツイッター圏でこのような投稿を目にすることはかなり稀だった」「中国の微博でも大量の偽情報があり、その一部が台湾で使われているLINEやフェイスブックなどのソーシャルメディアに流れ込んでいる」と特徴づける。[29]
陳部長の指摘の前段部分は、中国が台湾のみならず国際社会向けの発信を試みたことを示唆する。最後の点については、意図的にプラットフォームを横断するように影響工作が展開された可能性がある。

## プラットフォームを横断する「レジリエント」な影響工作

英国ロンドン・スクール・オブ・エコノミクス（LSE）のケンドリック・チャンらによれば、2022年8月以降、中国共産党の台湾向けデジタル影響工作はいくつかの変化がみられた。その一つがプラットフォーマによる対処を見越し、被害極小化や回復力強化のために複数のプラットフォームを横断する影響工作である。[30]

チャンらは、「紅色文化網」に掲載されたある論説の拡散に注目する。「紅色文化網」とは中国共産党中央宣伝部や政府との繋がりが強いとされる団体のウェブサイトで、大規模軍事演習直後の8月9日、「蔡英文と政治・軍指導者の降伏を促す」との論説が同サイト上で公開された。投稿者は『解放軍報（PLA Daily）』のチーフエディター等を務めた陳先義である。論説は「耳をつんざくような砲撃の音が四方から飛び込んでくる」「人民解放軍の最新の戦闘機が鉄の樽のように台湾全土を包囲している」等といった表現が用いられ、「中国人不打中国人（中国人は中国人と戦わない）」といった言説とは相反するような内容だった。この論説は繁体字の字幕付き、閩南語（台湾語）のナレーションの動画に変更され、ユーチューブに投稿された。「反米闘士インフルエンサー」として有名な司馬南もユーチューブ動画で紹介している。そして、掲示板「レディット」でこれらのユーチューブ動画へのリンクが配布された。[31]

こうした複数のプラットフォームを横断したデジタル影響工作は回復力（レジリエンス）が高い。従来の影響力工作は、コンテンツの「ホスティング」と「配信・増幅」の双方を1つのプラットフォームで完結しようとすることが多かった。しかし、「ホスティング（ユーチューブ）」と「配信・増幅（レディット）」で異なるプラットフォームを組み合わせることで、プラットフォーム側の対策に対抗しようとしている可能性がある。どちらかのアカウント等が凍結・削除されても被害を極小化し、迅速に情報戦を再開・継続できるため、回復力の高い「レジリエント」な影響工作といえる。[32]

もちろん、プラットフォームを横断した影響工作は珍しいことではない。メタ社は既に2021年5月の報告書で、近年の影響工作の特徴の一つとして、「プラットフォームの多様化」を指摘している。これはプラットフォーム側で「強化された検知と執行」への対抗策、つまりリスク分散のための取組みである。地域に密着したブログや地方メディアといった極めてローカルなプラットフォームを利用することもあり、特定のオーディエンスにリーチし、セキュリティにリソースを割くことができない公共性の高い空間を標的としている。[33] 台湾でもこうした戦術が再確認された点は重要である。

プラットフォームを横断した影響工作が効果的だとすれば、それは「デジタル」プラットフォームに限定されるものではない。オープンなソーシャルメディアのみならずＬＩＮＥ等のメッセージングアプリ、テレビや新聞等の伝統的メディアを横断する影響工作がよりレジリエントだろう。台湾を例にあげれば、ユーチューブ、大型掲示板ＰＴＴ（批踢踢）、伝統的メディアといった情報の拡散・伝達サイクルを利用すれば、より回復力が高い。[34] 新型コロナウイルス感染症流行下でオフラインの影響工作の重要性が相対的に低下したとの指摘もあるが、例えば、廟や寺院を介した浸透、親大陸のビジネスパーソンや政党関係者を通じた影響工作との相乗効果も見過ごせない。

こうした最近の戦術変化から言えることは、単一のＤＰＦやサービスに注目していては、影響工作の全体像を失う恐れがあるということだ。ＤＰＦ単独や関連団体だけでの取り組みには限界があることをふまえると、マスメディアやその他影響力行使チャネルを含めた監視と対応が必要だろう。

## 台湾政府の対応

蔡英文政権はこれまで、デジタル影響工作を含む偽情報対策を推進してきた。様々な取り組みがあるが、法整備という点では第一期蔡政権は災害防止救助法（41条）、正副総統選挙罷免法（90条）、公職人員選挙罷免法（１０４条）、社会秩序維持法（63条）、刑法（３１３条）等の関連法を改正した。外部、とりわけ中国による影響工作への対処として重要なものは、2020年総統選挙直前の2019年12月に制定された反浸透法である。反浸透法は「域外敵対勢力」が台湾に浸透・介入することを防ぐため、企ての人物（滲透来源）の指示や資金援助による選挙活動・政治活動を禁じたものであり、制定時は台湾内で議論を呼んだ。

メディアに対する規制も検討・実施されてきた。台湾国家通訊伝播委員会（NCC）は2020年11月18日、中天電視のニュースチャンネル「中天新聞台」の放送免許を更新しないことを決定した。中天電視は「旺旺中時集団」傘下の衛星放送局であり、これらは中国大陸に強い経済的利益を有する蔡衍明の支配・影響下にある。NCCによれば、同番組の中国寄りの偏向報道が是正されないこと、蔡による報道・編集への介入等を理由に免許を更新しなかった。

しかし、その後も中天新聞台はNCC管轄外のユーチューブで番組を継続している。こうした状況もあり、蔡政権ではDPFに対する包括的規制が検討された。その中心は、NCCが2022年6月29日に草案を公開した「デジタル仲介サービス法（DISA、数位中介服務法）」である。[35] 台湾DISAは、欧州デジタルサービス法（DSA）や英国オンライン安全法（OSB）をモデルとし、事業者の偽情報対策等を規定するものだ。台湾DISAは欧州DSAと同様、対象となるDPFを定義・分類し、カテゴリーごとの重要性や影響力に応じて事業者に対応を求める（課せられる義務は4分類）。特にアクティブユーザが台湾人口の10分の1以上、または行政が指定するDPFは「超巨大／指定オンラインプラットフォーム（very large online platform：VLOP、指定線上平臺服務)」に分類され、最も厳しい義務が課せられる。

しかし、DISAは激しい反発にあう。特に争点となったのは、「情報制限命令」「緊急情報制限命令」を規定した第18－20条だ。これら条項によって、政府当局が裁判所に対して、違法な情報の削除や拡散防止を強制するための「情報制限命令」を申請可能となる。加えて、当局が「公益上回復が困難な重大な損害を被り、緊急の必要性があると認めた場合」、裁判所は48時間以内の判断が求められ、当局は、裁判所の決定前に、行政処分として該当コンテンツに「警告」を表示するようDPFに求めることができる。

8月には、3度にわたる法案説明会と関係者の意見表明(公聴会)が行われ、市民グループや研究者、通信・DPF事業者が参加した。公聴会に参加した大型掲示板PTT、オンライン・ゲーム大手のバハムート(巴哈姆特)、日本と同様に圧倒的な利用率のLINE台湾は、DISAの実効性や行政権の裁量拡大等の問題点を鋭く指摘した。[36] こうした反対もあって、DISAは事実上の撤回に追い込まれた。

このように台湾では、中国からのデジタル影響工作に対抗すべく、立法措置も含めた対応が講じられてきたものの、DISA等の一部については民主主義社会と相いれないという合意に至った。

## 4　中国による日本向けデジタル影響工作

ここまで論じてきたデジタル影響工作の脅威と日本は無縁ではない。

インド太平洋地域、特に東アジアの安全保障環境が深刻さを増す中、２０２２年12月16日に閣議決定された安全保障関連三文書、つまり「国家安全保障戦略」「国家防衛戦略（旧・防衛大綱）」「防衛力整備計画（旧・中期防衛力整備計画）」では、認知領域の重要性が指摘された。国家安保戦略では「偽情報等の拡散を含め、認知領域における情報戦への対応能力を強化」することが掲げられ、国防戦略でも「偽情報の流布等に対応したファクトチェック機能やカウンター発信機能等を強化し、有事はもとより、平素から、政府全体での対応を強化」としている。

既にウクライナでの戦争に関連する日本向けのデジタル影響工作が確認され、短期的にはロシアによる影響工作は脅威だろう。しかし、中長期的には国際秩序に対する「最大の戦略的な挑戦」（国家安保戦略）は中国によるものだ。もし将来、台湾海峡で有事が生じれば、その形態が全面侵攻、海上臨検・封鎖、その他のいかなるものであれ、日本は間違いなくデジタル影響工作の対象である。

中国によるデジタル影響工作については、長年、標的となってきた台湾の経験・蓄積は大きい。中国による日本向けデジタル影響工作を論じる前に、中国による台湾向けのデジタル影響工作を整理しておく。

| 形式 | 概要 |
|---|---|
| ①対外宣伝方式（プロパガンダモード） | テレビ、ラジオ、新聞等の伝統的メディアとそのソーシャルメディアアカウントを用いたトップダウンの影響工作。 |
| ②民族主義者方式（ピンクモード） | 党・国家の直接指揮下にない民族主義者の「灌水（書き込み）」によるボトムアップの影響工作（ただし、共産党組織による動員の可能性もある）。若い民族主義者を指す「ピンク（粉紅）」モードとも呼ばれる。主な拡散手段は、Weibo（微博）、WeChat（微信）、動画ストリーミングサイト、ユーチューブ、フェイスブック等。 |
| ③コンテンツファーム方式 | 低品質で過激なコンテンツや検索エンジン最適化（SEO）技術によって訪問者とビュー数を最大化するビジネスモデルを利用する影響工作。主な拡散手段は、ウェブサイト、ユーチューブ、フェイスブック、動画ストリーミングサイト、LINE 等。 |
| ④協力者方式（コラボレーションモード） | 台湾内の現地協力者（親中派の人物・団体）を通じた影響工作。主な拡散手段は、ウェブサイト、LINE、口コミ等。 |

[図4] 中国による台湾向けのデジタル影響工作の方式

出典: 以下を基に筆者作成。山口信治、門間理良「活発化する中国の影響力工作」、山口信治、八塚正晃、門間理良『中国安全保障レポート2023認知領域とグレーゾーン事態の掌握を目指す中国』(防衛研究所、2022年)、30-31、45頁; Doublethink Lab, “Deafening Whispers: China's Information Operation and Taiwan's 2020 Election,” Medium, October 24, 2020, pp.22-39; 沈伯洋「中國認知領域作戰模型初探以 2020 臺灣選舉為例」『遠景基金會季刊』第22巻、第1号(2021年1月)、28-47頁。

台湾国防部は中国共産党による認知戦の手法として4つの方式を指摘する。[37] この整理は元々、台北大学の沈伯洋と彼が委員長を務める「台湾民主実験室（Doublethink Lab）」が2020年台湾総統選挙に関する中国共産党の情報戦を分析した結果に基づくと考えられる。[38] 沈らの説明によれば、①テレビ、ラジオ、新聞等の伝統的メディアを用いたトップダウンの「対外宣伝方式」、②若い世代の民族主義者による「灌水（書き込み）」といったボトムアップの「民族主義者方式」、③低品質で過激なコンテンツや検索エンジン最適化（SEO）技術によって訪問者とビュー数を最大化するビジネスモデルを利用する「コンテンツファーム方式」、④台湾内の現地協力者（親中派の人物・団体）を通じた「協力者方式」である（図4）。2020年総統選での影響力という点では特に後者2つが重要であった[39]。

こうした4つの方式を日本にそのまま適用することは難しい。なぜなら、中国の日台に対する政治目標、利用可能な手段やリソース、歴史的背景、情報・メディア環境、言語等が異なるからだ。しかし、あえて沈らの整理を念頭におくと、中国による日本語での影響工作は現時点で少なくとも①②③の3つが確認できる[40]。沈らの整理や議論を修正しつつ、いくつかの事例を紹介する。

## 政府系メディア等による対外宣伝方式

第一に、もっとも分かりやすい経路は、政府関係者や政府系メディアによる公然たる影響工作である。これは中国の伝統的な対外宣伝活動がオンラインに延長されたものであり、無数のケースが確認できる。「人民日報」「新華社通信」「中国国際放送局（CRI）」等の政府系メディア、在外公館や「戦狼」外交官のソーシャルメディアアカウントはその典型である。

例えば、中国共産党の機関紙「人民日報」の日本語ウェブ版「人民網日本」は、2021年末から年明けにかけての在沖縄米軍基地での新型コロナウイルス感染症のクラスター感染について、「#在日米軍 が日本側の感染防止・抑制措置を完全に無視して出入りしたため、その努力は台無しになった」とツイッターに投稿した（図5）。

ここでは、この「主張」の妥当性は論じないが、明らかに問題なのはテキストに添えられた写真だ。投稿された写真はクラスター感染が発生したキャンプ・ハンセン、キャンプ・フォスター（瑞慶覧）、嘉手納基地ではなく、辺野古基地だった。在日米軍のクラスター感染という負のイメージと辺野古基地問題を意図的に結び付けた可能性が高い。

多くの専門家等が指摘している通り、在日米軍基地が多く所在する沖縄は中国の大きな関心の一つである。例えばフランス軍事学校戦略研究所（ＩＲＳＥＭ）の「中国の影響工作」に関する報告書によれば、中国は、仏領ニューカレドニアと同様に沖縄の独立運動を扇動する活動を展開している。[41]その典型は「琉球帰属未定論」である。人民日報の国際版英字紙『グローバル・タイムズ』は２０１３年、「日本が最終的に中国との敵対を選択するのであれば、北京（中国政府）は

[図5] 人民網日本のツイッター投稿

出典：人民網日本（@peopledailyJP）の投稿（2022年1月6日）より。
〈https://twitter.com/peopledailyJP/status/1478978153502572545〉
アカウント名下の「中国州関係メディア」とは「China state-affiliated media」の日本語訳で、ツイッター社が同アカウントを中国政府に関係するアカウントであることをラベリング・注意喚起していることを指す。「州関係」という分かりにくい日本語訳となっているのは、ツイッター社が日本ローカライズで十分なリソースを投入していないためと考えられる。

現在の姿勢を変え、琉球問題を未解決の歴史的問題として再考することを検討すべきだ」とさえ論じた。[42]こうした論説や、中国の大学やシンクタンクが「琉球独立」を謳う日本の団体組織と交流を行っていることについて、公安調査庁の年次報告（２０１７年）は、「沖縄で、中国に有利な世論を形成し、日本国内の分断を図る戦略的な狙いが潜んでいるものとみられ、今後の沖縄に対する中国の動向には注意を要する」と評価する。[43]

ただし、日本における対外宣伝方式の効果は定かではない。中国政府がその支配・影響下にあるメディアを通じて、世界的な影響力を拡大していく中、[44]日本のメディアや社会に対する影響力行使はこれまで、いくつかの理由で低調であり、限定的な効果しかもたなかったとの見方がある。[45]政府系メディアであれば、その発信源に注目することで一定程度、対処できることも事実だ。

## 組織化された「灌水」方式

第二の経路は、自発的もしくは動員された民族主義者、一般ユーザを装ったボット（不正なプログラムによる自動発言）による非公然の影響力行使だ。ソーシャルメディアや掲示板等に政治的主張を延々と投稿するという意味で、「灌水」型の影響工作といえる。前述の「民族主義者方式（ピンクモード）」は、必ずしも党・政府の指揮命令下にない愛国的人民を念頭においたものだが、中国共産党による動員・組織化の可能性も言及されている。[46]本項では、特に組織化された民族主義者、雇われた人々、ボット等によるソーシャルメディア投稿を念頭においている。

「灌水」型の影響工作の典型として、かつて中国国内向けの世論誘導組織「五毛党」が注目された。政府寄りの投稿1件あたりに5角（0・5元）が支払われていたとされたことから、5角の口語である「五毛」というスラングが定着した。

しかし、今日の「灌水」の対象、手法、スケールは、「五毛党」の時代から大きく変わっている。少なくとも、国内世論形成のみならず、外国向けにも展開される。

例えばマンディアント社の調査・分析によれば、こうした影響工作はフェイスブック、ツイッター、ユーチューブ等の主要なソーシャルメディアで英語や中国語で行われることがほとんどだった。しかし、2021年9月時点で、30のソーシャルメディアや40以上のウェブサイト等で、日本語、韓国語、ロシア語、ドイツ語、スペイン語等で展開されているという[47]。

日本語を含む、最近の典型例は、ツイッター社は2021年12月、ツイッター上での「ウイグル族弾圧はデマだ」というキャンペーンだ。ツイッター社は2021年12月、中国政府に紐づく情報作戦に関与したとして、中国共産党のウイグル関連「ナラティブ」を増幅した2048アカウントや新疆ウイグル地区地方政府を支援する「昶宇文化」社に紐づく112アカウント、合計2160アカウントを削除したと発表した[48]。

ツイッター社が公開したデータセットを分析したところ、ウイグル関連「ナラティブ」の2048アカウントは2019年から2021年にかけて、3万1277件の投稿を発信した。2019年は英語、中国語、日本語の3言語のみだったが、最終的には33言語に広がった。とはいえ、英語（対全体比58・5％）、中国語（同26・4％）、日本語（同5・9％）が上位を占めた。[49] 削除されたアカウント全体の半分以上は2020年3月（さらにいえば中国標準時間の3月10日、11日に集中的）に開設されていた。この時期に何らかの組織的関与があったことは疑いようがない。またツイッターに投稿された数多くの、同じ主張の動画の存在をふまえると、党・政府の明確な指示と予算があったと考える方が自然だ。

これ以外にも、ボットや人海戦術を活用したとみられるさまざまな影響力キャンペーンが明らかになっているが、その全てが白日の下に晒されているわけではないだろう。

## DPFビジネス悪用方式

第三の経路は、前者二つよりも秘匿性が高く、PRやニュース・アグリゲーターといったインターネットやDPF上のビジネスプロセスを悪用した形式で、便宜上、「DPFビジネス悪用方式」と呼ぶ。このタイプの日本向けデジタル影響工作は数多くあるわけではないが、日本も無縁という訳ではない。

一つはPR会社のサービスやインフラを悪用したデジタル影響工作である。朝日新聞のサイバーセキュリティ専門記者・須藤龍也によれば、2021年秋、台湾の大手セキュリティ会社「チームT5」の信用を貶めるような偽情報、日台関係を悪化させるような偽情報が日本語で発信されたことが確認された。具体的には、実在する別のセキュリティ会社を騙り、PR会社に依頼して、偽のプレスリリースを発出するというものだ。複数の偽プレスリリースで、チームT5が日本にサイバー攻撃を行い、個人情報を暴露している旨の記事が掲載された。その後、掲示板「5ちゃんねる」でも複数のスレッドが立ったという。[50]

この影響工作は活動や発信源を偽装した痕跡があり、従来の日本語でのオンライン影響工作とは次元が異なる。影響力行使のプロセスや投入されたであろうリソース、推察される目標をふまえると、中国政府機関もしくはその「委託先」の関与が疑われる。

マンディアント社も同様にPR会社のインフラを活用した影響工作を確認している。マンディアント社が〝HaiEnergy〟と呼ぶ情報戦キャンペーンは新疆問題、米台関係、香港等に焦点を当て、親中国共産党のストーリーを展開した。「財富台灣」「ジャカルタ・グローブ」「ソウル・デイリー」といった72の偽ニュースサイトで11の言語で発信した。マンディアント社によれば、HaiEnergyは中国のPR会社・上海海迅科技有限公司に紐づくインフラを利用していた。ただし、同社がどこまでキャンペーンに関与していたのか、認識していたかは不明だ。[51]

より広範なリーチを維持している可能性がある手法は、日本のニュース・アグリゲーターを介した影響工作である。前述の通り、中国政府系メディアの浸透について、日本では限定的な効果しかあげていないという指摘がある。しかし、一橋大学の市原麻衣子は、日本のニュース・アグリゲーターによって、親中国および中国共産党の言説が増幅されていると分析する。例えば、サーチナ（Searchina）やレコードチャイナ（Record China）は多くのニュース・アグリゲーターを通じて、幅広い日本人にリーチしている。サーチナは主に中国関連の金融情報を提供してきたが、社会・文化的ニュースについては「安全」「優れた」「美しい」等の肯定的用語と中国関連ニュースを結び付け、親中国ナラティブの形成に貢献している。またレコードチャイナのコンテンツの多くは文化・社会に焦点を当てているが、政治関連ニュースでは明らかに中国政府の立場を喧伝している。中国共産党の見解に沿った新疆ウイグル関連ニュースや日韓関係を悪化させることを狙ったような内容が多く配信されていた。[52] こうしたニュースサイトやアグリゲーターも中国のデジタル影響工作を担っているという認識はないかもしれない。

ＰＲにせよ、アグリゲーターにせよ、インターネットやＤＰＦ上のビジネスがデジタル影響工作に利用される点に留意すべきだ。

## その他――「ＡＰＴ＋情報戦」方式？

上記３つの方式以外の注目すべきデジタル影響工作は、サイバーセキュリティ分野でいう「高度で持続的脅威（Advanced Persistent Threat: ＡＰＴ）アクター」やこれらの外注組織によるものである。ＡＰＴは、資金・技術・要員といった点で、犯罪者やハクティビストを凌駕し、各国の軍や情報機関が関与している。中国では、人民解放軍（ＰＬＡ）、国家安全部（ＭＳＳ）、中国共産党中央統一戦線工作部（ＵＦＷＤ）等およびこれら組織が「外注」した犯罪組織等がデジタル空間上の秘密の影響工作に従事していると考えられている。台湾有事等では、特に人民解放軍が一定の役割を担う可能性が高い。２０１６年の人民解放軍の組織再編により、新設された戦略支援部隊のネットワークシステム部がサイバー戦、電子戦、心理戦を担うとされる。

中国ＡＰＴによるデジタル影響工作は数年前から指摘されてきた。中国のＡＰＴアクターの公開情報分析（ＯＳＩＮＴ）で有名な「入侵真相（Intrusion Truth）」は２０２０年初頭には、「国家安全部が民主的制度に干渉する潜在性を持つことを初めて確認した」と評価する。[53] 台湾のセキュリティ会社チームＴ５も、こうした脅威を「ＡＰＴ＋情報戦」攻撃モデルと呼ぶ。[54]

ＡＰＴが民族主義者方式やＤＰＦビジネス悪用方式でデジタル影響工作に従事する可能性もあるが、加えて、政治家や政府高官等の個人を狙ったデジタル影響工作が懸念される。つまり、サイバー攻撃や監視・追跡活動等を通じて個人の機密情報を盗みだし、オンライン上で暴露するという「ハック＆リーク」手法である。

これまで日本向けの「ハック＆リーク」は確認されていないが、台湾向けには同種のデジタル影響工作が確認されている。２０２２年８月のペロシ訪台後であり、11月の統一地方選挙を控えた９月半ば、台湾国家安全局（ＮＳＳ）の陳明通局長と国防部政治戦局長の簡士偉中将に関するディスインフォメーションが展開された。[55]

９月12日、陳局長が７月に公費でタイを私的に訪れたという偽情報が拡散した。発端はツイッターだが、３２０万人以上のフォロワーを有するオンラインメディア「爆料公社」等のフェイスブック上のグループやページに拡散した。最初の投稿には、タイ税関で撮影されたとみられる陳局長の写真、通関手続きのスプレッドシート、ホテルの請求書のスクリーンショットが添付されていた。

9月23日には、福建省にある国務院台湾事務弁公室発行の国営新聞「中華時報（Chuang Hua Times）」が、台湾国防部・簡中将らのハワイ視察の旅程、これが中国側の監視下であったことを示唆した。大陸寄りの台湾日刊紙「中国時報（China Times）」もこれを一面で報じた。

こうした活動について台湾当局者は「海外からの典型的な認知戦」と指摘する。[56] 確かに、監視と諜報活動が目的であれば、暴露する必要はない。陳局長や簡中将の事案が影響工作の一環であった可能性が高いが、その正確な意図に関する分析は幅がある。台湾の専門家やメディア関係者らの見立てをまとめると、こうした活動の目的は①政権高官に公費の私的流用等の不正イメージを受け付け、若者をはじめとする台湾市民に現政権や政治そのものへの不信感を植え付けること、②台湾の安全保障が脆弱であることを示すこと（中国には敵わないと思わせること）のいずれか、もしくは両方である。

## おわりに

本章では、権威主義国家による民主主義国家へのデジタル影響工作について論じてきた。ウクライナでの戦争や台湾海峡をめぐる緊張下、いわば戦時や危機時のデジタル影響工作を扱うとともに、日本向けのデジタル影響工作のリスクを指摘した。権威主義国家によるデジタル影響工作のリスクと民主主義国家の対応についてまとめると、以下の通りである。

**◉日本は権威主義国家によるデジタル影響工作と無縁ではない。**日本はデジタル影響工作の標的となる可能性があるというのみならず、実際、中国から日本語でのデジタル影響工作の標的となってきた。ウクライナでの戦争や台湾海峡をめぐる情勢下のデジタル影響工作ほど、大規模・継続的・組織的ではないものの、日本も無縁ではない。

**◉デジタル影響工作の手段や経路は多様である。**影響工作の公然の手段として、政府高官や在外公館、権威主義国家の支配・影響下にあるメディア、非公然の手段として、不正に開設された大量のソーシャルメディアアカウント、軍・情報機関等があげられる。ソーシャルメディアそのもの、PRやアグリゲーター等のDPF上のビジネスプレイヤーもデジタル影響工作の「兵器」にされる。

**◉デジタル影響工作は、単に偽情報のみならず、事実やナラティブが用いられる。**デジタル影響工作は単に偽情報・フェイクニュースの問題ではない。「事実」が特定の文脈で用いられること、論理ではなく感情に訴える言説が影響工作に用いられることがある。

**◉デジタル影響工作は、サイバー攻撃と組み合わせて行われる場合がある。**安全保障研究・政策では「サイバー領域」「認知領域」の重要性が指摘されているが、領域横断的な活動も確認された。サイバー攻撃単独でみれば、ＤＤｏＳ攻撃やウェブ改竄等は低スキルの攻撃手法かもしれないが、情報戦と組み合わさることで、有事下の恐怖・不安を高め、政府への信頼低下といった効果をうみだす。

**◉デジタル影響工作は、単一のプラットフォームやデジタル空間だけで完結しない。**悪意あるコンテンツのホスティングや拡散・増幅は単一のＤＰＦのみで展開されるものではない。複数のＤＰＦを横断する影響工作はレジリエントである（回復力が高い）。また伝統的メディア、人的交流関係等のオフラインの影響工作との相乗効果も見過ごせない。特定のＤＰＦだけではなく、オフラインも含めた検知と監視の強化が必要である。

**◉デジタル影響工作への対応として、外国メディアの規制やＤＰＦの執行強化等は一定の効果がある。**デジタル影響工作への対抗手段として、外国政府の支配・影響下にあるメディアやＤＰＦ上の活動を制限することは、一定の効果をもたらす。海外ＤＰＦを含むＤＰＦに対する政府規制、対応強化の要請も必要である。

**◉デジタル影響工作への対応には、民主主義国家では制約がある。**自由な社会や民主主義国家では採用できる手段に制限がある。台湾ＤＩＳＡの撤回のように、民主主義社会では合意できない措置もある。

権威主義国家によるデジタル影響工作の脅威は現在進行形であり、とりわけ民主主義国家は脆弱である。しかし民主主義国家において、言論、表現、報道の自由と安全保障は二者択一ではない。「自由か安全か」という議論ではなく、「自由」と「安全」の間の長いグラデーション上で合意可能な均衡点を探す時期にきている。外国の支配・影響下にあるメディアの規制、ＤＰＦ上での影響工作に関する事業者の責任と義務といった論点に関する社会的合意が形成されなければ、将来、民主主義はデジタル影響工作によってますます後退するだろう。

第8章

# 各国のサイバー空間における活動と影響工作

岩井博樹

## 岩井博樹（いわい・ひろき）

2000年、情報セキュリティ会社でセキュリティ・オペレーション・センターの攻撃分析業務や、インシデント対応、セキュアサイト構築などの業務に従事し、2013年より監査法人にてコンサルティングや脅威分析の業務を担当。2018年、脅威インテリジェンス企業として株式会社サイントを設立し現在に至る。政府関係の組織にてセキュリティ系のアドバイザー職や専門官などを拝命。著書に『動かして学ぶセキュリティ入門講座』（2017）、『標的型攻撃セキュリティガイド』（2013、SBクリエイティブ）、『情報セキュリティプロフェッショナル教科書』（共著、2009、アスキー・メディアワークス）。

ツイッター：@hiropooh　株式会社サイント：https://www.sighnt.com/

## 1　低レイヤーからの影響工作とサイバー攻撃情報の利用

近年のサイバー空間における活動は、影響工作だけに留まらずサイバー攻撃等を含めサイバー活動と総称される。これは、中国の「超限戦」[1]やロシアの「ハイブリッド戦」と呼称される戦争手段からもイメージが湧くだろう。ハーバード大学ケネディスクールのベルファー科学国際問題研究所が発行する「National Cyber Power Index」[2]においても同様の認識であるようなので、世界共通の認識と捉えて良さそうである。その観点では、影響工作やサイバー攻撃だけを切り取り、各国のサイバー能力を評価することは難しいと言える。

一見、無関係な「影響工作」と「サイバー攻撃」であるが、多くの国家が以前より併用している。例えば、ロシアのマスメディアの監視、統制、検閲の責任を負うロシア連邦の執行機関であるロシア連邦通信・情報技術・マスコミ分野監督庁（Роскомнадзор、ロスコムナゾール）[3]の活動が代表的だろう。同庁は、中国とのメディア協力において交渉の舵取りをした機関でもあり[4]、プロパガンダの活動にも多く関わっているとみられる。同庁は一見するとサイバー攻撃とは関係の無い組織のようであるが、２０１６年にサイバー攻撃に携わるポジションの求人情報[5]を出している。この募集要項には、「プログラマー、コンピュータ・セキュリティ・システムを回避するス

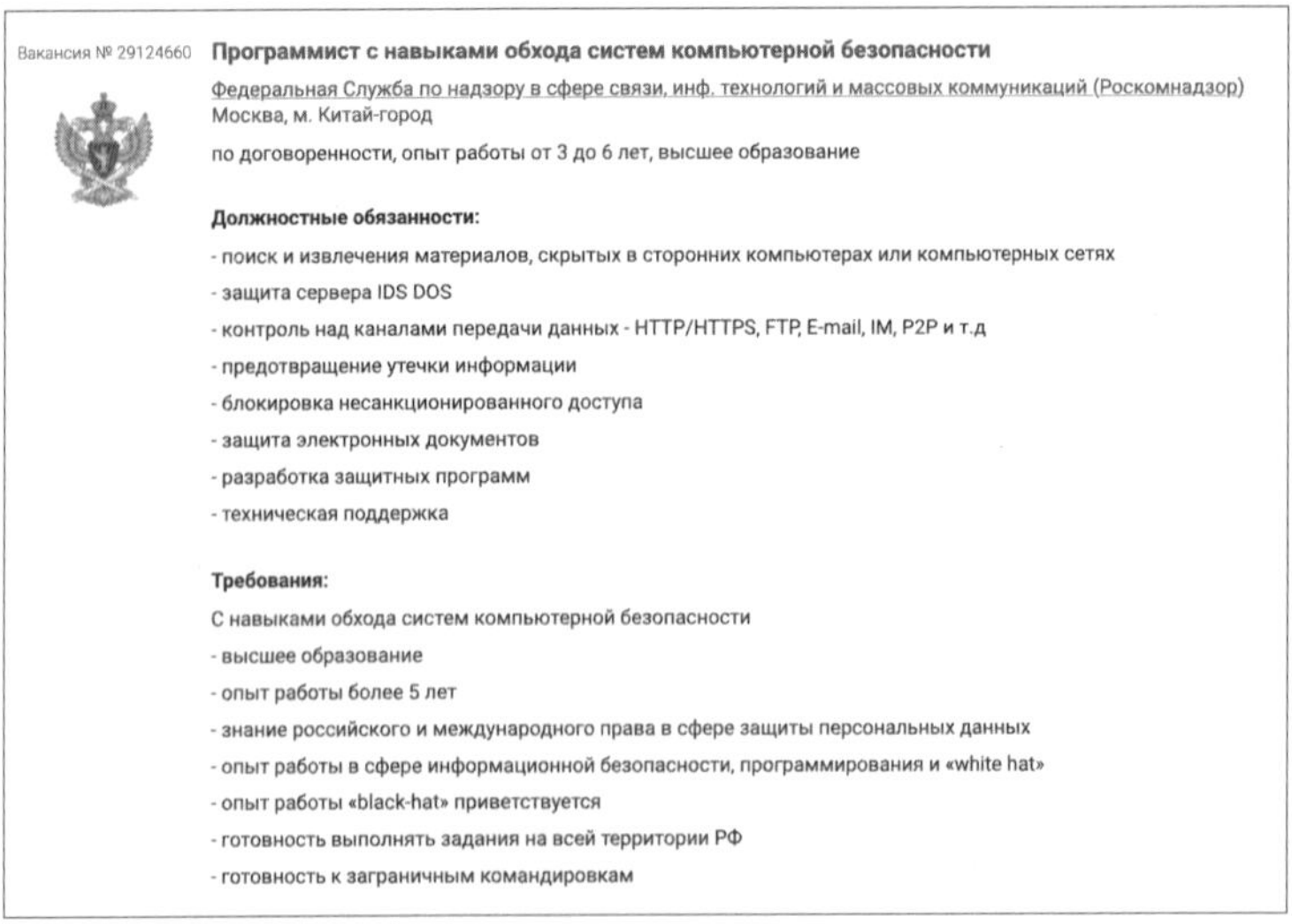
Вакансия № 29124660 **Программист с навыками обхода систем компьютерной безопасности**

Федеральная Служба по надзору в сфере связи, инф. технологий и массовых коммуникаций (Роскомнадзор)
Москва, м. Китай-город

по договоренности, опыт работы от 3 до 6 лет, высшее образование

**Должностные обязанности:**

- поиск и извлечения материалов, скрытых в сторонних компьютерах или компьютерных сетях
- защита сервера IDS DOS
- контроль над каналами передачи данных - HTTP/HTTPS, FTP, E-mail, IM, P2P и т.д
- предотвращение утечки информации
- блокировка несанкционированного доступа
- защита электронных документов
- разработка защитных программ
- техническая поддержка

**Требования:**

С навыками обхода систем компьютерной безопасности

- высшее образование
- опыт работы более 5 лет
- знание российского и международного права в сфере защиты персональных данных
- опыт работы в сфере информационной безопасности, программирования и «white hat»
- опыт работы «black-hat» приветствуется
- готовность выполнять задания на всей территории РФ
- готовность к заграничным командировкам

ロスコムナゾールによるハッカーの求人情報（2016）

キルを持つハッカー（直訳）」と記載があり、ロスコムナゾールがハッカーを雇用していたことが窺える。この求人情報は、当時、ロシアの国内メディアでも報じられているところをみると、ロシア国内でもあまり一般的な募集ではなく注目を集めたことが窺える。[6]

影響工作とサイバー攻撃の併用は、2022年2月24日に勃発したロシア・ウクライナ戦争でも顕著にみられ、これらの多次元の相関関係を具体的に示した。ロシアの民間のプロパガンダ団体である「CyberFrontZ」[7]は、ロシア国内へのプロパガンダの発信の他に、サイバー攻撃を呼びかける投稿[8]をしていることはその適例と言える。

**［補足］**

サイバー空間における活動の認識の違いは、国ごとに異なることがある。例えば、ロシアによるサイバー空間の認識は、NATOのレポート[9]によれば、領土である国家の境界線の続きであるとしている。そのため、外国の侵入によって常に侵害されていると考えているという。この感覚は、現実空間とサイバー空間を別次元として捉えがちな日本組織では理解し難いかもしれない。同様の考え方は、他国でもあるようで、反ロシア派の立場をとるベラルーシのハクティビストらの活動として知られる「鉄道戦争」はまさにその典型である。これは、ロシアからウクライナまで繋がる鉄道路線を活用したロシア連邦軍の装備輸送の妨害を目的としたものだ。ベラルーシのハクティビスト「サイバー・パルチザン（Cyber Partisans）」[10]は、ベラルーシ鉄道に対して現実空間では鉄道信号の操作妨害を行い[11]、サイバー空間では、ベラルーシ鉄道のシステムへの侵入により列車の自動運転を妨げ、ロシア連邦軍の装備輸送を妨害[12]したのである。

近年、サイバー攻撃情報は国家安全保障と関連付けられ、その事案報告は各国の政策にも活用され始めている。米国は中国やロシアからのサイバー攻撃事実を突きつけることで、経済制裁などの非軍事手段をたびたび用いている。また、これらのサイバー攻撃事実を広範に示すことで、同盟国や友好国に対しても同様の印象を与えている。同様のことは中国も行っており、２０２２年９月に米国の国家安全保障局（ＮＳＡ）が中国の西北工業大学を攻撃したと報じたことは記憶に新しいものだ[13]。この報道は、中国の影響を受ける国家に広く配信[14]されており、対米国の印象を操作しているようにも見える。

本章では、巧妙になっているサイバー空間における国家の支援するサイバー攻撃の分析情報を活用した、より低レイヤーからの影響工作の事例を、脅威分析の現場目線で紹介し、今後の日本における課題について考察したいと思う。

## サイバー空間の脅威情報を利用した影響工作

前章までで詳述されているように、影響工作といえば、一般にはプロパガンダや虚偽情報による活動が主である。その中で、サイバー空間における印象操作として挙げられるのが名指し非難(Name and Shame)だ。直近では、米英が共同でロシア対外情報庁の傘下とされるサイバー攻撃グループのＡＰＴ29(別名、Nobelium、Cozy Bear)を非難したもの[15]などが記憶に新しい。

これらの名指し非難の多くは、一般に技術的側面において証跡があり、サイバー攻撃の実行者とそれらの証跡は論理的に紐づくことが求められる。しかし、最近ではこういった説明が欠落した名指し非難も散見されており、２０２０年7月の英国の国家サイバーセキュリティセンター(National Cyber Security Centre：NCSC)とカナダの通信保安局(Communications Security Establishment：CSE)の報告[16]がその典型として知られている。同報告は、ロシアに関連したサイバー攻撃に関連したもので、一部のセキュリティ研究者は、レポートの発行元が具体的な技術的証跡を示さないことに対して疑問を呈しＳＮＳ上で議論となっている。[17]

サイバー空間で発生する事象を説明する場合には、攻撃元と攻撃先の2点を技術的且つ論理的に示し、議論することが一般的である。これらの代表的な情報として、インターネット上の住所を示すIPアドレスが挙げられる。ただし、IPアドレスは、プライベート仮想サーバーの一時的利用や第三者のサーバーを踏み台に利用することで本来の所在を隠蔽、偽装することが可能である。そのため、脅威分析を行う際には、悪用された攻撃ツールなどに含まれる攻撃元と繋がる証跡を付加することで信憑性を高める。それでも技術的証跡を示すことが難しい場合もあり、この点を悪用すれば容易に「それらしい脅威情報」を発信することができてしまう。実際、このことを熟知している一部の国家や組織は、意図的に〝偽〟脅威情報を配信することで、特定の相手国・組織の印象操作を行っている。このような状況に鑑みると、日本は他国の情報だけに頼らず、如何に自国の分析精度を高めるかが、今後の国家安全保障の観点において要点となる。

### 脅威分析手法を逆手に取った影響工作

米国の大手セキュリティ企業であるマンディアント社[18]（現在はグーグル社傘下）は中国政府が支援するとされる攻撃グループ「APT1」についてのレポートを公開したのが2004年である[19]。この頃より、米国や欧州各国はサイバー空間における「脅威インテリジェンス」を活用し、技術的側面から仮想敵国の情勢を分析する手法が注目された。これらの分析レポートの特徴は、サイバー攻撃を行なった国家やその実行者を推測する点にある。これらの分析レポートをメディア（主にインターネットメディア）に掲載することで、サイバー攻撃を実施した国の印象や世論への影響が期待できる。恐らく、当時はその後の政策においても優位に進めることができると考えられていたのだろう。

このような攻撃者像の特定を目的とした分析手法は、現在、世界中のセキュリティ専門家が用いる一般的な手法となっている。一方で、このような分析手法を逆手に取る組織や個人も登場しており、事実無根のサイバー攻撃を意図的に特定国の仕業とする分析レポートをインターネット上に公開するケースも見られるようになってきている。これらの虚偽の分析結果は、過去事例として永続的に運用されるグローバルのナレッジベースに登録されてしまい、サイバー空間における「歴史」として扱われてしまう。その場合、仮にA国の活動であった事案において、B国の犯行と登録されてしまうと、この捏造された事実を覆すことは非常に難しい。

## 中国発の脅威情報を活用した影響工作

中国の脅威アクター[20]によるものと推察される影響工作として有名なのが、中国の脅威アクターの素性を次々と暴く謎のハッカー集団「Intrusion Truth」[21]の複数のツイッター偽IDによる米国批判である。この目的の1つは、米国が訴追した中国のサイバー攻撃グループであるAPT41[22]の活動を、NSA（アメリカ国家安全保障局）のものへとすり替えることと推察される。加えて、この活動により、本物のIDごとシャドウバンに追いこむ狙いがある可能性も見過ごせない。

近年、世論操作を目的として、特定国を想起させる内容の脅威情報の配信は、さほど珍しいものではない。SNSに投稿するものは、比較的、虚偽情報の判定がし易いものが多い。しかし、それでも騙されてしまうユーザーがいるのが現実だ。

こういった虚偽情報の配信において、課題となっているのがサイバー攻撃のレポートを活用した印象操作である。これらの情報は、虚偽情報と言えない程度に表現されていることが多いが、その殆どは論理的な根拠を示していない、もしくは信頼度の評価が困難な状況としているのが特徴である。このような「事実確認のできない脅威情報」を公開する理由は様々だが、結果的にインターネット上に配信された情報は「事実」として扱われる。これらの情報は、サイバー攻撃の手口と攻撃者の推察といった一連の脅威分析を行う際の判定要素に組み込まれ、将来的に発生する脅威に対する分析結果に影響することとなる。つまり、過去の事実（歴史）が虚偽情報により塗り替えられることで、将来的に発生し得る脅威を見誤るリスクがあるということだ。このことを熟知しているのは、中

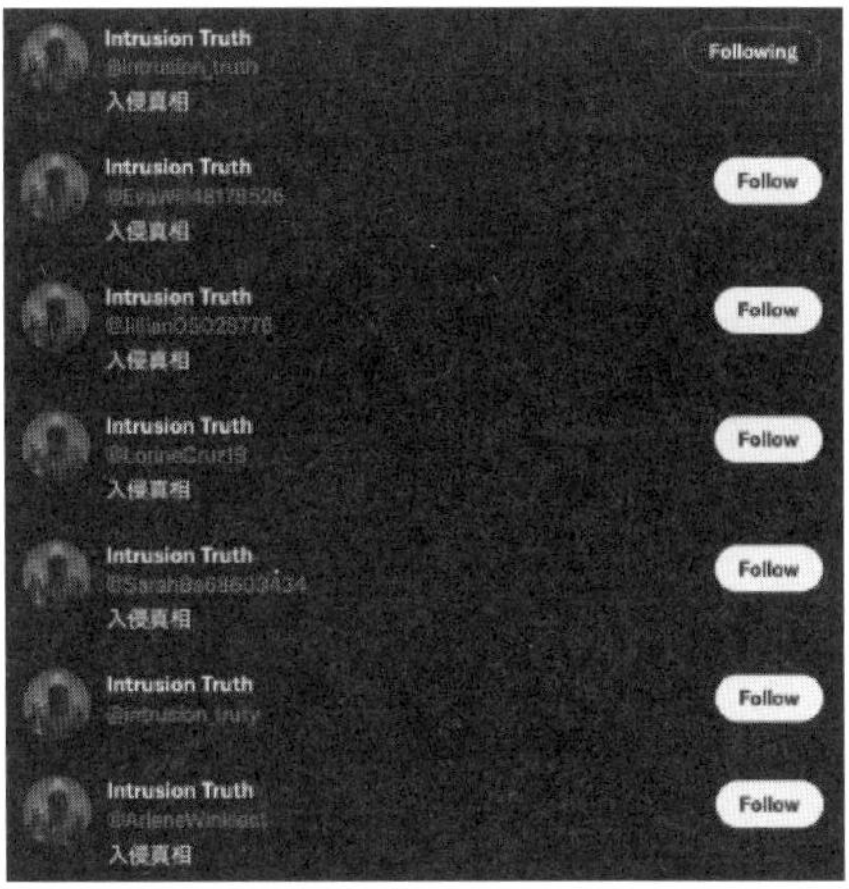


［図1］Intrusion Truthの偽アカウント例（出典：twitter.com）

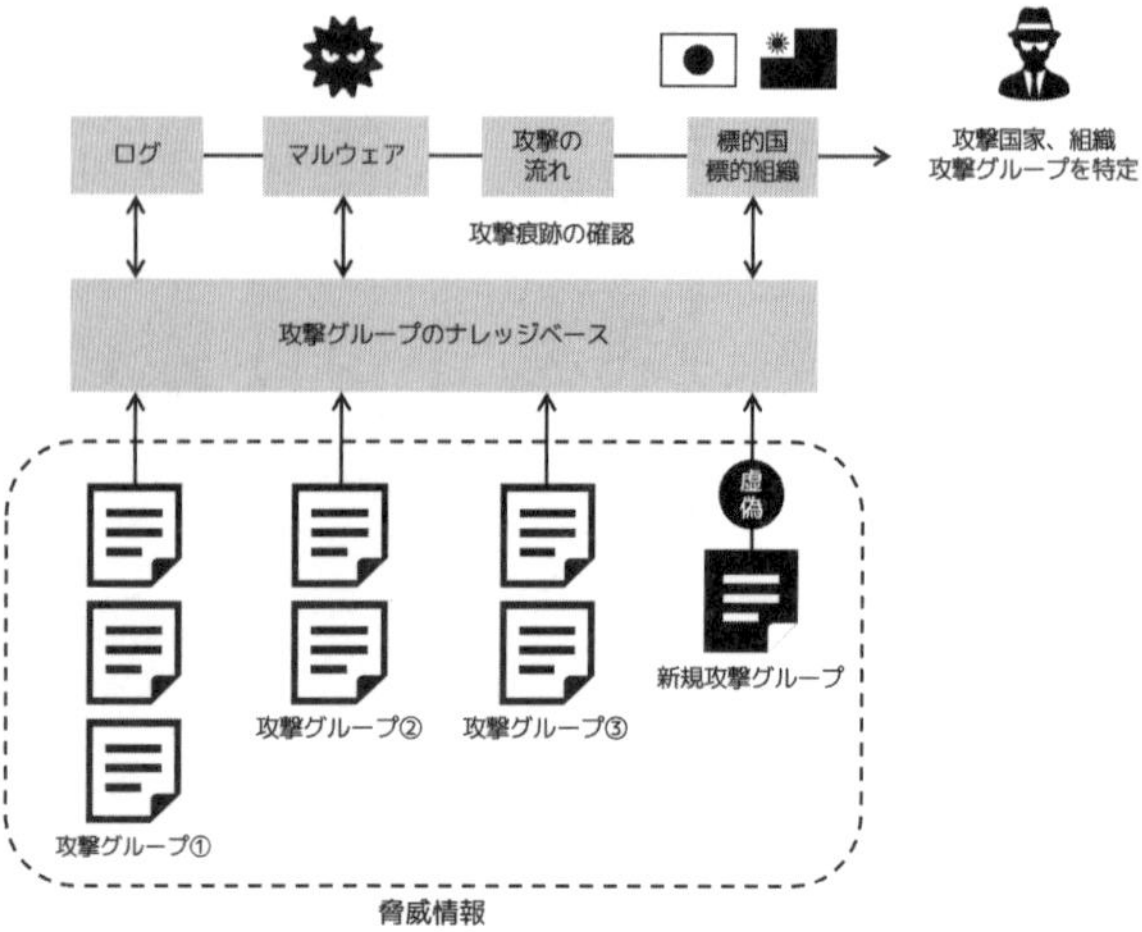


［図2］脅威情報を利用した印象操作例

国をはじめとした大国であることは言うまでもない。

例えば、図2のような分析フローにおいて攻撃グループの所属国や組織を特定しているとしよう。現在の分析手法の多くは、本フローのように、過去に技術的な分析において報告されたレポートを基軸として新規の脅威を分析するのが一般的である。この分析手法の課題は、特定国の印象を悪くするための虚偽報告を意図的にインターネット経由で配信されてしまった場合に、修正が困難となる場合があることだ。これらの虚偽報告には、技術的な観点では一定の信頼度を確保した上で行われているが、巧妙に「本来ならば考慮すべき証跡」の考察は行われずに分析結果を述べる傾向にある。

サイバーセキュリティ分野の研究者間でよく知られたものでは、2019年に中国の大手セキュリティベンダーが公開した韓国を拠点とするAPTグループ「黒格莎（Higaisa）」に関連するレポート[23]がある。同レポートは、北朝鮮関連の組織を標的とした攻撃が朝鮮半島から行われており、その攻撃手法や標的は韓国を拠点とするサイバー攻撃グループとされる「DarkHotel」と類似していると指摘している。一見すると、朝鮮半島での韓国と北朝鮮の対立を表したサイバー戦であり、十分に考えられるシナリオである。しかし、複数のセキュリティ研究者らの再検証により、実際は中国のAPTグループによる攻撃である可能性が著しく高いとされている。[24][25]

このレポートに関しては、日本やアジア諸国のサイバーセキュリティ専門家の界隈では、技術的側面から誤報（もしくは虚偽）という扱いとなっているが、世間一般には朝鮮半島の国家による仕業ということになっている。残念ながら、米国の権威あるセキュリティ機関も情報の信憑性評価を行わないことも珍しくない。[26]

現時点で我が国には、こういった影響工作を指摘できるだけの力量のあるファクトチェック組織は存在せず、見抜いた専門家が声を上げるしかない。一度、インターネットを介して発表された脅威情報は、その後に覆すことは非常に難しいを示した適例と言えるだろう。

## 2　ハクティビストを利用したサイバー攻撃とメディア操作

ハクティビストとは、政治的あるいは社会的な主張・目的のためにハッキングを行う者を指す。日本に関連するものでは、2013年頃までは柳条湖事件の発生した9月18日に中国のハクティビストが反日を理由に、日本の政府や企業のホームページを改竄するなどの攻撃がみられた。2022年2月に勃発したロシア・ウクライナ戦争においても、親ロシア派と親ウクライナのハクティビストが、それぞれの相手国に対してDDoS攻撃や政府機関からの機微情報の窃取といったハッキング行為を行ったことは記憶に新しい。彼らの活動は、一般には民間人が自主的に行っているものが多いため、民意として捉えられる節がある。これらのハクティビストの活動をうまく利用することがあるのが中国だ。具体的には、ハクティビストになりすますことで、ハクティビストグループの実体をすり替える。この活動の目的は、国内外で敵対国家への抗議活動が活発化、および過激化しているように見せるのが目的と考えられるが、実際ところ不明点が多い。ただ、世界中には「ハクティビストが○○を不服として抗議活動した」とだけが報じされ、世界中のナレッジベースへ記録されるのである。

### 南シナ海の領有権問題とサイバー攻撃（2016）

2016年7月、国際司法において、中国の主張する南シナ海の領有権は無効判決が下された。それを不服として、中国の有名なハクティビストである「１９３７ｃｎ」がベトナム航空のウェブサイトを改竄し、顧客情報を盗みだし公開するなどの蛮行が報じられた。[27] ハノイ、ホーチミンやなどの空港のシステムへの侵害も報告されており、当時はハッキングの手口にも注目が集まった事案であった。その後、１９３７ｃｎを騙る攻撃グループは米国や香港、台湾、中国国内をはじめとして多くのウェブサイトの改竄も行なっている。[28]

さて、この報道の信憑性はどの程度のものだろうか。ベトナムを含む１９３７ｃｎに攻撃を受けた国や、その他のアジア諸国のセキュリティ研究者は、これらの事案が本来の１９３７ｃｎ[29]の活動とは異なると認識している。実は、この事案は、中国国内でも話題となっており、筆者は、当初より「見えない手[30]」により事実が作り上げられている感覚を覚えている。まず、１９３７ｃｎが自身のサイトでも説明しているが、本物の１９３７ｃｎの公式ドメインは「1937cn.net」である。ところが、一連の攻撃で侵害サイトに残されたメッセージには、「1937cn.com」や「1937cn.pw」などの偽ドメインが利用されていた。このことに対して、１９３７ｃｎのリーダーである「越南隣国宰相」は公式サイトにおいて詳細を報告している。[31]

この一連の騒動は、中国のハッカーコミュニティ内では有名な話で、１９３７ｃｎのチーム内での内紛中に、何らかのトラブルが発生したことが原因と噂されている。これは、偽サイトの「1937cn.com」に掲載されたメッセージからも窺える。[32] また、彼らは、活動の停止を宣言しており、２０１６年10月以降に登場した１９３７ｃｎはいずれも偽物だとしている。１９３７ｃｎのメン

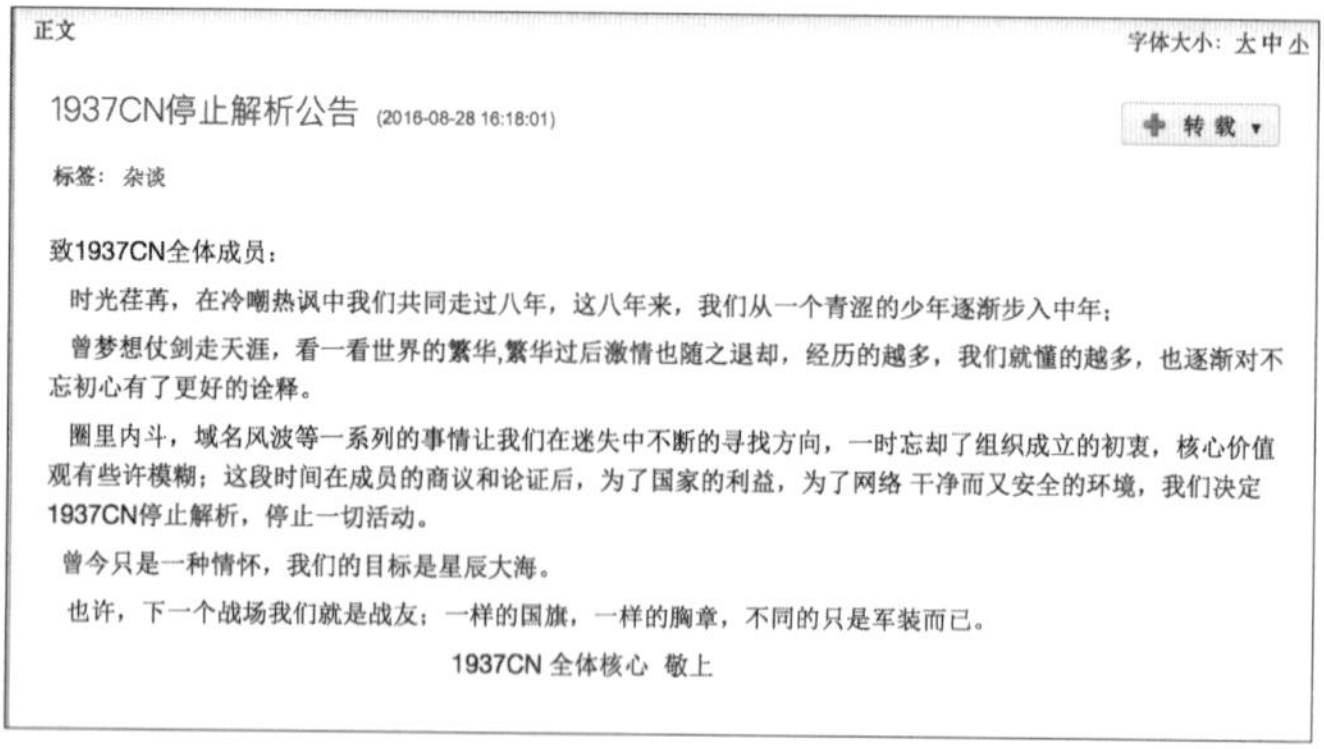
正文

字体大小：太 中 小

1937CN停止解析公告 (2016-08-28 16:18:01)

转载

标签：杂谈

致1937CN全体成员：

时光荏苒，在冷嘲热讽中我们共同走过八年，这八年来，我们从一个青涩的少年逐渐步入中年；

曾梦想仗剑走天涯，看一看世界的繁华,繁华过后激情也随之退却，经历的越多，我们就懂的越多，也逐渐对不忘初心有了更好的诠释。

圈里内斗，域名风波等一系列的事情让我们在迷失中不断的寻找方向，一时忘却了组织成立的初衷，核心价值观有些许模糊；这段时间在成员的商议和论证后，为了国家的利益，为了网络 干净而又安全的环境，我们决定1937CN停止解析，停止一切活动。

曾今只是一种情怀，我们的目标是星辰大海。

也许，下一个战场我们就是战友；一样的国旗，一样的胸章，不同的只是军装而已。

1937CN 全体核心 敬上

[図3] 1937cnによる弁明

バーの予想通りに偽物は活動を継続しており、２０１７年の報告[33][34]では、中国政府が支援するサイバー攻撃グループが関与している可能性が指摘されている。

　この事件はこれらの１９３７ｃｎのグループ内のトラブルに乗じて、中国人民解放軍の関係する攻撃グループが乗っ取ったという説が有力となっている。発覚の糸口となったのは、偽物の１９３７ｃｎが利用したネットワーク・インフラの一部に、中国人民解放軍が支援すると言われるサイバー攻撃グループ「Goblin Panda（別名、Ｃｏｎｉｍｅｓ）」[35]が過去に利用したことのあるサーバーが含まれていたことだ。

　国家に関わる機関がハクティビストの立場を乗っ取る主な理由は、国内外へ民意（この場合は、国際司法による判決）を示すことと、その実行責任を民間人へ押し付けるためであると考えられる。このようなサイバー攻撃者のイメージのすり換え行為がどの程度の効果があるかは不明であるが、一時的でも世界にインパクトを与えることができたという点では有効な手法だったのかもしれない。[36]

## 3 影響工作とサイバー攻撃

近年では、影響工作とサイバー攻撃を併用した活動が台湾で報告されており、近い将来、日本への影響が懸念されていることをご存知だろうか。実際に、中国人民解放軍（61726部隊）の傘下で台湾を担当とするサイバー攻撃グループ「BlackTech」の活動範囲には、日本も含まれていることは良く知られている。[37]

### PR会社を利用した虚偽情報の配信

2021年9月、中国資本のプレスリリース配信サービスを提供する全球新知[38]は、台湾のセキュリティベンダーのTeamT5（チームT5）社（杜浦數位安全有限公司）が、フィッシング詐欺を行い、ソフトバンクやNTTドコモなどの日本企業の従業員の個人情報を収集しているといった内容の記事[39]を配信した。この情報は一部のニュース系サイト[40]でも掲載され、話題となった。実は、この偽プレスリリースの件は、同時期にロシアのカスペルスキー社の日本法人も被害に遭っている。[41]この事案に関して、朝日新聞社は、TeamT5へ取材[42]を通じて、これらの一連の影響工作には中国政府が支援するサイバー攻撃グループの関与を示唆している。

このようなサイバー攻撃と影響工作を並行して行う手口は、ＴｅａｍＴ５社が２０２０年に「Operation Juiker」[43]として報告している。同報告では主に次の点を重要ポイントとして挙げている。

1　中国の国営メディア、外交官、および大使館は、中国政権のイメージを磨き、中国共産党（ＣＣＰ）の物語を広める任務を負っている。ここ数年で公式アカウントが予想外のフォロワー数を獲得していることは注目に値する。たとえば、中国の国営メディアの4つは、フェイスブックで最もフォローされている上位20ページに含まれている。

2　２０２０年、フェイスブック、ツイッター、グーグルによる中国の秘密のＳＮＳアカウントの削除がこれまで以上に頻繁に行われた。しかし、そのような取り組みを行っても、プラットフォーム全体で新たな攻撃者が出現し、攻撃者は新しいドメインと新しいアカウントを登録して戻ってきている。

3　国家が支援するサイバー攻撃グループのアクターが、情報操作の脅威の世界に参入した可能性がある。通常、彼らは、機密性の高いデータを窃取するために、標的を絞ったサイバー攻撃を長期にわたって実行する。しかし、２０２０年半ばに、悪名高い中国のサイバー攻撃グループにリンクできる情報操作が特定された。

中国の影響工作において、フェイスブックやツイッターなどを利用することは、２０１６年に中国の国防科技大学国際研究センターの研究者が「ロシア、新たなオンラインメディアの地位を強化」[44]を発表したことで予想されていた。この傾向に対し、フランス軍事学校戦略研究所（ＩＲＳＥＭ）は、２０２１年に発表した「CHINESE INFLUENCE OPERATIONS」[45]の中で、中国の影響工作が「ロシア化」していると表現している。

　これらの活動に中国のサイバー攻撃グループが関与し始めたことは、近い将来、影響工作を含む「サイバー活動全体」を中国政府が支援する態勢へと変遷することを示唆している。

## 4　影響工作の国家連携

　米中の経済対立やロシアによるウクライナ侵攻などをきっかけに、サイバーセキュリティに関連した国家連携が急速に進んでいる。米国はインド太平洋経済枠組み（ＩＰＥＦ）により14カ国の同盟国や友好国の囲い込みを狙う。米国のシンクタンクの戦略国際問題研究所（ＣＳＩＳ）によれば、ＩＰＥＦにはデジタルインフラ、サイバーセキュリティ、能力開発、次世代技術に対応するプログラムが含まれるとしている。[46]一方で、中国もロシアをはじめとし、米国への戦略的反撃としてインドネシアやタイなど複数国とサイバーセキュリティに関連する基本合意を締結している。[47][48]ＩＰＥＦの内容には、虚偽情報に関する対応について触れられていることに鑑みると、中国も同様の目論みがあると推察される。

## 中国とロシアのメディア連携

中国とロシアのメディア交流は以前より報告されているが、その関係はより強固なものになりつつある。米国のシンクタンクであるブルッキングス研究所は、2022年3月に発表したレポートの中で、中国とロシアの目指す国際秩序の再構築における戦略の重要なポイントは「情報」であると述べている。さらに、両国が西側諸国に対するそれぞれの偽情報キャンペーンにおいて、より緊密な関係を築いていると指摘している。[49] 中国とロシアの関係性は、ウクライナ侵攻前に、ロシアのプーチン大統領は、中国メディアの新華社への論説「ロシアと中国：将来を見据えた戦略的パートナー」を寄稿[50]していることからも、その関係性が垣間見える。

2022年12月、米国メディアである「インターセプト」は、ロシア国営放送VGTRKへのハッキングによりロシアから流出したファイル群から、ロシアと中国とのプロパガンダ協定を締結したことを示す資料[51]が発見したことを報じている（図4）。これは、2021年7月、ロシアと中国の政府高官とメディア幹部が、ニュースやソーシャルコンテンツの交換について話し合ったものとされるものとされる。[52] 当該資料には、情報交換の分野での協力強化だけでなく、両国が偽情報を流すために利用してきたオンラインとソーシャルメディアに関する協力計画も打ち出しているという。

これまでも両国はメディア戦において、協力関係にあったがウクライナ侵攻後はより強化した

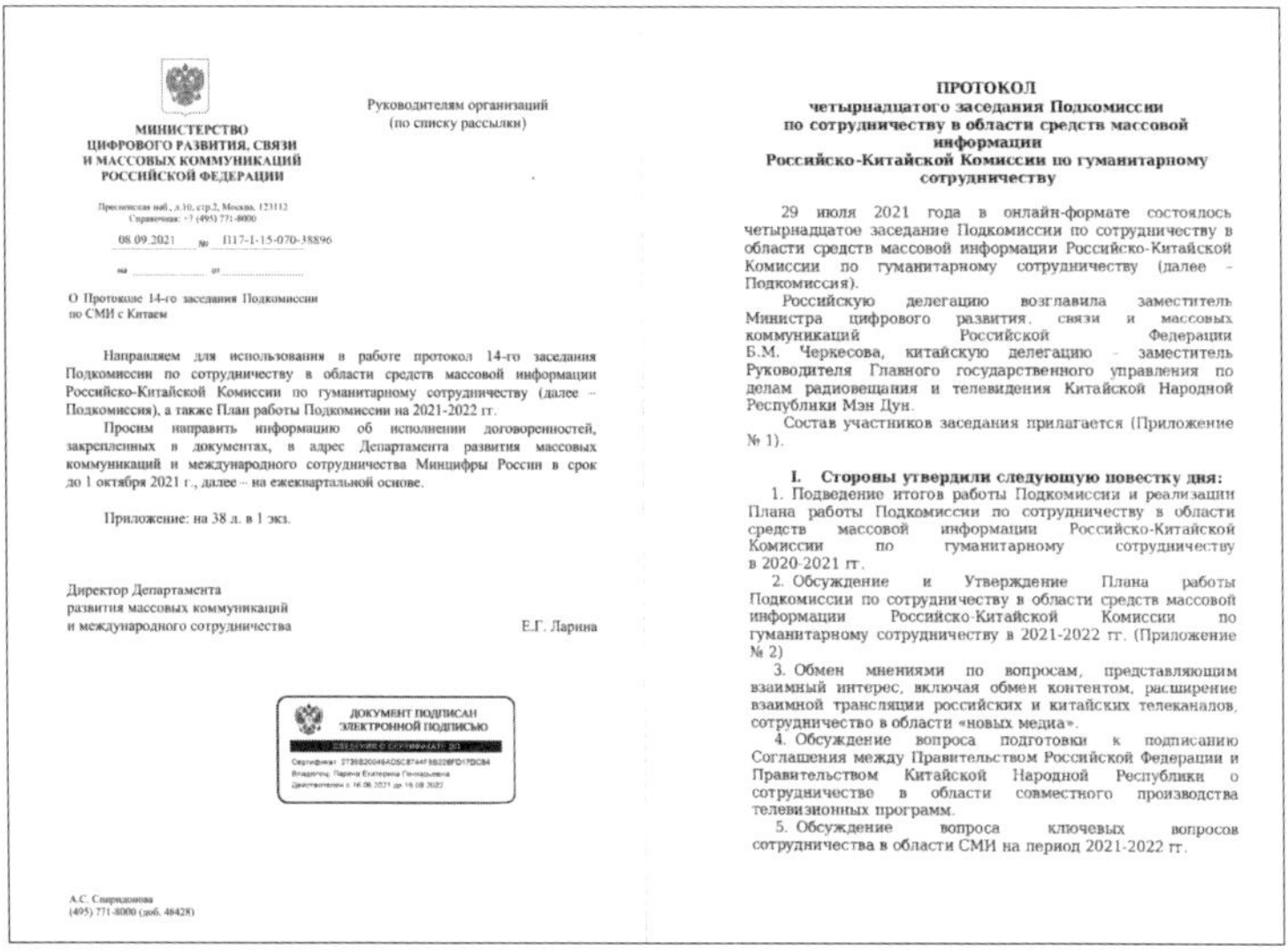
Руководителям организаций
(по списку рассылки)

МИНИСТЕРСТВО
ЦИФРОВОГО РАЗВИТИЯ, СВЯЗИ
И МАССОВЫХ КОММУНИКАЦИЙ
РОССИЙСКОЙ ФЕДЕРАЦИИ

Пресненская наб., д.10, стр.2, Москва, 123112
Справочная: +7 (495) 771-8000

08.09.2021 № П17-1-15-070-38896

на ________ от ________

О Протоколе 14-го заседания Подкомиссии по СМИ с Китаем

Направляем для использования в работе протокол 14-го заседания Подкомиссии по сотрудничеству в области средств массовой информации Российско-Китайской Комиссии по гуманитарному сотрудничеству (далее – Подкомиссия), а также План работы Подкомиссии на 2021-2022 гг.

Просим направить информацию об исполнении договоренностей, закрепленных в документах, в адрес Департамента развития массовых коммуникаций и международного сотрудничества Минцифры России в срок до 1 октября 2021 г., далее – на ежеквартальной основе.

Приложение: на 38 л. в 1 экз.

Директор Департамента
развития массовых коммуникаций
и международного сотрудничества Е.Г. Ларина

ДОКУМЕНТ ПОДПИСАН
ЭЛЕКТРОННОЙ ПОДПИСЬЮ

А.С. Спиридонова
(495) 771-8000 (доб. 48428)

**ПРОТОКОЛ**
**четырнадцатого заседания Подкомиссии**
**по сотрудничеству в области средств массовой информации**
**Российско-Китайской Комиссии по гуманитарному сотрудничеству**

29 июля 2021 года в онлайн-формате состоялось четырнадцатое заседание Подкомиссии по сотрудничеству в области средств массовой информации Российско-Китайской Комиссии по гуманитарному сотрудничеству (далее – Подкомиссия).

Российскую делегацию возглавила заместитель Министра цифрового развития, связи и массовых коммуникаций Российской Федерации Б.М. Черкесова, китайскую делегацию – заместитель Руководителя Главного государственного управления по делам радиовещания и телевидения Китайской Народной Республики Мэн Дун.

Состав участников заседания прилагается (Приложение № 1).

**I. Стороны утвердили следующую повестку дня:**

1. Подведение итогов работы Подкомиссии и реализации Плана работы Подкомиссии по сотрудничеству в области средств массовой информации Российско-Китайской Комиссии по гуманитарному сотрудничеству в 2020-2021 гг.
2. Обсуждение и Утверждение Плана работы Подкомиссии по сотрудничеству в области средств массовой информации Российско-Китайской Комиссии по гуманитарному сотрудничеству в 2021-2022 гг. (Приложение № 2)
3. Обмен мнениями по вопросам, представляющим взаимный интерес, включая обмен контентом, расширение взаимной трансляции российских и китайских телеканалов, сотрудничество в области «новых медиа».
4. Обсуждение вопроса подготовки к подписанию Соглашения между Правительством Российской Федерации и Правительством Китайской Народной Республики о сотрудничестве в области совместного производства телевизионных программ.
5. Обсуждение вопроса ключевых вопросов сотрудничества в области СМИ на период 2021-2022 гг.

[図4]ロシアと中国とのプロパガンダ協定を締結したことを示す資料

ようだ。中国とロシアのメディア間の提携に関しては、2013年の人民網とロシアの国営ラジオの業務提携[53]などがある。さらに、2016年1月には、中露包括戦略パートナーシップの深化を目的とする一環で行われた「中露メディア交流年」[54]が発表されている。この枠組みは、2017年までの2年間で、ジャーナリスト同士の経験交流、両国のジャーナリストの訪問、各種メディアフォーラム、共同メディア協力プロジェクトの立ち上げなど、250以上の活動が行われている。[55]直近では、2022年8月に「中露映像交流・放送キャンペーン」[56]が行われている。これは、中国とロシアの様々なメディア分野での協力を促進することを目的としている。

これまでは中国共産党のタブロイド紙

| 発信内容 | ゼレンスキーの逃亡説 | ウクライナの非ナチ化 | ブチャ虐殺は自作自演 | 米バイオラボ陰謀 |
|---|---|---|---|---|
| 情報源 | Sputnik、Vesti、RT | FSB 系統メディア（Newsfront など） | FRIA、Vzglyad | SVR 傘下の戦略文化財団、Politnavigator |
| 発信源 | CCTV、環球時報、人民日報 | 观察者网 | 观察者网、CRI、环球网 | CCTV、環球時報、人民日報、观察者网 |
| 言語 | 英語、中国語 | 中国語 | 英語、中国語、日本語 | 英語、中国語、日本語 |
| ハッシュタグ例 | 泽连斯基已离开基辅 | 乌克兰新纳粹老兵曾参与香港暴乱 | 俄国防部说乌方炮制了一出好戏 | 美资助的乌克兰实验室曾研发生化武器 |

［図5］中露のメディアを利用した情報戦例

「環球時報」が、ロシアの「スプートニク・ニュース（Sputnik news）」を一部引用するなどがみられたが、近年では、ロシア対外情報庁（SVR）傘下のシンクタンク「戦略文化財団（Strategic Culture Foundation）」の投稿記事を、中国政府や国営メディアが引用することも珍しいものではなくなってきている。[57] このようなプロパガンダや虚偽情報の配信も含めてのメディア交流は、現時点で中国とロシア間で展開されているが、近い将来に両国の主義・主張に同調する国家への拡大していくことも念頭においておく必要があるだろう。

## ロシアのウクライナ侵攻後にみるメディア連携

このような中国とロシアのメディア連携は、言うまでもなく、ウクライナ侵攻に関連するものも散見される。ロシア連邦軍によるウクライナへの軍事侵攻をめぐり、中国共産党指導部がプーチン政権の侵攻主張に同調したことに伴い、中国国内や中国語圏においては、中国当局や国営メディアなどがウクライナ情勢に関してロシア側に沿う主張を拡散していた。ロシア政府による組織的な虚偽情報やプロパガンダキャンペーンを支援するなど、両国の連携した動きが顕著に見られたことは記憶に新しい。例えば、次の表のようなロシア発の虚偽情報が中国メディアやユーチューブ、微博（ウェイボー）などで拡散されている。

これらの事例からも、中露両国が国家間連携により影響工作を行なっていることが窺える。この傾向は、今後益々、強化の傾向にあることは前述の通りであるが、これは中国とロシアの関係に留まらない可能性がある。

## 中国とパキスタンのサイバー活動連携

中国の国家間連携の可能性はロシアとだけではない。2020年6月、パキスタンが中国の偽ツイッターIDを作成し、インドを脅しているとの報道があった。これは、@ChinaJingXi[58]を名乗るアカウントを指したものだ。同IDにパキスタン人が関与していることは、"Look How Mighty Chinese Army Treat #IndianArmy at LAC."と投稿するなど、中国国内でもあまり利用されない単語を選択していることや、フォロワーが、パキスタン人とパキスタン人荒らしに所属するインド名の偽アカウントが多かったことなどにより発覚している。

中国とパキスタンのサイバー活動の連携は、ツイッターの代理投稿だけではなく、サイバー攻撃も含まれる可能性が指摘されている[59]。これは、デジタルやサイバーが、中国の「一帯一路」構想に関連した「中国－パキスタン経済回廊の長期計画（2017－2030）」の重要な要素となっているためと推察されている。[60]この関係性は、２０２２年7月、両国は情報技術産業に関するパキスタン・中国合同作業部会（ＪＷＧ）の会合において、周波数帯、政策規制、サイバーセキュリティ、人材育成、５Ｇといったテーマについて、協力することが決定していることからも明らかである。[61]

この両国の関係に対抗したとみられるのがイスラエルとインドのパートナーシップの締結である。これに対し、パキスタンはインドとイスラエルのサイバー協力の拡大に懸念を示し、同国はサイバーセキュリティ、情報技術（ＩＴ）、通信の各分野でイランと協力することを強調している。[62]なお、パキスタンはインド・イスラエルのパートナーシップ締結への非難の中で、インドがイスラエル製のスパイウェアを悪用し、パキスタン首相や外国人を盗聴していると主張している。これらの動向からも、サイバー空間上における一連の活動として、影響工作やサイバー攻撃は捉えられており、国家間連携の方向へと向かっていることが窺える。

関連の情報として、オーストラリア・サイバー・セキュリティ・センター（ＡＣＳＣ）は、２０２２年の年次サイバー脅威レポートの中で、「サイバースペースもまた共同戦力の領域であり、サイバー効力が軍事作戦に組み込まれることが多くなっている」との認識を示している。[63]これは多くの国家の共通認識と思って良いだろう。これらの動向に鑑みると、影響工作やサイバー攻撃を含めた活動の協力活動は世界的な傾向となることが予想される。

ちなみに、中国とロシアも、サイバー空間において協力関係にあることは言うまでもない。直近のものでは、中国外交部が2022年2月に共同声明[64]を出しており、サイバー空間における立ち位置についても触れている。関連の記事[65]によれば、両国は国際情報セキュリティ協定を締結する意向だとしている。ちなみに、中国とロシアは、2015年5月にサイバーセキュリティ面での協定を締結している。当時は、サイバーセキュリティ協定締結からわずか2カ月後の2015年7月には、中国の攻撃グループがロシアを標的としたとされる攻撃が報告[66]されており、当時の両国の関係性が垣間見える興味深い報告である。今後締結されるであろう協定はどういったものになるのか注目である。

## 5　各国が強化するサイバー活動と日本の在り方

本章では、プロパガンダや虚偽情報など、いわゆる影響工作だけでなく、本来ならば信頼すべきサイバー攻撃などの脅威情報ですら操作されている可能性について述べた。

このことは、米国が2015年にサイバー空間を「第5の戦場」としたことに起因していることは容易に想像がつくことである。このような状況下において、日本国内では、同盟国や友好国を情報源とした報道や発表などは、基本的に〝正〟として受け取られる傾向にある。しかし、情報を配信する上で、必ずしも正確に情報が伝わっているとは限らない。その意味では、そろそろ日本国内における情報分析の精度向上に投資すべき時期が来ているのではないだろうか。

例えば、前出の「黒格莎（Higaisa）」では、国内の専門会社でさえもマイター（MITRE）社の情報を信頼し参照[67]してしまうことも珍しくない。権威ある組織と異なる内容を記載することは勇気のいることだ。しかし、こういった状態を国家が放置しておくと、誤った情報（もしくは虚偽情報）の配信国の思う壺となり、徐々にその毒に侵されていくことは明白である。その結果、近い将来に日本が信頼すべき脅威情報のナレッジベースなど皆無となってしまうかもしれない。

２０２２年9月、日本ファクトチェックセンター（ＪＦＣ）[68]が設立された。総務省の「プラットフォームサービスに関する研究会」での配布資料（みずほリサーチ&テクノロジーズ作成）[69]によれば、デューク大学Reporters' Lab[70]の調査では、世界中でファクトチェック団体の設立が進んでおり、最新の調査結果では３０４団体となった（２０２０年10月時点）とのことなので、これは世界的な流行のようだ。

ここで少々気になるのは、日本が諸外国と比べてファクトチェックセンターの設立が2年の遅れをとっている点である。その観点では、私達は「情報を通じた脅威」に対する危機意識が他国よりもやや薄い国民性なのかもしれない。これは私見だが、もし、「情報を通じた脅威」に対して、日本固有の脆弱性があるならば、「海外発（特に西側諸国）の情報に対して思考停止となる傾向が強い」ことと、この種の脅威への「国家としての総合的対応の遅いこと」ではないだろうか。

## おわりに――影響工作に対する日本の課題

本章の趣旨の1つは、サイバー攻撃という論理的に表記した技術情報を利用することで、「事実」をまことしやかに「虚偽」とすり替えられている現実を知って貰うことである。一般に知られる影響工作よりも、低レイヤーからの影響工作は、本章で紹介した事例よりもさらに巧妙なものもあり、初見でこれらの意図的に造られた情報を見抜くことはなかなか難しいのが現状だ。その観点においては、高度な影響工作を検出するための研究開発が今後の日本のテーマとなるだろう。

近い将来に登場することが予想される脅威として、生成AIなどにより作成されたプロパガンダ記事や虚偽情報の増加が懸念[71]されている。これらが大量に配信された場合に、虚偽情報に対してマンパワーでの「もぐら叩き」のアプローチでは対処が難しくなってくることは自明である。そのため、例えば、情報発信元の自動遮断を含めた、情報操作に対する自動分析システムの開発などが重要になってくると考えられる。既に米国[72]をはじめとして研究・開発は始まっているだけに、政府の同分野への投資は早めに行って欲しいものだ。できれば、影響工作やセキュリティ問題に関してのソリューションは、日本企業や研究機関が率先して取り組み、実装してもらいたい。

また、近年、諸外国が注目する技術動向として、ディープフェイクを利用した影響工作が挙げられる。米中ともに国家を挙げて対策を強化することを既に発表している[73]ことに鑑みると、その影響力は非常に大きなものとなることが予想される[74]。日本も当然追従すべき研究テーマであるが、併せてこれらの対策技術を支えるためのディープフェイク規制を早期に策定することも重要な要素となる。加えて、ＯｐｅｎＡＩ社[75]が開発したＣｈａｔＧＰＴに代表されるような生成ＡＩを活用した虚偽情報や悪性プログラムの生成なども大きな課題となるだろう。既に、ＣｈａｔＧＰＴによる虚偽情報の生成の実証実験ついての記事[76]は幾つか寄稿されており、悪用されるのも時間の問題となっている。

現状において、日本に対して行われた影響工作は、幸いにも虚偽の判別がつきやすいものが多かったように思う。しかし、今後、生成ＡＩなどが悪用されるようになってくると、恐らく虚偽かどうかの判別も難しくなってくる可能性がある。そして、それらの虚偽情報の多くは、海外発のＳＮＳや動画配信サービスが利用されることが予想される。このことは、日本が国家レベルでコンテンツ制限をしない限りは、ユーザーが独自に虚偽判断を行わなければならない。これは、ある種の日本の脆弱性と言えるだろう。日本は早期に独自のサイバー空間における規制を制定し、対策を再検討しなければならない時期に来ているのかもしれない。

# あとがき

本書の企画が本格的に動き始めたのは２０２２年の夏である。企画者の一田和樹から筆者（藤村）に執筆の打診があったのが、8月のことである。

その２０２２年の2月、ロシアがウクライナに軍事侵攻を始めたことで、世界の構図は一変したと言われる。世界は、そして多くの人びとは、突如として始まったリアルな戦争に否応もなく引きずり込まれていったのである。

さまざまなメディアを通じて巨大な戦争が、可視化されることになった。

だが、本書を通読されれば、時間の目盛り、そして「戦争」という現実の輪郭が奇妙に揺らいで見えてくることだろう。

２０２２年に先んじて２０１４年には「クリミア併合」が起きている。

クリミア半島をめぐっては、ロシア（旧ソヴィエト連邦時代も含め）とその領土をめぐり、さらに長く複雑な物語（ナラティブ）がそこに横たわっている。

22年2月、一挙に可視化された戦争だが、それに先駆けて、いったいどれくらい長く、どれほど激しい戦いが行われてきたのか。そこでは巨大で不可視の戦闘が、実は続けられてきたのである。

本書が扱う「デジタル影響工作」という不可視の戦闘を念頭に置けば、従来の理解を覆すような現実が浮かび上がってくる。戦争という現実の輪郭が揺らいで見えるとしたのはそのことである。

デジタル影響工作は、政治、軍事に止まらず、経済、IT、文化、諸科学といったものを串刺しにするようにして、私たちが生きる社会を根底から揺るがそうとする。始まりもわからず、そして終わりも定義されない戦闘行為のことだともいえよう。

この不可視の戦闘行為を剔抉するためには、やはりハイブリッドな知の総合が求められる。全8章をそれぞれ担当した執筆者は、一部を除いては互いに日ごろの面識や接点もないような分野のエキスパートたちである。そのエキスパートらが、寄って立つ専門分野を武器にして、民主主義にとって共通の難題＝デジタル影響工作に立ち向かったのが本書である。

茫漠とした敵との戦いながらも、全員がほぼスケジュール通りに原稿を仕上げ、しかも重複する箇所がほとんどないという奇跡の協業を成し遂げた。執筆者のみなさんに尊敬と感謝を贈りたい。

無謀にも、デジタル影響工作を共通テーマ、土俵として異種格闘技大会を企画した一田和樹にも、共同執筆者を代表して一言謝辞を述べておきたい。個人的にも、互いにスタートアップ企業の経営者として向き合った20年ほど前を振り返ると、その一田が企画する本書へ参加するのは、人生の妙味を感じさせる経験でもあった。

同時に難しいテーマを引き受け、懇切でていねいな仕事を通じて手間のかかる執筆に伴走してくれた書肆・原書房編集部の石毛力哉氏に深謝したい。

願わくば戦禍の下にある人々に安穏な日々のあらんことを。

２０２３年２月

藤村厚夫

cooperation-agreement-july-2021
52) https://theintercept.com/2022/12/30/russia-china-news-media-agreement/
53) http://j.people.com.cn/94475/8181332.html
54) http://ru.china-embassy.gov.cn/ztbd/zemtjln/201601/t20160123_3104978.htm
55) https://sputniknews.cn/20180126/1024564094.html
56) https://www.cctv.com/2022/08/26/ARTIh7M98fa408MHnwss9XE4220826.shtml
57) http://www.gov.cn/xinwen/2020-11/03/content_5556855.htm
58) https://web.archive.org/web/20200607034814/https://twitter.com/ChinaJingXi
59) https://www.news18.com/news/tech/increased-cyber-attacks-on-india-continue-amid-suspicions-of-pak-china-collaboration-2288333.html
60) https://www.orfonline.org/research/pakistan-emerges-as-chinas-proxy-against-india/
61) https://cpecinfo.com/pakistan-and-china-to-cooperate-in-6-areas-including-cyber-security-and-5g/
62) https://greekcitytimes.com/2022/07/11/pakistan-china-worried-israel-cyber/
63) https://www.cyber.gov.au/sites/default/files/2022-11/ACSC-Annual-Cyber-Threat-Report-2022.pdf
64) https://www.mfa.gov.cn/web/ziliao_674904/1179_674909/202202/t20220204_10638953.shtml
65) https://blog.securemymind.com/tag/%E4%B8%AD%E4%BF%84%E7%BD%91%E7%BB%9C%E5%AE%89%E5%85%A8%E5%90%88%E4%BD%9C
66) https://www.proofpoint.com/us/threat-insight/post/PlugX-in-Russia
67) https://web.archive.org/web/20221218172259/https://codebook.machinarecord.com/threat-intelligence/15746/
68) https://factcheckcenter.jp/
69) https://www.soumu.go.jp/main_content/000749421.pdf
70) https://reporterslab.org/
71) https://www.theverge.com/2020/7/7/21315861/ai-generated-headshots-profile-pictures-fake-journalists-daily-beast-investigation
72) https://hackingfordefense.stanford.edu/accessible-machine-learning-misinformation-and-influence-operation-analysis
73) http://www.cac.gov.cn/2022-12/12/c_1672477202463219.htm
74) https://anthonygonzalez.house.gov/news/documentsingle.aspx?DocumentID=304
75) https://openai.com/
76) https://www.poynter.org/fact-checking/2023/chatgpt-build-fake-news-organization-website/

espionage-units
20）セキュリティ上，影響を与える可能性のある内部ユーザや外部の第三者
21）https://intrusiontruth.wordpress.com/
22）https://www.fbi.gov/wanted/cyber/apt-41-group
23）https://web.archive.org/web/20221208174845/https://mp.weixin.qq.com/s?__biz=MzI5ODk3OTM1Ng==&mid=2247492533&idx=1&sn=e96652f75257ddabd25235bf7fb0a05c
24）https://jp.security.ntt/resources/CraftyPanda.pdf
25）https://www.ptsecurity.com/ww-en/analytics/pt-esc-threat-intelligence/higaisa-or-winnti-apt-41-backdoors-old-and-new/
26）https://web.archive.org/web/20230110215324/https://attack.mitre.org/groups/G0126/
27）https://www.theguardian.com/world/2016/jul/29/flight-information-screens-in-two-vietnam-airports-hacked
28）https://www.zone-h.org/archive/notifier=1937cn
29）https://web.archive.org/web/20130815031436/http://www.1937cn.net/
30）クライブ・ハミルトン，マレイケ・オールバーグによる中国共産党の浸透工作についての警鐘の書
31）https://web.archive.org/web/20160805024609/www.1937cn.net/archives/2925.html
32）https://web.archive.org/web/20161023225047/http://www.1937cn.com/
33）https://www.fortinet.com/blog/threat-research/rehashed-rat-used-in-apt-campaign-against-vietnamese-organizations
34）https://votiro.com/blog/votiro-labs-exposed-a-new-hacking-campaign-targeting-vietnamese-organisations-using-weaponized-word-documents/
35）https://www.crowdstrike.com/blog/meet-crowdstrikes-adversary-of-the-month-for-august-goblin-panda/
36）https://www.nikkei.com/article/DGXLASGM29H9J_Z20C16A7FF1000/
37）https://www.asahi.com/articles/ASN1P6TGLN1PUTIL02V.html
38）https://www.topicnews.cn/
39）https://web.archive.org/web/20210922005523/https://www.topicnews.cn/pr/%E9%A9%9A%E3%81%8D%EF%BC%81%E6%97%A5%E6%9C%AC%E5%9B%BD%E6%B0%91%E3%81%AE%E5%80%8B%E4%BA%BA%E6%83%85%E5%A0%B1%E3%81%8C%E5%86%8D%E3%81%B3%E7%9B%97%E3%81%BE%E3%82%8C%E3%80%81%E8%83%8C%E5%BE%8C%E3%81%AB
40）https://web.archive.org/web/20210920043625/https://japan.net24.news/society/20213751.html
41）https://www.kaspersky.co.jp/about/press-releases/2021_inf29092021
42）https://www.asahi.com/articles/ASQ2P52RJQ2GUTIL035.html
43）https://teamt5.org/en/posts/info-op-white-paper-iii-china-s-social-manipulation-outside-the-great-firewall/
44）https://web.archive.org/web/20160423162602/https://www.81.cn/jwgd/2016-04/13/content_7004902.htm
45）https://www.irsem.fr/report.html
46）https://www.csis.org/analysis/indo-pacific-economic-framework-and-digital-trade-southeast-asia
47）https://www.globaltimes.cn/page/202101/1212657.shtml
48）https://www.bangkokpost.com/tech/2340977/des-signs-thai-chinese-mou-on-cybersecurity
49）https://www.brookings.edu/techstream/china-and-russia-are-joining-forces-to-spread-disinformation/
50）http://www.news.cn/world/2022-02/03/c_1128325398.htm
51）https://www.documentcloud.org/documents/23558638-china-russia-media-

戦」の影　サイバー情報戦の謎に迫った」『朝日新聞』（2022年2月24日）。
51）Ryan Serabian and Daniel Kapellmann Zafra, “Pro-PRC “HaiEnergy” Information Operations Campaign Leverages Infrastructure from Public Relations Firm to Disseminate Content on Inauthentic News Sites,” Mandiant Blog, August 4, 2022.
52）Maiko Ichihara, “Is Japan Immune From China's Media Influence Operations?” The Diplomat, December 20, 2020.
53）Intrusion Truth（@intrusion_truth）のツイッター投稿, 2020年1月16日。<https://twitter.com/intrusion_truth/status/1217790149230243840>
54）TeamT5, China's Social Manipulation: Outside the Great Firewall, Information Operation White Paper, Part 3 of 3, October 2020.
55）2つの事案の詳細は, Brian Hioe, “Taiwan Intelligence Chief Pictures Reignite Debate Over Chinese Disinformation Ops,” The Diplomat, October 14, 2022；Brian Hioe, “Warnings of Chinese Disinformation Behind Reports of Secret Thai Trip by National Security Bureau Head,” New Bloom（September 26, 2022）.
56）Su Yung-yao and Kayleigh Madjar, “Official says Thailand trip rumors ‘cognitive warfare’,” Taipei Times, Sep 20, 2022.

## 第8章　各国のサイバー活動と影響工作

1）1999年に発表された人民解放軍の中国人民解放軍大佐である喬良, 王湘穂の戦争研究の共著
2）https://www.belfercenter.org/sites/default/files/files/publication/CyberProject_National%20Cyber%20Power%20Index%202022_v3_220922.pdf
3）Федеральная служба по надзору в сфере связи,информационных технологий и массовых коммуникаций
4）CHINESE INFLUENCE OPERATIONS, P633, https://www.irsem.fr/report.html
5）https://web.archive.org/web/20160918102244/https://www.superjob.ru/vakansii/programmist-s-navykami-obhoda-sistem-kompyuternoj-bezopasnosti-29124660.html
6）https://rb.ru/news/hacker/
7）https://vk.com/bar_cyber_frontz
8）https://web.archive.org/web/20220509022323/https://t.me/s/cyber_frontZ/1863
9）https://stratcomcoe.org/cuploads/pfiles/Nato-Cyber-Report_15-06-2021.pdf
10）https://korrespondent.net/world/4491790-v-rossyy-nachalas-relsovaia-voina-smy
11）https://www.codastory.com/authoritarian-tech/cyberpartisans-interview/
12）https://www.washingtonpost.com/world/2022/01/25/belarus-railway-hacktivist-russia-ukraine-cyberattack/
13）https://bbs.360.cn/thread-16059907-1-1.html
14）https://dailytimes.com.pk/1004912/china-blasts-us-for-cyber-attacks-on-chinese-university/
15）https://www.nsa.gov/Press-Room/Press-Releases-Statements/Press-Release-View/Article/2599239/nsa-cisa-fbi-and-the-uk-ncsc-further-expose-russian-intelligence-cyber-tactics/
16）https://www.ncsc.gov.uk/files/Advisory-APT29-targets-COVID-19-vaccine-development.pdf
17）https://twitter.com/Mao_Ware/status/1283754051885305858
18）https://www.mandiant.com/
19）https://www.mandiant.com/resources/apt1-exposing-one-of-chinas-cyber-

入，②中国の各級政府による台湾での報道の「買い付け」，③テレビ番組製作等における中台メディアの協力を通じた浸透，④中国政府当局と台湾メディアの直接的コミュニケーションである。川上桃子「台湾マスメディアにおける中国の影響力の浸透メカニズム」『日本台湾学会報』第17号（2015年9月），91-109頁。

35）草案は以下よりアクセスできる。「數位中介服務法草案」數位中介服務法草案專區，國家通訊傳播委員會（2022年6月29日）。<https://www.ncc.gov.tw/chinese/files/22081/5542_47882_220811_1.pdf>

36）Shelley Shan, “PTT urges changes to proposed digital act,” Taipei Times, August 19, 2022.

37）山口信治，門間理良「活発化する中国の影響力工作」，山口信治，八塚正晃，門間理良『中国安全保障レポート2023：認知領域とグレーゾーン事態の掌握を目指す中国』（防衛研究所，2022年），45頁。

38）『国防報告書』では，4つの整理は台湾遠景基金會（The Prospect Foundation）の季刊誌を参考としており，これは沈の以下論文を指す可能性が高い。沈伯洋「中國認知領域作戰模型初探：以2020臺灣選舉為例」『遠景基金會季刊』第22巻，第1号（2021年1月），1-66頁；中華民國110年国防報告書編纂委員会編『中華民国110年国防報告書（ROC National Defense Report 2021）』（国防部，2021年），44頁。

39）Doublethink Lab, “Deafening Whispers: China's Information Operation and Taiwan's 2020 Election,” Medium, October 24, 2020, pp.5-6, 23.

40）この項は，川口，前掲「高まる憲法改正論議 懸念すべき外国の影響力工作」を基に大幅に改変。

41）Paul Charon and Jean-Baptiste Jeangène Vilmer, Chinese Influence Operation: A Machiavellian Moment, the Institute for Strategic Research of the French Ministry for the Armed Forces（IRSEM），October 2021, pp.401-403.

42）“Ryukyu issue offers leverage to China,” Global Times, May 10, 2013.

43）公安調査庁『内外情勢の回顧と展望：平成29年版』（2017年1月），23頁。

44）Freedom House, Beijing's Global Media Influence 2022: Authoritarian Expansion and the Power of Democratic Resilience, September 2022.

45）Devin Stewart, China's Influence in Japan: Everywhere Yet Nowhere in Particular, CSIS, July 23, 2020.

46）Doublethink Lab, “Deafening Whispers,” p.26.

47）Ryan Serabian, Lee Foster「親中派のインフルエンス・キャンペーンが，数十ものソーシャル・メディア・プラットフォーム，Web サイト，7カ国語以上のフォーラムに拡大。米国におけるデモなどの抗議活動への動員を誘導」Fire Eye ブログ（2021年9月24日）。なおマンディアントは当時，ファイア・アイ社の傘下であった。

48）“Disclosing state-linked information operations we've removed,” Twitter Blog, December 2, 2021. <https://blog.twitter.com/en_us/topics/company/2021/disclosing-state-linked-information-operations-we-ve-removed>

49）削除されたアカウント，ツイート，画像・動画は「Twitter モデレーション研究コンソーシアム」ページの「ハッシュアーカイブをダウンロード」から入手できる。<https://transparency.twitter.com/ja/reports/moderation-research.html>　読売新聞大阪社会部も同様のデータから，日本語による発信を確認している。「「ウイグル族弾圧はデマ」，個人装い「中国寄り」投稿拡散…日本標的に組織的情報工作か」『読売新聞』（2022年6月5日）。

50）須藤龍也「偽プレスリリースに「認知作

日　ハイブリッド戦の舞台裏」『朝日新聞』（2022年7月29日）。

21）「ロシアからのハッキングに対抗するウクライナ，その“サイバー戦争”の指揮官の勝算」WIRED（2022年9月22日）。

22）Andrew Martin, “Russia's Cyberwar on Ukraine Aims to Damage Psyche Not Pocketbook,” Bloomberg, February 23, 2022.

23）例えば，Jacquelyn Schneider, “A World Without Trust: the Insidious Cyberthreat,” Foreign Affairs, Vol.101, No.1（January/February 2022），pp.22-31; Miguel Alberto Gomez and Ryan Shandler, “Cyber Conflict and the Erosion of Trust,” Council on Foreign Relations, September 21, 2022.　ランサムウェア（身代金要求型ウイルス）攻撃でさえ，システムやサービスの機能中断，金銭的損失，プライバシー侵害といった被害に加えて，国民の政府や社会に対する信頼を低下させることを示唆する研究もある。Ryan Shandler & Miguel Alberto Gomez, “The Hidden Threat of Cyber-attacks: Undermining Public Confidence in Government,” Journal of Information Technology & Politics, August 18, 2022.

24）戦略国際問題研究所（CSIS）のジェームズ・ルイスによれば，カメラ付きスマートフォンの普及，衛星画像へのパブリック・アクセス，WebSDR（Software-Defined Radio）などのオンラインサービスを使用した通信傍受等の非政府（政府が独占しない）情報・技術は，政府のナラティブを統制する力を弱める可能性がある。またSignal や Telegram といったメッセージ・アプリはエンドツーエンドのセキュリティを提供し，社会的結束や戦術的インテリジェンスの観点でウクライナに優位を与えた。James A. Lewis, “Cyber War and Ukraine,” Center for Strategic and International Studies, June 16, 2022.

25）この経緯の詳細は小泉悠『ウクライナ戦争』（ちくま新書，2022年），49-53頁。

26）「［FT］ロシアの偽情報対策を求められる米IT大手」日本経済新聞（2022年3月23日）。

27）Kata Balint, Francesca Arcostanzo, Jordan Wildon & Kevin Reyes, “RT Articles are Finding their Way to European Audiences – but how?” Institute for Strategic Dialogue, July 20, 2022.

28）筆者によるインタビュー（2022年11月24日）。詳細は台灣事實查核中心（Taiwan FactCheck Center）「【錯誤】網傳照片「解放軍海軍官兵近距離目視台灣花蓮和平電廠，巡航台灣海岸線」?」事實查核報告 #1849（2022年8月9日）。

29）Hsia Hsiao-hwa　and Raymond Chung, “China steps up cyberattacks, disinformation campaigns targeting Taiwan,” Free Radio Asia, August 8, 2022.

30）Kenddrick Chan and Mariah Thornton, “China's Changing Disinformation and Propaganda Targeting Taiwan,” The Diplomat, September 19, 2022.

31）Ibid.

32）ただし，チャンらによれば，「紅色文化網」投稿の拡散プロセスは，必ずしも効果的ではない面もあった。動画の目的がより多くの台湾人に恐怖を与えることであれば，閩南語ではなく中国語（北京語）のナレーションにすべきであるし，動画のターゲットが台湾人であれば，Reddit は第一選択ではない。こうした取組みは一貫性のない戦略を反映しているのか，将来の影響工作を高度化するための実験なのか，のいずれかであるとチャンらは判断する。Ibid.

33）Meta, Threat Report: Combating Influence Operations, May 26, 2021, pp.26-27.

34）テレビや新聞といった台湾の伝統的メディアは中国からの影響力行使・浸透の対象であった。JETRO・アジア経済研究所の川上桃子は，中国から台湾メディアへの複数の浸透メカニズムを指摘している。具体的には，①資本を通じたメディア支配と介

8) Diego A. Martin, Jacob N. Shapiro, and Julia G. Ilhardt, "Online Political Influence Efforts Dataset, the Empirical Studies of Conflict, Princeton University," Version 3.0, February 3, 2022.

9) 関係する最近の先行研究として，影響工作そのものについてはDarren E. Tromblay, Political Influence Operations: How Foreign Actors Seek to Shape U.S. Policy Making (Lanham: Rowman & Littlefield, 2018)，ソーシャルメディアに注目したものとして，シンガー，ブルッキングス，前掲『「いいね!」戦争』；デイヴィッド・パトリカラコス（江口泰子訳）『140字の戦争：SNSが戦場を変えた』（早川書房，2019年）；James J. F. Forest, Digital Influence Warfare in the Age of Social Media (Santa Barbara: Praeger, 2021)，特にロシアに焦点を当てたものとして，ピーター・ポメランツェフ（築地誠子，竹田円訳）『嘘と拡散の世紀：「われわれ」と「彼ら」の情報戦争』（原書房，2020年）；Thomas Rid, Active Measures: The Secret History of Disinformation and Political Warfare (New York: Farrar, Straus and Giroux, 2020)；佐々木孝博『近未来戦の核心サイバー戦：情報大国ロシアの全貌』（扶桑社，2021年），149-226頁，特に中国に焦点を当てたものとして，八塚正晃「サイバー空間で『話語権』の掌握を狙う中国」『サイバー・グリッド・ジャーナル』Vol.11（2021年3月），14-17頁；ディーン・チェン（五味睦佳監訳）『中国の情報化戦争：情報戦，政治戦から宇宙戦まで』（原書房，2018年），79-96頁。

10) Laura Rosenberger, "Making Cyberspace Safe for Democracy: The New Landscape of Information Competition," Foreign Affairs, Vol.99, No.3 (May/June 2020), pp.146-159.

11) Anne-Marie Slaughter & Ben Scott, "The Threat to Democracies from Information Insecurity," The Strategist, the Australian Strategic Policy Institute, November 16, 2022.

12) Will Englund, "Russia hears an argument for Web freedom," The Washington Post (October 28, 2011).

13) ウクライナでの戦争のデジタル影響工作は一田和樹『ウクライナ侵攻と情報戦』（扶桑社新書，2022年）を参照。

14) 「ナラティブ」に関する詳細は川口，前掲「ウクライナ戦争と『ナラティブ優勢』をめぐる戦い」を参照。国際関係論における「ナラティブ」はAlister Miskimmon, Ben O'Loughlin, and Laura Roselle, Strategic Narratives: Communication Power and the New World Order (New York: Routledge, 2013)，戦略研究ではローレンス・フリードマン（貫井佳子訳）『戦略の世界史：戦争・政治・ビジネス』下巻（日経BP，2021年），216-225頁。

15) どのような条件下でナラティブが強固になるかを分析したものとして，ロバート・シラー（山形浩生訳）『ナラティブ経済学：経済予測の新しい考え方』（東洋経済新報社，2021年），4-7, 18-19頁；シンガー，ブルッキングス，前掲『「いいね!」戦争』，246-257頁。

16) 開戦の正統性を主張するロシアのデジタル影響工作は，Microsoft, Defending Ukraine: Early Lessons from the Cyber War, p.13.

17) Insikt Group, Russian Information Operations Aim to Divide the Western Coalition on Ukraine, Recorded Future, July 7, 2022.

18) 「SNSを使って真実を広める　ロシアのサイバー攻撃に反撃　ウクライナの情報戦，大臣に聞く」『朝日新聞』（2022年2月26日）。

19) Geoffey Cain「ゼレンスキー大統領，戦争とテクノロジー，ウクライナの未来について語る」WIRED（2022年7月26日）。

20) 「ロシアのサイバー攻撃，始まりは1月14

セス)。

38) Blog of mobile「ウクライナ政府, 対露制裁の一環でYandexやVKなどアクセス遮断へ」2017年5月17日掲載 <http://blogofmobile.com/article/85360>(2022年12月23日アクセス)。

39) 土屋大洋, 川口貴久編著『ハックされる民主主義』千倉書房, 2022年3月1日, 181頁。

40) Sky News, US military hackers conducting offensive operations in support of Ukraine, says head of Cyber Command, 2022年6月1日 掲載, <https://news.sky.com/story/us-military-hackers-conducting-offensive-operations-in-support-of-ukraine-says-head-of-cyber-command-12625139#>(2022.12.23 accessed.)

## 第7章 権威主義国家によるデジタル影響工作と民主主義

*本稿の一部は, 以下の拙稿を部分的に用いて改変している。川口貴久「SNS時代の戦争を左右するのは『どちらの物語が勝つか』」『文藝春秋オピニオン 2023年の論点100』(文藝春秋, 2022年11月), 72-73頁;「高まる憲法改正論議 懸念すべき外国の影響力工作」Wedge ONLINE(2022年7月14日);「ウクライナ戦争と『ナラティブ優勢』をめぐる戦い」SYNODOS(2022年5月21日);「日本も無縁ではない『民主主義のハッキング』」WEBアステイオン, Newsweek(2022年5月9日);「外国政府による選挙干渉とディスインフォメーション」, 土屋大洋, 川口貴久(編著)『ハックされる民主主義:デジタル社会の選挙干渉リスク』(千倉書房, 2022年), 13-37頁; Takahisa Kawaguchi, "Japan-Taiwan Cooperation against Disinformation in the Digital Age," in Yuki Tatsumi and Pamela Kennedy, eds., Japan-Taiwan Relations: Opportunities and Challenges (Washington, D.C.: Stimson Center, 2021), pp.32-46.

1) 本文中の定義は簡易的なものであり, 詳細はAndreas M. Kaplan and Michael Haenlein, "Users of the World, Unite! The Challenges and Opportunities of Social Media," Business Horizons, Vol.53 (February 2010), pp.59-68.

2) P・W・シンガー, エマーソン・T・ブルッキングス(小林由香利訳)『「いいね!」戦争:兵器化するソーシャルメディア』(NHK出版, 2019年);マーク・ガレッオッティ(杉田真訳)『武器化する世界:ネット, フェイクニュースから金融, 貿易, 移民まであらゆるものが武器として使われている』(原書房, 2022年)。ガレオッティの著作の原書タイトルは"The Weaponization of Everything"。

3) 各国の民主主義の「スコア」を算出・評価する団体として, 米国の国際NGO団体フリーダムハウス(https://freedomhouse.org/)やスウェーデンのヨーテボリ大学に設置されたV-Dem研究所(https://v-dem.net/)等。

4) ソーシャルメディアが政治体制に与える影響について, 政治体制(民主主義, 権威主義)と国家の能力(強い, 弱い)を軸に包括的に分析したものとして, Guy Schleffer and Benjamin Miller, The Political Effects of Social Media Platforms on Different Regime Types, Texas National Security Review, Vol.4, Issue 3 (Summer 2021), pp.77-103.

5) Francis Fukuyama, Barak Richman, and Ashish Goel, "How to Save Democracy From Technology: Ending Big Tech's Information Monopoly," Foreign Affairs, Vol.100, No.1 (January/February 2021), pp.98-110.

6) ラリー・ダイアモンド(市原麻衣子監訳)『浸食される民主主義:内部からの崩壊と専制国家の攻撃』(勁草書房, 2022年)。

7) 詳細は, 本書の「第1章 デジタル影響工作とはなにか」を参照。

一体的展開が判明　無線遮断し偽メールで誘導，火力制圧」2020年5月10日掲載 <https://www.sankei.com/article/20200510-NVNOZWK6HVONNGQYFESYLRTYLU/>（2022年12月23日アクセス）
23）Microsoft, Defending Ukraine: Early Lessons from the Cyber War, 2022年6月22日掲載 <https://blogs.microsoft.com/on-the-issues/2022/06/22/defending-ukraine-early-lessons-from-the-cyber-war/>（2022.12.23, accessed.）
24）「部分動員令」発令を機に，一部ほころびも見え始めたが，未だ70% 以上の政権支持の世論を保っている。
25）産経新聞「敵の政治指導者を翻弄――『認知戦』が始まった」2022年5月21日掲載 <https://www.sankei.com/article/20220521-MPQSZKAQVRMXXH2PVRUZQ4BERY/photo/WWUGOFEEUFIYNDGF555LHA3BNI/>（2022年12月23日アクセス）。
26）「ボットファーム」とは，ボットネットワーク（一般にサイバー攻撃者が悪意あるプログラムを使用して乗っ取った多数のゾンビコンピュータで構成されるネットワーク）の拠点のこと。
27）ウクライナ保安庁「戦争の開始以来，SBU は100,000を超える偽のアカウントを収容できる5つの敵のボットファームを排除した」2022年3月28日掲載 <https://ssu.gov.ua/novyny/z-pochatku-viiny-sbu-likviduvala-5-vorozhykh-botoferm-potuzhnistiu-ponad-100-tys-feikovykh-akauntiv>（2022年12月23日アクセス）。
28）MYTHO LABS, Investigating Twitter Disinformation in Ukraine, <https://mythoslabs.org/2022/01/04/investigating-twitter-disinformation-in-ukraine/>（2022.12.23, accessed.）
29）Mandiant, The IO Offensive: Information Operations Surrounding the Russian Invasion of Ukraine, 2022年5月19日掲載 <https://www.mandiant.com/resources/information-operations-surrounding-ukraine>（2022.12.23, accessed.）
30）Microsoft, Microsoft Digital Defense Report 2022, 2022年11月4日掲載 <https://www.microsoft.com/en-us/security/business/microsoft-digital-defense-report-2022>（2022.12.23, accessed.）
31）マイクロソフト「独裁的指導者の攻撃性の増加に伴い，国家支援型のサイバー攻撃がより大胆に」2022年11月7日掲載 <https://news.microsoft.com/ja-jp/2022/11/07/221107-microsoft-digital-defense-report-2022-ukraine/>（2022.12.08, accessed.）
32）European Centre of Excellence for countering Hybrid Threat, Addressing Hybrid Threat, <https://www.hybridcoe.fi/publications/addressing-hybrid-threats/> 2021年5月7掲載（2022.12.23, accessed.）
33）川口貴久「ウクライナ戦争と『ナラティブ優勢』をめぐる戦い」2022年5月21日掲載 <https://synodos.jp/opinion/international/28156/>（2022年12月23日アクセス）。
34）The Asahi Shinbun Globe+「ロシアとウクライナは『カインとアベル』?物議かもしたプーチン論文を分析する」2021年7月29日掲載 <https://globe.asahi.com/article/14405289>（2022年12月23日アクセス）。
35）北野幸伯『ロシア情報網で読み解くウクライナ侵攻の全貌』。
36）NHK「【演説全文】ウクライナ侵攻直前 プーチン大統領は何を語った？」2022年3月4日掲載 <https://www3.nhk.or.jp/news/html/20220304/k10013513641000.html>（2022年12月23日アクセス）。
37）NHK「EU，ロシア国営のRTと Sputnik を禁止」2022年3月2日掲載 <https://www.nhk.or.jp/bunken/research/focus/f20220501_12.html>（2022年12月23日アク

ロシア語では「政治科学」と表現している関係上，齟齬を起こさないように，本稿においては「軍事科学」を示す「科学」の訳語を「軍事学」とする。なお本講話録は西側諸国で「ゲラシモフ・ドクトリン」とも呼ばれている。

3）この項，初出，拙稿「ロシアの新たな『国家安全保障戦略』を読み解く」『廣島法学（第45巻3号）』を基に加筆修正した。

4）Совет Безопасности Российской Федерации,“Стратегия национальной безопасности Российской Федерации”, 2021年7月2日掲載 <http://www.scrf.gov.ru/security/docs/document133/>（2022.12.23, accessed.）

5）米国の「ＧＡＦＡ（Google, Amazon, Facebook, Apple の米国の大手IT企業の頭文字を並べたもの）」などの大手IT企業を念頭に置いたものと見られる。

6）この項，初出，拙著『近未来戦の核心サイバー戦――情報大国ロシアの全貌』（育鵬社，2021年10月）を基に加筆修正した。

7）内務省軍，国境警備部隊など国防省隷下のロシア連邦軍以外の武力組織を指す。

8）この項，初出，拙著共著（藤巻裕之編著）『グローバルシフトと新たな戦争の領域――第2部第3章ロシアにおけるサイバー空間の安全保障と「ハイブリッド戦」』（東海教育研究所，2022年5月）を基に加筆修正した。

9）「アラブの春」とは，2010年末ごろから中東・北アフリカ地域で本格化した反政府民衆運動のこと。1968年にチェコスロバキアで起きた民主化運動「プラハの春」にならって，「アラブの春」とよばれる。

10）「カラー革命」（または「花の革命」）とは，2000年頃から，中・東欧や中央アジアの旧共産圏諸国で民主化を掲げて起こった一連の政権交代を指す。これらの政権交代劇では，政権交代を目指す勢力が，特定の色や花を象徴として採用したため，一連の政権交代は「カラー革命」と呼ばれている。

11）本論文において，「国際間紛争」と「戦争」の用語を使用していないことからも「低烈度紛争」を想定していることを読み取ることができる。

12）ロシアは従来から「軍事ドクトリン」において，紛争・戦争の段階を烈度の低い順に「武力紛争」「局地戦争」「地域戦争」及び「大規模戦争」の4つに区分している。

13）米メディアCNNによれば，プーチン大統領は7月16日までに，国外で「対テロやほかの作戦」を遂行する軍を支えるため，政府に特別経済措置の発動を認める法案に署名した。

14）「軍事ドクトリン」の規定によれば，「軍事紛争」とは，国家間または国内の対立を，軍事力を使用して解決することの総称のことで，前述の4つの戦争・紛争の段階の総称を示す。

15）北野幸伯『ロシア情報網で読み解くウクライナ侵攻の全貌』ダイレクト社，2022年2月。

16）一田和樹『ウクライナ侵攻と情報戦』扶桑社，2022年7月。

17）北野幸伯『新現代君主論』ダイレクト出版，2022年6月。

18）「EIU（Economist Intelligence Unit）」とは，英誌エコノミスト（Economist）の調査部門のこと。

19）日本経済新聞「そして3極に割れた世界」2022年6月28日 掲載 <https://www.nikkei.com/article/DGKKZO62085120X20C22A6TCR000/>（2022年12月23日アクセス）。

20）同上。

21）この項，初出，拙著（渡部悦和，井上武共著）『プーチンの「超限戦」－その全貌と失敗の本質』（ワニプラス，2022年11月24日）を基に加筆修正した。

22）産経新聞「露軍の電子・サイバー戦の

を設立，一般社団法人セーファーインターネット協会，PRTIMES, 2022年9月28日 https://prtimes.jp/main/html/rd/p/000000002.000083307.html
15）フェイクニュース対策に向けたニュース生態系のガバナンスについては「法とコンピュータ」誌40に執筆予定である。
16）「こたつ」記事を定義する，藤代裕之，情報処理学会第85回全国大会
17）ウィキペディアの Deprecated sources https://en.wikipedia.org/wiki/Wikipedia:Deprecated_sources
18）NewsGuard https://www.newsguardtech.com/

## 第5章　デジタル影響工作に対する計算社会科学のアプローチ

1）Lazer, D. et al. Computational social science. Science 323, 721–723（2009）.
2）Ferrara, E., Varol, O., Davis, C., Menczer, F. & Flammini, A. The rise of social bots. Commun. ACM 59, 96–104（2016）.
3）Shao, C. et al. The spread of low-credibility content by social bots. Nat. Commun. 9, 4787（2018）.
4）Howard, P. N., Kollanyi, B. & Woolley, S. Bots and Automation over Twitter during the US Election.（2016）.
5）Bessi, A. & Ferrara, E. Social Bots Distort the 2016 US Presidential Election Online Discussion. First monday 21,（2016）.
6）Howard, P. N. & Kollanyi, B. Bots, #StrongerIn, and #Brexit: Computational Propaganda during the UK-EU Referendum. arXiv [cs.SI]（2016）.
7）Xu, W. & Sasahara, K. Characterizing the roles of bots on Twitter during the COVID-19 infodemic. J Comput Soc Sc 5, 591–609（2022）.
8）Botometer by OSoMe. https://botometer.osome.iu.edu/.
9）Ghasiya, P. & Sasahara, K. Rapid Sharing of Islamophobic Hate on Facebook: The Case of the Tablighi Jamaat Controversy. Social Media + Society 8, 20563051221129151（2022）.
10）Ghasiya, P. & Sasahara, K. Messaging Strategies of Ukraine and Russia on Telegram during the 2022 Russian invasion of Ukraine.（2022）doi:10.21203/rs.3.rs-2288409/v2.
11）Info Interventions. Info Interventions https://interventions.withgoogle.com/.
12）Pennycook, G. et al. Shifting attention to accuracy can reduce misinformation online. Nature 592, 590–595（2021）.
13）CREST FakeMedia. http://research.nii.ac.jp/~iechizen/crest/index.html.
14）SYNTHETIQ: Synthetic video detector（フェイク顔映像を自動判定するプログラム）. http://research.nii.ac.jp/~iechizen/synmediacenter/synthetiq/index.html.

## 第6章　ロシアによるデジタル影響工作

1）この項，初出，拙稿「ロシアが推し進める『ハイブリッド戦』の概要とその狙い」『安全保障を考える（安全保障懇話会会誌令和2年5月号）』2020年5月1日掲載 <http://www.anpokon.or.jp/pdf/kaishi_780.pdf>（2022年12月23日アクセス）を基に加筆修正した。
2）Герасимов, Валерий Васильевич, "Ценность науки в предвидении - Новые вызовы требуют переосмыслить формы и способы ведения боевых действий", 2013年2月26日掲載 <https://www.vpk-news.ru/articles/14632>（2022年12月23日アクセス）。原題の直訳は「先見の明における科学の価値」であるが，ここで言う「科学」とは，本文によると，自然科学を意味するのではなく「軍事科学（兵学）」を意味している。ただし，日本語では「政治学」と表現する学問を

have published Middle East hot takes from "experts" who are actually fake personas pushing propaganda.)」, デイリー・ビースト（Daily Beast）, 2020年7月6日, https://www.thedailybeast.com/right-wing-media-outlets-duped-by-a-middle-east-propaganda-campaign

35)「人工合成メディア：AI が生成した人物がいかにディスインフォメーションを拡散しているか（Synthetic media: How AI-generated characters spread disinformation）」, ビッグ・シンク（Big Think）, 2022年4月22日, https://bigthink.com/the-present/synthetic-media-deepfake/

36)「悪意のある行為者は, まず間違いなく, 合成コンテンツをサイバー分野や海外の影響力工作に活用する（Malicious Actors Almost Certainly Will Leverage Synthetic Content for Cyber and Foreign Influence Operations）」, FBI サイバー捜査部門・産業向け警告文書, 2021年3月10日, https://www.aha.org/system/files/media/file/2021/03/fbi-tlp-white-pin-malicious-actors-almost-certainly-will-leverage-synthetic-content-for-cyber-and-foreign-influence-operations-3-10-21.pdf

37) たとえば,「偽動画, 東京大学は検出精度9割　米メタも封じ込め急ぐ」, 日本経済新聞, 2022年6月6日, https://www.nikkei.com/article/DGXZQOUC232VF0T20C22A5000000/を参照

38)「インテル, 96%の精度でディープフェイクを検出する新技術『FakeCatcher』」, CNET Japan, 2022年11月18日, https://japan.cnet.com/article/35196274/

### 第4章　日本のニュース生態系と影響工作

1) ソーシャルメディア論・改訂版 つながりを再設計する, 藤代裕之（編）, 青弓社, 2019年2月27日

2) フェイクニュースの生態系, 藤代裕之（編）, 青弓社, 2021年9月7日

3) Meet the KGB Spies Who Invented Fake News | NYT Opinion https://www.nytimes.com/video/opinion/100000006210828/russia-disinformation-fake-news.html 2018年11月12日

4) ロシアのプロパガンダに加担するスポーツ紙の「こたつ記事」, 藤代裕之, ヤフーニュース個人, 2022年3月14日, https://news.yahoo.co.jp/byline/fujisiro/20220314-00286326

5) 欧州民主主義国家を襲うフェイクニュースの脅威, 外交 vol.54, 藤代裕之, 外務省, 2019年

6) Digital News Report 2022　Reuters Institute for the Study of Journalism https://reutersinstitute.politics.ox.ac.uk/sites/default/files/2022-06/Digital_News-Report_2022.pdf

7) フェイクニュース生成過程におけるミドルメディアの役割2017年衆議院選挙を事例として, 藤代裕之, 情報通信学会誌 /37 巻（2019）2 号 / 書誌 p. 93-99

8) MediaTimes「こたつ記事」謝罪・訂正続々, 朝日新聞朝刊, 2020年12月19日

9) 2010年12月9日 https://twitter.com/rokuzouhonda/status/12747313592147968

10) 間メディア社会の「ジャーナリズム」: ソーシャルメディアは公共性を変えるか, 遠藤薫編, 誰もがジャーナリストになる時代, 藤代裕之, 東京電機大学出版局, 2014年

11)「こたつ」記事を健康分野で拡大して問題となったのが大手ネット企業 DeNA による医療健康サイト「ウェルク（WELQ）」問題である

12) ニュース汚染の元凶,「こたつ記事」を撲滅せよ, 藤代裕之, Journalism（380）, 2022年1月

13) Yahoo! ニュースにおける「こたつ記事」の特徴分析, 合田優希・藤代裕之, 情報通信学会第47回学会大会

14) SIA,「日本ファクトチェックセンター」

2022年2月27日, https://apnews.com/article/russia-ukraine-technology-europe-media-nationalism-2186dbc533560cb666f59655ecf1ee8e
21)「TikTokはウクライナ戦争の暴力と誤報に支配されている(TikTok Ukraine War Videos Raise Questions About Spread of Misinformation)」, New York Times, 2022年3月5日, https://www.nytimes.com/2022/03/05/technology/tiktok-ukraine-misinformation.html
22)「Telegram, 有料サブスク『Premium』を追加 -- 月間ユーザーは7億人に」, CNET Japan, 2022年06月21日, https://japan.cnet.com/article/35189218/
23)「ロシアのメディア弾圧で盛り上がるTelegram(Telegram Thrives Amid Russia's Media Crackdown)」, ウォール・ストリート・ジャーナル(Wall Street Journal), 2022年3月18日, https://www.wsj.com/articles/telegram-thrives-amid-russias-media-crackdown-11647595800
24)「ウクライナ侵攻でゼレンスキー大統領がしかける『情報戦』ロシアの三つの分断にくさび」, Globe +, 2022年3月7日, https://globe.asahi.com/article/14564955
25)「ロシアの偽情報が蔓延する中, なぜテレグラムはウクライナ人の御用達アプリになったのか?(Why Telegram became the go-to app for Ukrainians – despite being rife with Russian disinformation)」, ジ・カンバセーション(The Conversation), 2022年3月24日, https://theconversation.com/why-telegram-became-the-go-to-app-for-ukrainians-despite-being-rife-with-russian-disinformation-179560
26)「ウクライナ人捕虜を切断・処刑した『顔のない殺人者たち』を追え(Tracking the Faceless Killers who Mutilated and Executed a Ukrainian POW)」, ベリングキャット調査チーム(Bellingcat Investigation Team), 2022年8月5日, https://www.bellingcat.com/news/2022/08/05/tracking-the-faceless-killers-who-mutilated-and-executed-a-ukrainian-pow/
27)「ウクライナ大統領『首都にとどまる』, ロシアは進軍」, ロイター・ジャパン, 2022年2月25日, https://jp.reuters.com/article/ukraine-crisis-idJPKBN2KU096
28)「ゼレンスキーがキエフを去ったかのようなディスインフォメーション(Disinformation As If Zelenskyy Left Kyiv)」, ミス・ディテクター(Myth Detector), 2022年10月11日, https://mythdetector.ge/en/disinformation-as-if-zelenskyy-left-kyiv/
29)「ジェネレーティブAIとは?―『次世代のAI』に期待されていること―」, 産総研マガジン, 2022年10月26日, https://www.aist.go.jp/aist_j/magazine/20221026.html
30) rinna株式会社が試験的に提供している「りんな@ AI画家」サービスに,「真っ黒な熊が東京の街角で並んでダンスを踊る。」とリクエストして生成された画像。Twitter経由でやり取りする
31)「Gartner, 2022年の戦略的テクノロジのトップ・トレンドを発表」, ガートナージャパン, 2021年11月17日, https://www.gartner.co.jp/ja/newsroom/press-releases/pr-20211117
32)『ディープフェイク ニセ情報の拡散者たち』, ニーナ・シック, 日経ナショナル ジオグラフィック, 2021年9月17日
33) ITmedia NEWS「静岡県の水害巡りフェイク画像が拡散　画像生成AIを利用 投稿者はデマと認めるも『ざまあw』と開き直り」, ITmedia NEWS, 2022年09月26日, https://www.itmedia.co.jp/news/articles/2209/26/news180.html
34)「(Newsmax や Washington Examiner などの) 保守系サイトが, プロパガンダを発信する『専門家』を装う実際にはニセの人格による中東をめぐるホットな議論を掲載してしまった(Conservative sites like Newsmax and Washington Examiner

務所, 2016年09月16日, https://www.scgr.co.jp/report/column/2016091619582/
3)『フェイスブックの失墜』, シーラ・フレンケルおよびセシリア・カン著, 早川書房, 2022年3月3日
4) プリゴジン氏については,『ハイブリッド戦争 ロシアの新しい国家戦略』, 廣瀬陽子, 講談社, 2021年3月1日 の「プロローグ」などに詳しい
5)「米, ロシア情報工作組織IRA関連の個人・団体に制裁」, ロイター・ジャパン, 2020年9月24日, https://jp.reuters.com/article/usa-russia-sanctions-idJPKCN26E2XV
6)「ロシア大統領に近い実業家プリゴジン氏, 米選挙への介入認める」, AFPBB News, 2022年11月7日, https://www.afpbb.com/articles/-/3432695
7)「ロシア, 仏『黄色いベスト』運動でも暗躍か ツイッターで偽情報拡散の疑い」, AFPBB News, 2018年12月10日, https://www.afpbb.com/articles/-/3201257
8)「ソーシャルメディアは政治・社会の分断を加速しているか?〜アメリカにおけるフェイクニュース現象を手がかりに〜」, 清原聖子,「国際問題 No.683」, 2019年7月・8月, https://www2.jiia.or.jp/kokusaimondai_archive/2010/2019-07_003.pdf
9)「ブライトバート」(Breitbart News Network):https://www.breitbart.com/
10)「インフォウォーズ」(InforWars):https://www.infowars.com/
11)「陰謀論者ジョーンズ氏のインフォウォーズ, 破産法適用申請−訴訟響く」, ブルームバーグ, 2022年4月18日, https://www.bloomberg.co.jp/news/articles/2022-04-18/RAIT1ET0AFB401
12)「【啓発教育教材】インターネットとの向き合い方〜ニセ・誤情報に騙されないために〜」, 総務省情報流通行政局 情報流通振興課, 2022年6月17日, https://www.soumu.go.jp/use_the_internet_wisely/special/nisegojouhou/
13)「マスク氏, ツイッターでトランプ氏のアカウント凍結を解除」, BBCニュース, 2022年11月20日, https://www.bbc.com/japanese/63692446
14)「ニュース・情報環境におけるオルトSNSの役割(The Role of Alternative Social Media in the News and Information Environment)」, Galen Stocking ら, ピュー・リサーチ・センター, 2022年10月6日, https://www.pewresearch.org/journalism/2022/10/06/the-role-of-alternative-social-media-in-the-news-and-information-environment/
15)「TikTok の MAU が10億人超え」, ITmedia NEWS, 2021年09月28日, https://www.itmedia.co.jp/news/articles/2109/28/news076.html
16)「TikTok は中国の監視手段, 米上院議員が超党派で相次いで警告」, ブルームバーグ, 2022年11月21日, https://www.bloomberg.co.jp/news/articles/2022-11-21/RLO8BKDWX2PS01
17)「TikTok で話題となったトム・クルーズのディープフェイク動画, 制作者が事情を語る」, CNET Japan, 2021年03月08日, https://japan.cnet.com/article/35167468/
18)「誤報モニター 2022年9月(Misinformation Monitor: September 2022)」, NewsGuard Technologies, 2022年9月, https://www.newsguardtech.com/misinformation-monitor/september-2022/
19)「ソーシャルメディア操作2020(Social Media Manipulation 2020)」, NATO 戦略コミュニケーション・センター・オブ・エクセレンス(NATO StratCom COE), 2020年12月21日, https://stratcomcoe.org/cuploads/pfiles/social_media_manipulation_2020_stratcom_coe_21-12-2020_v2-1.pdf
20)「TikTok による戦争:ロシアの新たなプロパガンダマシーン(War via TikTok: Russia's new tool for propaganda machine)」, AP,

2018
16) 樋口直人，永吉希久子，松谷満，倉橋耕平，シェーファー・ファビアン，山口智美，ネット右翼とは何か，青弓社，2019
17) Matthews, Miriam, Alyssa Demus, Elina Treyger, Marek N. Posard, Hilary Reininger, and Christopher Paul, Understanding and Defending Against Russia's Malign and Subversive Information Efforts in Europe, Santa Monica, Calif.: RAND Corporation, RR-3160-EUCOM, 2021
18) Pascal Brangetto and Matthijs A. Veenendaal, Influence Cyber Operations: The Use of Cyberattacks in Support of Influence Operations, In 2016 8th International Conference on Cyber Conflict（CyCon）, pages 113–126, 2016
19) Tuğrulcan Elmas, Rebekah Overdorf, Ahmed Özkalay, and Karl Aberer, "Ephemeral Astroturfing Attacks: The Case of Fake Twitter Trends," in 2021 IEEE European Symposium on Security and Privacy（EuroS&P）, Vienna, Austria, 2021 pp. 403-422
20) Gregory Eady, Jonathan Nagler1, Andy Guess, Jan Zilinsky, and Joshua A. Tucker, How Many People Live in Political Bubbles on Social Media? Evidence From Linked Survey and Twitter Data
21) 嶋田里聖，田畑唯斗，利光能直，菊田翼，田中絵麻，齋藤孝道，"Twitter 上における大規模な情報拡散事例の分析とその考察"，研究報告コンピュータセキュリティ（CSEC），2021（4），1-8.
22) 焦点 第282号 - 平成24年回顧と展望――「原子力発電所をめぐる警備情勢」，警察庁，2012
23) 再始動したマルウェア - ウクライナの電力インフラ等を狙う Industroyer2 の手口，BlackBerry ブログ，2022，https://blogs.blackberry.com/ja/jp/2022/06/threat-thursday-malware-rebooted-how-industroyer2-takes-aim-at-ukraine-infrastructure
24) 何清漣，中国の大プロパガンダ――各国に親中派がはびこる〝仕組み〟とは？，扶桑社新書，2022
25) ディビッド・サンプター，アルゴリズムはどれほど人を支配しているのか? 数学者が検証! あなたを分析し，操作するブラックボックスの真実，光文社，2019
26) Beskow, David M., and Kathleen M. Carley, Characterization and Comparison of Russian and Chinese Disinformation Campaigns, In Disinformation, Misinformation, and Fake News in Social Media, edited by Kai Shu, Suhang Wang, Dongwon Lee and Huan Liu, 63–81. Cham: Springer.
27) 高木徹，ドキュメント 戦争広告代理店 情報操作とボスニア紛争，講談社文庫，2005
28) 藤代裕之，フェイクニュースの生態系，青弓社，2021
29) Robert M Bond, Christopher J Fariss, Jason J Jones, Adam D I Kramer, Cameron Marlow, Jaime E Settle, and James H Fowler. A 61-million-person experiment in social influence and political mobilization. Nature 489, 295–298（2012）.
30) 齋藤孝道，情報戦における世論誘導工作の片鱗――サイバーインフルエンスオペレーションと国内での概況――，防衛技術ジャーナル，43（1）:6-14, 2023.

## 第3章　世界のメディアの変容

1) ファクトチェックイニシアティブ・ジャパン（FactCheck Initiative Japan）: 特定非営利活動法人ファクトチェック・イニシアティブ（通称：ＦＩＪ），https://fij.info/about/outline
2)「大統領選に見るソーシャルメディア～影響力はポスト・オバマ政権下でも～」，渡辺亮司，米州住友商事会社ワシントン事あり，どのような主張にもネットで探せば一見「科学的，論理的」な根拠を見つけることができる．極論すると，どのようなメディアも信頼できない過去があり，どのような極論にも信憑性があるように見える根拠があるのだ．

The Fact-Check Industry, Colombia journalism Review, 2019年秋，https://www.cjr.org/special_report/fact-check-industry-twitter.php

How 'fact-checking' can be used as censorship, Financial Times, 2021年2月18日，https://www.ft.com/content/69e43380-dd6d-4240-b5e1-47fc1f2f0bdc

ファクトチェックは誰のため? 政府とSNSプラットフォームのためだ，一田和樹，一田和樹 note, 2021年8月25日，https://note.com/ichi_twnovel/n/nd12328309fe0?magazine_key=m0155e2be84c8

THE PROMISES, CHALLENGES, AND FUTURES OF MEDIA LITERACY, 2018年2月21日，DATA AND SOCIETY, https://datasociety.net/library/the-promises-challenges-and-futures-of-media-literacy/

You Think You Want Media Literacy… Do You?, danah boyd, 2018年3月9日，https://points.datasociety.net/you-think-you-want-media-literacy-do-you-7cad6af18ec2

フェイクニュース対策としてのメディア・リテラシーの危険性 データ&ソサイエティ研究所創始者&代表のdanah boyd氏のスピーチ「You Think You Want Media Literacy… Do You?」の紹介，一田和樹，一田和樹 note, 2021年6月20日，https://note.com/ichi_twnovel/n/n91c01ed094ae

## 第2章　デジタル影響工作のプレイブック

1) デービッド・サンガー，世界の覇権が一気に変わる サイバー完全兵器，朝日新聞出版，2019

2) Koichiro Takagi. New tech, new concepts: China's plans for ai and cognitive warfare. War on the Rocks, 2022

3) アンティ・ヴァサラ，ロシアの情報兵器としての反射統制の理論―現代のロシア戦略の枠組みにおける原点，進化および適用，五月書房新社，2022

4) Diego A. Martin, Jacob N. Shapiro, and Michelle Nedashkovskaya, Recent trends in online foreign influence efforts, Journal of Information Warfare, 18（3）:15–48, 2019

5) Arild Bergh, Understanding Influence Operations in Social Media: A Cyber Kill Chain Approach, Journal of Information Warfare（2020）19.4: 110-131

6) ブリタニー・カイザー，「告発」，ハーパーコリンズ・ジャパン刊，2019

7) The Landscape of Hybrid Threats: A Conceptual Model, Publications Office of the European Union, 2021

8) 一田和樹，フェイクニュース　新しい戦略的戦争兵器，角川新書

9) 黒野耐，「戦争学」概論，講談社，2016

10) 西田亮介，メディアと自民党，角川新書，2015

11) Salim Hussaini and Travis Morris The taliban's information war: The tactical use of frames. Journal of Information Warfare, 19（4）:89–109, 2020

12) P・W・シンガー，エマーソン・T・ブルッキング，「いいね!」戦争 兵器化するソーシャルメディア，NHK出版，2019

13) Nathan Beauchamp-Mustafaga, Michael S. Chase, Borrowing a Boat Out to Sea: The Chinese Military's Use of Social Media for Influence Operations, 2019

14) Thomas Rid, Active Measures: The Secret History of Disinformation and Political Warfare, Profile Books Ltd., 2021

15) Samantha Bradshaw, Phil Howard, Why Does Junk News Spread So Quickly Across Social Media? Algorithms, Advertising and Exposure in Public Life, Knight Foundation,

34）Deepfakes, social media, and the 2020 election, 2019年6月3日，ブルッキングズ研究所，https://www.brookings.edu/blog/techtank/2019/06/03/deepfakes-social-media-and-the-2020-election/

35）月額30ドルのAI動画生成サービスを親中派のデジタル影響工作グループが利用していたことが暴露されている．

Deepfake It Till You Make It, グラフィカ，2023年2月7日，https://graphika.com/reports/deepfake-it-till-you-make-it

The People Onscreen Are Fake. The Disinformation Is Real, ニューヨーク・タイムズ，2023年2月7日，https://www.nytimes.com/2023/02/07/technology/artificial-intelligence-training-deepfake.html

36）ニュース忌避や信頼性の低下（あるいは信頼性より利便性を優先）の傾向について

日本に関しては　アフターソーシャルメディア　多すぎる情報といかに付き合うか，藤代裕之他，日経BP, 2020年6月25日

世界的な傾向についてはReuters Institute for the Study of Journalismの毎年の調査 Reuters Institute Digital News Report 2022, Reuters Institute for the Study of Journalism, 2022年6月，https://reutersinstitute.politics.ox.ac.uk/digital-news-report/2022

アメリカに関しては，Pew Research Centerの例年の調査．ここにあげたよりも以前の調査から同様の傾向があった．2021年1月以降に公開された調査では信頼性に関する項目がなくなっている．

News Use Across Social Media Platforms in 2020, Pew Research Center, 2021年1月12日，https://www.pewresearch.org/journalism/2021/01/12/news-use-across-social-media-platforms-in-2020/

他に世論調査のギャラップとナイト財団が共同でおこなった調査もある．

American Views 2020: Trust, Media and Democracy A Deepening Divide,　ギャラップとナイト財団，2020年11月9日，https://knightfoundation.org/wp-content/uploads/2020/08/American-Views-2020-Trust-Media-and-Democracy.pdf

37）世界でもっとも多い統治形態は民主主義の理念を掲げる独裁国家だった，一田和樹，一田和樹note, 2021年03月23日，https://www.newsweekjapan.jp/ichida/2021/03/post-22.php

オードリー・タン民主主義が語るデジタル民主主義，大野和基，NHK出版新書，2022年2月10日

オードリー・タン　デジタル影響工作対策としてのデジタル民主主義，一田和樹，一田和樹note, https://note.com/ichi_twnovel/n/ncbe98fbaa1cd

民主主義のゼロデイ脆弱性，一田和樹，一田和樹note, 2021年3月28日，https://note.com/ichi_twnovel/n/nf71c13da5efe

多数決を疑う——社会的選択理論とは何か，坂井豊貴，岩波新書，2015年4月22日

台湾やアメリカの一部の州では合理的な投票方式採用の動きが出ており，改善されるきざしはある．

38）ファクトチェック団体の多くはデジタル影響工作の温床となっているSNSプラットフォームから資金提供を受けているため，デジタル影響工作産業の一部となっている．「政府やテクノロジープラットフォームの関心が，この分野を偽情報に焦点を当てるように後押ししていることは否定できない．社会的使命と手法の両方について多くの疑問がある」という指摘もある．

また，さまざまなファクトチェック団体が乱立し，偽情報などを発信するサイトまでもそこに紛れ込むようになっている．ファクトチェックは必要だが，デジタル影響工作に対する防御の効果は低い．

情報リテラシーは必要だが，複数のメディアを確認したり，疑いを持つことがバックファイアにつながることもあるので注意が必要だ．どのようなメディアにも誤報を流した過去が

n8c7b76d3e3b1
29）Trafficking Data: How China Is Winning the Battle for Digital Sovereignty, Aynne Kokas, Oxford University Press, 2022年11月1日
アメリカに対する中国のデータ優位性を莫大な事例から分析した『Trafficking Data』，一田和樹 note, 2022年11月14日，https://note.com/ichi_twnovel/n/n968ce23c47b0
米国成人のほぼ100%の個人データは中国共産党の手中にある，2022年2月22日，https://tokiocyberport.tokiomarine-nichido.co.jp/cybersecurity/s/column-detail102
30）DEMOCRACY REPORT 2022 Autocratization Changing Nature?, V-Dem, https://v-dem.net/democracy_reports.html
2極化し暴力化する世界　V-Dem2022レポートの衝撃，一田和樹 note, 2022年3月12日，https://note.com/ichi_twnovel/n/n36e987252529
Democracy Index 2021: the China challenge, Economist Intelligence Unite, 2022年2月，https://www.eiu.com/n/campaigns/democracy-index-2021/
昨年の合衆国議会議事堂暴動を生んだ暴力のエコシステム「Parler and the Road to the Capitol Attack」，一田和樹 note, 2022年4月6日，https://note.com/ichi_twnovel/n/nc27a142b81e3
悪化する民主主義指数が示す世界の現在，一田和樹 note, 2022年2月28日，https://note.com/ichi_twnovel/n/n5978a1ad36b4
31）The Persistence of QAnon in the Post-Trump Era: An Analysis of Who Believes the Conspiracies, PRRI, 2022年2月24日，https://www.prri.org/research/the-persistence-of-qanon-in-the-post-trump-era-an-analysis-of-who-believes-the-conspiracies/
ロシアが情報戦で負けたという誤解，一田和樹，ニューズウィーク日本版，2022年7月6日，https://www.newsweekjapan.jp/ichida/2022/07/post-37.php
32）Guide to the Analysis of Insurgency [2012], CIA, 2012年，https://www.hsdl.org/?abstract&did=713599
内戦が起きた場合，決着まで平均10年以上かかる，一田和樹 note, 2022年8月22日，https://note.com/ichi_twnovel/n/n6aefedf15948
33）「GPT-3」ボットが人気掲示板に大量書き込み，1週間見破られず，ハーバードビジネスレビュー，2020年3月10日，https://www.technologyreview.jp/s/221703/a-gpt-3-bot-posted-comments-on-reddit-for-a-week-and-no-one-noticed/
To See the Future of Disinformation, You Build Robo-Trolls, wired, 2019年11月19日，https://www.wired.com/story/to-see-the-future-of-disinformation-you-build-robo-trolls/
Artificial Intelligence, Deepfakes, and Disinformation, ランド研究所，2022年，https://www.rand.org/pubs/perspectives/PEA1043-1.html
THE RADICALIZATION RISKS OF GPT-3 AND ADVANCED NEURAL LANGUAGE MODELS, モントレー国際大学院，2020年9月9日，https://www.middlebury.edu/institute/sites/www.middlebury.edu.institute/files/2020-09/gpt3-article.pdf
Can Artificial Intelligence Reprogram the Newsroom?, テキサス大学オースティン校メディア・エンゲージメント・センター，2020年4月27日，https://mediaengagement.org/research/can-artificial-intelligence-reprogram-the-newsroom/　＊このレポートはデジタル影響工作ではなく，AIによる記事の生成に関するものだが，そのままデジタル影響工作用文章の生成にもあてはまる．AIによる記事の生成はメディア界で進んでいるが，たまにとんでもない間違いをするのと，倫理的な問題のある場合があるので人間のチェックが不可欠としている．

series-ad-funded-disinformation-corporate-responsibility-and-policy-solutions-week-4/
Ukraine Conflict Series: ad-funded disinformation, corporate responsibility and policy solutions (Report 5), GLOBAL DISINFORMATION INDEX, 2022年5月25日, https://www.disinformationindex.org/disinfo-ads/2022-05-25-ukraine-conflict-series-ad-funded-disinformation-corporate-responsibility-and-policy-solutions-report-5/
GDI Primer: The U.S. (Dis)Information Ecosystem, GLOBAL DISINFORMATION INDEX, 2020年10月, https://www.disinformationindex.org/research/2020-3-1-gdi-primer-the-us-disinformation-ecosystem/
コロナ禍によって拡大した，デマ・陰謀論コンテンツ市場，一田和樹，ニューズウィーク日本版，2021年06月25日，https://www.newsweekjapan.jp/ichida/2021/06/post-25.php
グーグルが広告料金で支援する陰謀論や差別主義者サイトとアメリカのメディアエコシステム，一田和樹 note, 2022年4月2日，https://note.com/ichi_twnovel/n/n197db671b2a6
ウクライナ侵攻と情報戦（76ページ），一田和樹，扶桑社新書，2022年7月1日

27）人間の心身に影響を与える可能性のあるものの提供には一定の検査や基準が設けられているのが通常だ．食糧，飲料水，薬品，自動車，一部の家具などがそうだ．しかし，オンラインサービスは人間の心身に影響を与える可能性が指摘されているにもかかわらず，サービスやアルゴリズムの検査や基準はまったくない．通常は心身に影響を与える可能性がある場合は，臨床試験や特別な管理方法などを求められる．オンラインサービスについては，これらなしで会社の判断ですぐにリリースできる．これは一例だが，イアン・ブレマーはこうした問題を指摘している．
The Technopolar Moment How Digital Powers Will Reshape the Global Order, Ian Bremmer, Foreign Affairs, 2021年11月／12月号，https://www.foreignaffairs.com/articles/world/2021-10-19/ian-bremmer-big-tech-global-order
TOP RISKS 2022, ユーラシア・グループ，https://www.eurasiagroup.net/siteFiles/Media/files/EurasiaGroup_TopRisks2022_Japanese.pdf
The Geopolitics of the Metaverse, ユーラシア・グループ，2021年12月，https://www.eurasiagroup.net/live-post/the-geopolitics-of-the-metaverse

28）Taking Action Against the Surveillance-For-Hire Industry, Meta, 2021年12月16日，https://about.fb.com/news/2021/12/taking-action-against-surveillance-for-hire/
Spyware and surveillance-for-hire industry 'growing globally': report, The Record, 2022年12月15日，https://therecord.media/spyware-and-surveillance-for-hire-industry-growing-globally-report/
Threat Report on the Surveillance-for-Hire Industry, Meta, 2022年12月12月16日，https://about.fb.com/wp-content/uploads/2021/12/Threat-Report-on-the-Surveillance-for-Hire-Industry.pdf
Israel blocked Ukraine from getting potent Pegasus spyware, Washington Post, 2022年3月23日，https://www.washingtonpost.com/technology/2022/03/23/urkraine-spyware-pegasus-russia/
Israel, Fearing Russian Reaction, Blocked Spyware for Ukraine and Estonia, New York Times, 2022年3月23日，https://www.nytimes.com/2022/03/23/us/politics/pegasus-israel-ukraine-russia.htmlMeta のレポートからわかる外交兵器としてのサイバー兵器，一田和樹 note, 2022年12月25日，https://note.com/ichi_twnovel/n/

gmfus.org/triad-of-disinformation-how-russia-iran-china-ally-in-a-messaging-war-against-america/
ウクライナ侵攻と情報戦（140ページ），一田和樹，扶桑社新書，2022年7月1日
25）3 striking findings from the Facebook Papers investigation, The Washington Post, 2021年10月25日，https://www.washingtonpost.com/politics/2021/10/25/3-striking-findings-facebook-papers-investigation/
Facebook Isn't Telling You How Popular Right-Wing Content Is on the Platform, TheMarkup, 2021年11月18日，https://themarkup.org/citizen-browser/2021/11/18/facebook-isnt-telling-you-how-popular-right-wing-content-is-on-the-platform
Biden and Trump Voters Were Exposed to Radically Different Coverage of the Capitol Riot on Facebook, The Markup, 2021年1月14日，https://themarkup.org/citizen-browser/2021/01/14/biden-and-trump-voters-were-exposed-to-radically-different-coverage-of-the-capitol-riot-on-facebook
内部告発で暴露されたフェイスブックの管理と責任能力の欠如，一田和樹，ニューズウィーク日本版，2022年01月14日，https://www.newsweekjapan.jp/ichida/2022/01/post-33.php
The Markup のフェイスブック監視アプリ Citizen Browser が暴いた実態，一田和樹 note, 2022年1月7日，https://note.com/ichi_twnovel/n/n41d3498bcf0d
26）How Google's Ad Business Funds Disinformation Around the World, ProPublica2022年10月29日，https://www.propublica.org/article/google-alphabet-ads-fund-disinformation-covid-elections
Getting to the Source of Infodemics: It's the Business Model, Nathalie Maréchal, Rebecca MacKinnon, Jessica Dheere, NEW AMERICA, 2020年5月27日，https://www.newamerica.org/oti/reports/getting-to-the-source-of-infodemics-its-the-business-model/
Profiting from the Pandemic Moderating COVID-19 Lockdown Protest, Scam, and Health Disinformation Websites, Yung Au, Philip N. Howard, Project Ainita, オクスフォード大学，2020年12月2日，https://demtech.oii.ox.ac.uk/research/posts/profiting-from-the-pandemic/
Ad Funded Disinformation on Conflict in Ukraine: Ad tech Companies, Brands and Policy, GLOBAL DISINFORMATION INDEX, 2022年3月1日，https://www.disinformationindex.org/disinfo-ads/2022-04-01-ad-funded-disinformation-on-conflict-in-ukraine-ad-tech-companies-brands-and-policy/
Ad Funded Disinformation on the Russia-Ukraine Conflict: Ad Tech Companies, Brands and Policy, GLOBAL DISINFORMATION INDEX, 2022年3月24日，https://www.disinformationindex.org/disinfo-ads/2022-04-01-ad-funded-disinformation-on-the-russia-ukraine-conflict-ad-tech-companies-brands-and-policy/
Ad-Funded Disinformation on the Ukraine Conflict: Ad tech companies, affected brands, policy solutions (Week 3), GLOBAL DISINFORMATION INDEX, 2022年4月11日，https://www.disinformationindex.org/disinfo-ads/2022-04-11-ad-funded-disinformation-on-the-ukraine-conflict-ad-tech-companies-affected-brands-policy-solutions-week-3/
Ukraine Conflict Series: ad-funded disinformation, corporate responsibility and policy solutions (Week 4), GLOBAL DISINFORMATION INDEX, 2022年4月28日，https://www.disinformationindex.org/disinfo-ads/2022-04-28-ukraine-conflict-

PARLIAMENT, THE COUNCIL, THE EUROPEAN ECONOMIC AND SOCIAL COMMITTEE AND THE COMMITTEE OF THE REGIONS On the European democracy action plan, EUROPEAN COMMISSION, 2020年3月12日, https://ec.europa.eu/info/law/better-regulation/have-your-say/initiatives/12506-European-Democracy-Action-Plan

Linking Values and Strategy: How Democracies Can Offset Autocratic Advances, Alliance for Securing Democracy, 2020年10月, https://securingdemocracy.gmfus.org/linking-values-and-strategy/

民主主義の現在 EUの民主主義行動計画 European Democracy Action Plan, 一田和樹 note, 2020年12月18日, https://note.com/ichi_twnovel/n/n79cf8cddfc2f

The Rise of Strategic Corruption, Foreign Affairs, 2020年7/8月号, https://www.foreignaffairs.com/articles/united-states/2020-06-09/rise-strategic-corruption

Forget the G-7, Build the D-10, Foreign Policy, 2020年6月10日, https://foreignpolicy.com/2020/06/10/g7-d10-democracy-trump-europe/

How Should Democracies Confront China's Digital Rise? Weighing the Merits of a T-10 Alliance, Council on Foreign Relations, 2020年11月30日, https://www.cfr.org/blog/how-should-democracies-confront-chinas-digital-rise-weighing-merits-t-10-alliance

Boris Johnson to visit India in January in bid to transform G7, The Guardian, 2020年12月15日, https://www.theguardian.com/world/2020/dec/15/boris-johnson-to-visit-india-in-january-in-bid-to-transform-g7

Freedom in the World 2020: A Leaderless Struggle for Democracy, Freedom House, 2020年2月, https://freedomhouse.org/sites/default/files/2020-03/FINAL_FIW_2020_Abridged.pdf

Addressing the Effect of COVID-19 on Democracy in South and Southeast Asia, Council on Foreign Relations, 2020年11月, https://www.cfr.org/report/addressing-effect-covid-19-democracy-south-and-southeast-asia

民主主義の危機とはなにか?, 一田和樹, ニューズウィーク日本版, 2021年01月02日, https://www.newsweekjapan.jp/ichida/2021/01/post-16.php

22）危機の地政学 感染爆発, 気候変動, テクノロジーの脅威, イアン・ブレマー, 日経経済新聞出版, 2022年10月4日

23）WCIT 2012 の結果について, 日本ネットワークインフォメーションセンター（JPNIC）, ドメイン名を中心としたインターネットポリシーレポート 2013 年 1 月号, https://www.nic.ad.jp/ja/in-policy/policy-report-201301.pdf

24）Briefing: China, Iran, and Russia State Accounts on U.S. Protests, GRAPHIKA, 2020年6月3日, https://graphika.com/posts/briefing-china-iran-and-russia-state-accounts-on-u-s-protests/

Russia, China, Iran exploit George Floyd protests in U.S., 2020年6月4日, https://medium.com/dfrlab/russia-china-iran-exploit-george-floyd-protests-in-u-s-6d2a5e56c7b9

U.S. Warns Russia, China and Iran Are Trying to Interfere in the Election. Democrats Say It's Far Worse, The New York Times, 2020年7月24日, https://www.nytimes.com/2020/07/24/us/politics/election-interference-russia-china-iran.html

中国, ロシア, イランが米国批判の情報戦で連携プレー, 黒井文太郎, JBpress, 2020年6月11日, https://jbpress.ismedia.jp/articles/-/60866

Triad of Disinformation: How Russia, Iran, & China Ally in a Messaging War against America, Alliance for Securing Democracy, 2020年5月15日, https://securingdemocracy.

18) DOCUMENTS REVEAL ADVANCED AI TOOLS GOOGLE IS SELLING TO ISRAEL, The Intercept_, 2022年7月24日 , https://theintercept.com/2022/07/24/google-israel-artificial-intelligence-project-nimbus/
GOOGLE PLANS TO LAUNCH CENSORED SEARCH ENGINE IN CHINA, LEAKED DOCUMENTS REVEAL, The Intercept_, 2018年8月1日 , https://theintercept.com/2018/08/01/google-china-search-engine-censorship/
GOOGLE CHINA PROTOTYPE LINKS SEARCHES TO PHONE NUMBERS, The Intercept_, 2018年9月14日 , https://theintercept.com/2018/09/14/google-china-prototype-links-searches-to-phone-numbers/
Google Allowed a Sanctioned Russian Ad Company to Harvest User Data for Months, ProPublica, 2022年7月1日 , https://www.propublica.org/article/google-russia-rutarget-sberbank-sanctions-ukraine
ウクライナ侵攻と情報戦（76ページ）, 一田和樹 , 扶桑社新書 , 2022年7月1日
内部告発で暴露されたフェイスブックの管理と責任能力の欠如 , 一田和樹 , ニューズウィーク日本版 , 2022年01月14日 , https://www.newsweekjapan.jp/ichida/2022/01/post-33.php
コロナ禍によって拡大した , デマ・陰謀論コンテンツ市場 , 一田和樹 , ニューズウィーク日本版 , 2021年06月25日 , https://www.newsweekjapan.jp/ichida/2021/06/post-25.php
フェイスブックはエセ科学に騙されやすい人を狙い撃ちして広告を表示し , グーグルはフェイクへ誘導する広告を配信し , ツイッターはフェイク認定で分断を煽っていた , 一田和樹 note, 2021年8月28日 , https://note.com/ichi_twnovel/n/nbd582392b864
プロジェクト・ドラゴンフライ　グーグルが中国に提供しようとしていた検閲機能つきサーチエンジン , 一田和樹 note, 2022年9月17日 , https://note.com/ichi_twnovel/n/nfbc442281b86
暴かれた極秘プロジェクト...... 権威主義国に AI 監視システムを提供する「死の商人」グーグル , 一田和樹 , ニューズウィーク日本版 , 2022年09月22日 , https://www.newsweekjapan.jp/ichida/2022/09/ai.php
19) なぜ日本の「正しさ」は世界に伝わらないのか 日中韓 熾烈なイメージ戦 , 桒原響子 , 2020年3月16日 , ウェッジ
本書はパブリック・ディプロマシーについての本だが , デジタル影響工作に関する記述も多い . また , 国際世論がアメリカのメディアによるアジェンダ・セッティングに左右されることや , 日本のパブリック・ディプロマシーの過去の経緯などが整理されている .
20) The Great Economic Rivalry: China vs the U.S., ハーバード大学ベルファーセンター , 2022年3月23日 , https://www.belfercenter.org/publication/great-economic-rivalry-china-vs-us
21) Democratic regression in comparative perspective: scope, methods, and causes, スタンフォード大学フーヴァー研究所 , 2020年7月31日 , https://www.tandfonline.com/doi/full/10.1080/13510347.2020.1807517
民主主義の現在　全世界で後退する民主主義の現状と原因を解明　Democratic regression in comparative perspective: scope, methods, and causes, 一田和樹 note, 2020年12月23日 , https://note.com/ichi_twnovel/n/nc4bc54206a81
How to Save Democracy From Technology, Foreign Affairs, 2021年1/2月　号 , https://www.foreignaffairs.com/articles/united-states/2020-11-24/fukuyama-how-save-democracy-technology
民主主義とは何か , 宇野重規 , 講談社 , 2020年10月21日
COMMUNICATION FROM THE COMMISSION TO THE EUROPEAN

暴力のエコシステム2022年1月5日，一田和樹，一田和樹 note, 2022年4月6日，https://note.com/ichi_twnovel/n/nc27a142b81e3

16）The spread of true and false news online, Soroush Vosoughi1, Deb Roy1, Sinan Aral, Massachusetts Institute of Technology MIT, the Media Lab, 2018年3月9日
Emotion shapes the diffusion of moralized content in social networks, William J. Brady, Julian A. Wills, John T. Jost, Joshua A. Tucker, Jay J. Van Bavel, Proceedings of the National Academy of Sciences Jul 2017, 114 (28) 7313-7318; DOI: 10.1073/pnas.1618923114, https://www.pnas.org/content/114/28/7313
Critical posts get more likes, comments, and shares than other posts, Pew Research Center, 2017年2月17日，https://www.pewresearch.org/politics/2017/02/23/partisan-conflict-and-congressional-outreach/pdl-02-23-17_antipathy-new-00-02/
デマの影響力 なぜデマは真実よりも速く，広く，力強く伝わるのか?，シナン・アラル，ダイヤモンド社，2022年6月8日
武器化する世界：ネット，フェイクニュースから金融，貿易，移民まであらゆるものが武器として使われている，マーク・ガレオッティ，原書房，2022年7月21日　＊シナン・アラルは，MITでツイッターの全対ツイートデータをもとに分析を行い，「The spread of true and false news online」をまとめた．
AI vs. 民主主義：高度化する世論操作の深層（NHK出版，2020年2月10日）
ネット世論操作は怒りと混乱と分断で政権基盤を作る，一田和樹，ニューズウィーク日本版，2020年10月07日，https://www.newsweekjapan.jp/ichida/2020/10/post-11.php
「Online Political Influence Efforts Dataset（Version 3.0）」では影響工作の内容についても分析しており，国内外ともにもっとも多かったのは「説得」であった．しかし，詳細に集計結果を見てみると，「説得」と「中傷」はセットで使用されることが多く，「説得」のみの使用頻度あるいは他の内容との組み合わせは多くはなかった．

17）制御できない非対称兵器としての非国家アクター　#非国家アクターメモ　9，一田和樹 note, 2022年10月20日，https://note.com/ichi_twnovel/n/n9b8826283dd7
反主流派の権威主義国が非国家アクターを積極的に利用する理由のひとつは，コストが安く，関与を否定しやすいことがあげられている．たとえば，一般的に国家の責任が免責される可能性は下記のようになる．中露は実質的にPMCを利用しているが，法律ではこれを許していない．

アメリカのSNSプラットフォームが他の国のメディアエコシステムに悪影響を与え，差別や分断を助長していることでアメリカが責められないのも同じ理由である．そのため，非国家アクターの行ったことの責任を国家に求める場合，アメリカのビッグテックがもたらした災厄の責任をアメリカ政府が取らなければならないことになる．

| カテゴリー | | 内容 |
|---|---|---|
| 1 | 禁止 | 国家が攻撃を禁止しており、阻止に協力する |
| 2 | 禁止しているが不十分 | 協力的だが、攻撃の阻止にはいたらない |
| 3 | 無視 | 攻撃を知っても行動を取らない |
| 4 | 奨励 | 国家が攻撃を奨励し、第三者が攻撃を実施する |
| 5 | 支援 | 第三者が攻撃をコントロール、実施し、国家は支援を行う |
| 6 | 連携 | 国家が攻撃の内容を秘密裏に提案する |
| 7 | 指示 | 国家がプロキシを使って攻撃を行う |
| 8 | 現場実行 | 現場の政府組織が攻撃を行うが、上層部は関知していない。この場合は協力的になる可能性がある |
| 9 | 実行 | 国家が実行する |
| 10 | 統合 | 国家が攻撃を行っている第三者を統合する |

免責される余地がある（1–2）　責任が発生する（3–7）
明確な責任が発生する（8–10）

07月14日 , https://www.newsweekjapan.jp/ichida/2020/07/post-2.php

14) プラットフォームによるコミュニティの管理は, 統合社会管理システムと同等の機能を持ち, 一部の経済的精神的な依存度の高い利用者の行動を誘導できる. ただし民主主義国では SNS プラットフォームでは機能しない. たとえばアメリカの SNS プラットフォームのほとんどは利用者の行動をアルゴリズムや運用にフィードバックしており, その結果相互に影響を与え合う形となっているため, 一定の方向に誘導するようはなっていない. ただし, あらかじめプラットフォームのシステムにセットされている目的と偏向に最適になるようアルゴリズムや運用は調整される. ほとんどの場合は利潤の追求を目的とし, 多様な開発者および運用関係者(経営陣含む)の偏向が反映されている. コード化された偏向は機能的に陳腐化したコードの修正よりも発見しにくく, 修正しにくい.

中露はこのプラットフォームの統合管理機能を「利用者」として悪用し, コロナ禍で Q アノンの陰謀論者や白人至上主義者の主張を増幅し, コミュニティを大きくした. 一連の流れを AI に学習させ, さまざまなコミュニティを拡大し, 過激にするアルゴリズムによる攻撃も可能で, 無数のコミュニティに対して仕掛け, そのうちいくつかが事件化するだけで相手国の社会には大きなダメージとなる. しかも, その時の主体は中露ではなく, 相手国のコミュニティに属する現地のメンバーである.

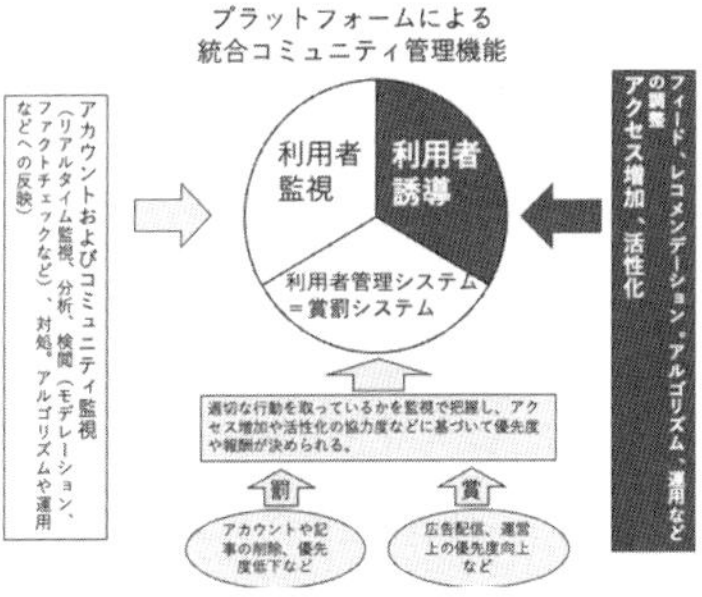


また, 中国は全世界に利用者を持つ自国の企業もしくは出資先の SNS やゲームを利用して同じことを行うことが可能である.

15) Manufacturing Consensus, サミュエル・ウーリー, イエール大学出版局, 2023年1月31日

Nanoinfluencers Are Slyly Barnstorming the 2020 Election, wired, 2020年8月15日 , https://www.wired.com/story/opinion-nanoinfluencers-are-slyly-barnstorming-the-2020-election/

How Wannabe Instagram Influencers Use Bots to Appear Popular, Digiday, 2017年8月1日 , https://digiday.com/marketing/wannabe-instagram-influencers-use-bots-appear-popular/

Fighting Instagram's $1.3 Billion Problem—Fake Followers, wired, 2020年9月10日 , https://www.wired.com/story/instagram-fake-followers/

アメリカのシンクタンク NEW AMERIKA とアリゾナ州立大学およびプリンストン大学の Bridging Divides Initiative は, その前後の SNS データおよび Armed Conflict Location and Event Data Project( ACLED) の Crisis Monitor データを解析した結果をレポートにまとめている.

Parler and the Road to the Capitol Attack, NEW AMERIKA, アリゾナ州立大学, プリンストン大学の Bridging Divides Initiative, 2022年1月5日 , https://www.newamerica.org/future-frontlines/reports/parler-and-the-road-to-the-capitol-attack/

The Future of 'Stop the Steal': Post-Election Trajectories for Right-Wing Mobilization in the United States, 2022年12月10日 , https://acleddata.com/2020/12/10/the-future-of-stop-the-steal-post-election-trajectories-for-right-wing-mobilization-in-the-us/

昨年の合衆国議会議事堂暴動を生んだ

Leonardo Dantas Amarpreet Kaur Robert Kraemer Tristan Jahn Grady Thomson Hank Cheng Katherine Gan Jazmin Santos-Perez, プリンストン大学 Empirical Studies of Conflict Project, https://esoc.princeton.edu/WP27

10）How Civil Wars Start_ And How to Stop Them, Barbara F. Walter, Crown, 2022年1月11日
アメリカが直面する内戦の危機と中絶問題——武装化したQAnonやプラウドボーイズ，一田和樹，ニューズウィーク日本版，2022年08月19日，https://www.newsweekjapan.jp/ichida/2022/08/qanon.php
アメリカ内戦を予見した衝撃のベストセラー『How Civil Wars Start』，一田和樹 note, 2022年8月17日，https://note.com/ichi_twnovel/n/n96588acc900a

11）ストーリーが世界を滅ぼす——物語があなたの脳を操作する，ジョナサン・ゴットシャル，東洋経済新報社，2022年7月29日

12）Exporting digital authoritarianism The Russian and Chinese models, Alina Polyakova, Chris Meserole, ブルッキングス研究所，https://www.brookings.edu/research/exporting-digital-authoritarianism/
Freedom on the Net 2018 The Rise of Digital Authoritarianism, Adrian Shahbaz, フリーダムハウス，2018年，https://freedomhouse.org/report/freedom-net/2018/rise-digital-authoritarianism
The Global Expansion of AI Surveillance, カーネギー国際平和財団，2019年9月17日，https://carnegieendowment.org/2019/09/17/global-expansion-of-ai-surveillance-pub-79847
Special Report: How ZTE helps Venezuela create China-style social control, ロイター，2018年11月14日，https://www.reuters.com/article/us-venezuela-zte-specialreport/special-report-how-zte-helps-venezuela- create-china-style-social-control-idUSKCN1NJ1TT
#InfluenceForSale: Venezuela's Twitter Propaganda Mill, デジタル・フォレンジック・リサーチラボ，2019年2月3日，https://medium.com/dfrlab/influenceforsale-venezuelas-twitter-propaganda-mill-cd20ee4b33d8
新しい世界の話をしよう，一田和樹，神奈川大学アジア研究センター講演資料 18ページ，2019年11月13日，https://ichida.fanbox.cc/posts/656717
世界に蔓延するネット世論操作産業．市場をリードするZTEとHUAWEI, ハーバービジネスオンライン，2019年10月21日，https://hbol.jp/pc/204608/
HUAWEIアニュアルレポート(2017年度，2018年度)
激動のベネズエラ．斜陽国家の独裁者を支持すべく，暗躍するネット世論操作の実態，ハーバービジネスオンライン，2019年2月27日，https://hbol.jp/pc/186694/

13）EXAMINING THE EXPANDING WEB OF CHINESE AND RUSSIAN INFORMATION CONTROLS, OPEN TECHNOLOGY FUND, 2019年9月17日，https://www.opentech.fund/news/examining-expanding-web-chinese-and-russian-information-controls/
国家の保有データの一括体系化目指し「国家情報管理システム」の創設法案起草，JETRO, 2019年08月20日，https://www.jetro.go.jp/biznews/2019/08/f3b20eff10db851b.html
コロナ禍でも威力を発揮したロシアのデジタル監視システム　輸出で影響力増大，一田和樹，ニューズウィーク日本版，2020年08月14日，https://www.newsweekjapan.jp/ichida/2020/08/sormnsud.php
中国が一帯一路で進める軍事，経済，文化，すべてを統合的に利用する戦い，一田和樹，ニューズウィーク日本版，2020年

『知能化戦争』（龐宏亮，2021年4月1日，五月書房新社）
認知領域とグレーゾーン事態の掌握を目指す中国，山口信治，八塚正晃，門間理良，防衛研究所，2022年11月25日，http://www.nids.mod.go.jp/publication/chinareport/pdf/china_report_JP_web_2023_A01.pdf
防衛研究所の「中国安全保障レポート2023」は中国の認知領域とグレーゾーン活動のわかりやすい解説書，一田和樹 note, 2022年11月29日，https://note.com/ichi_twnovel/n/n3efc8ab884db
アメリカに対する中国のデータ優位性を莫大な事例から分析した『Trafficking Data』，一田和樹，一田和樹 note, 2022年11月4日，https://note.com/ichi_twnovel/n/n968ce23c47b0
Trafficking Data: How China Is Winning the Battle for Digital Sovereignty, Aynne Kokas, Oxford University Press, 2022年11月1日
New Tech, New Concepts: China's Plans for AI and Cognitive Warfare, 髙木耕一郎，2022年4月13日，https://milterm.com/archives/2464
Can China Build a World-Class Military Using Artificial Intelligence?, 髙木耕一郎，2023年2月7日，https://www.realcleardefense.com/articles/2023/02/07/can_china_build_a_world-class_military_using_artificial_intelligence_880120.html
中国政府が世界各国からデータを入手する3つの手法とは ..., 一田和樹，ニューズウィーク日本版，2022年11月14日，https://www.newsweekjapan.jp/ichida/2022/11/3-2.php
6）Recapping Our 2022 Coordinated Inauthentic Behavior Enforcements, Meta, 2022年12月15日，https://about.fb.com/news/2022/12/metas-2022-coordinated-inauthentic-behavior-enforcements/ Metaが2022年にテイクダウンしたCIBについての分析．外国からの干渉に注目が集まることが多いが，3分2は国内向けだったとレポートしている．
Industrialized Disinformation 2020 Global Inventory of Organized Social Media Manipulation, Samantha Bradshaw, Hannah Bailey, Philip N. Howard, オクスフォード大学，https://demtech.oii.ox.ac.uk/research/posts/industrialized-disinformation/
Online Political Influence Efforts Dataset（Version 3.0），Diego A. Martin † Jacob N. Shapiro ‡ Julia G. Ilhardt, プリンストン大学 Empirical Studies of Conflict Project, 2022年2月3日，https://esoc.princeton.edu/publications/trends-online-influence-efforts
＊ページには2020年時点の説明しかないが，レポートをダウンロードすると2022年最新のものとなっている．2023年にはさらに更新されている可能性もあるので要確認．
7）Taking down coordinated inauthentic behavior from Russia and China, Ben Nimmo, Mike Torrey, Meta, 2022年9月27日，https://about.fb.com/news/2022/09/removing-coordinated-inauthentic-behavior-from-china-and-russia/
8）Which Countries Support the New Hong Kong National Security Law?, THE DIPLOMAT, 2020年6月6日，https://thediplomat.com/2020/07/which-countries-support-the-new-hong-kong-national-security-law/
The "22 vs. 50" Diplomatic Split Between the West and China Over Xinjiang and Human Rights, ジェイムズタウン財団，2019年12月31日，https://jamestown.org/program/the-22-vs-50-diplomatic-split-between-the-west-and-china-over-xinjiang-and-human-rights/
新疆ウイグル問題が暗示する民主主義体制の崩壊 ...... 自壊する民主主義国家，一田和樹，ニューズウィーク日本版，2020年11月13日，https://www.newsweekjapan.jp/ichida/2020/11/post-14.php
9）ESOC Working Paper #27: Media Reporting on International Affairs, Andrew C. Shaver

operations-related-xinjiang

3） 防衛3文書 https://www.mod.go.jp/j/approach/agenda/guideline/

4）防衛省，世論工作の研究に着手 AI活用，SNSで誘導，共同通信，2022年12月9日，https://nordot.app/973917552334143488?c=39550187727945729

防衛大臣記者会見，防衛省報道資料，2022年12月13日（火）13:58〜14:15, https://www.mod.go.jp/j/press/kisha/2022/1213a.html

「認知領域に係る動向調査等」を受託したのはEYストラテジー・アンド・コンサルティング（アーンスト・アンド・ヤングのネットワークの一員）で，受託金額は620万円（https://www.mod.go.jp/atla/data/info/ny_honbu/pdf_ichiran/04-ekimu-kyousou-h-09.pdf, https://nsearch.jp/nyusatsu_ankens/63958436b23e4911aac13cec）．調査に留まっており，開発や実施ではない．

EYストラテジー・アンド・コンサルティングに関しては，「怪しげな構図」の指摘もある．経済安保の推進に絡むあまりに「怪しげな構図」金融庁、防衛省への「不当介入」に国会で疑義（3ページ目），東洋経済，2022年3月29日，https://toyokeizai.net/articles/-/577863?page=3

5）中国はAIの利用領域として認知戦を重要視し，研究を進めている．しかし，その実態はよくわかっていない．外部に公開された資料で断片的にわかる程度である．おおまかな考え方は龐宏亮の『知能化戦争』（2021年，日本語版，とわざわざ書くのは2004年に同氏が刊行した『智能化戦争』と区別するためである）に書かれているものの，具体的な内容まではわからない．

AIの兵器利用は兵器だけではなく，戦争形態から軍の組織編成までの大きな変化をもたらす．すでにアメリカや中国は新しい戦争に向けて整備を進めているが，日本はまだ追いついていないようだ．これまでの考え方をドラスティックに変えるには想像力が必要であり，現在日本にもっとも欠けているものと言える．「想像力の限界が将来の戦略を制限する」のだ．

たとえば，国内向け統合管理システムは国民の権利と財産を支配している国家において可能なものだが，類似のことはSNSなどのサービスでも経済的な便益やアイデンティティを握ることで可能だ（くわしく出典14を参照）．中国企業のSNSはアメリカに次ぐ規模となっているし，フォートナイトのEpic Games社を始めとするさまざまなゲーム企業に出資している．また，ハイアールなどの家電製品やフィットネストラッカーはスマホアプリと連動することでスマホの情報を収集していると言われている．これらの情報とそれが生み出す経済圏とアイデンティティ（特にSNSとゲームの世界）と連動する統合管理システムによる利用者の誘導は可能だろう．

また，現在世界はアメリカを中心とするグローバルノース主流派と，反主流派に分かれており，その分断は広がっている．主流派の国にいる反主流派のグループを扇動するすることは現在も行われている．AIを使ったより効率的な扇動が可能になれば「虐殺の文法」に匹敵する暴動誘発アルゴリズム（内乱の文法）を使って各国で暴動を起こすこともできるはずだ．

「虐殺の文法」とは小説『虐殺器官』（伊藤計劃，2010年2月10日，ハヤカワ文庫JA）に登場する虐殺を司る器官を活性化させる文法．

アメリカ連邦議事堂襲撃事件やドイツのクーデター未遂事件などに見るようにSNSで扇動されて集まった人々には体制に抗う力がない．しかし，自律型のAI兵器ならばひとりのオペレーターが多数の兵器に同時に命令を与えることができる．また兵器の価格は安く，オペレーターの訓練に必要な時間もわずかである．AI兵器は民生品あるいは3Dプリンタで作ることができる可能性があり，アルゴリズムは中露が密かに提供する可能性がある．

Trump Era: An Analysis of Who Believes the Conspiracies, Public Religion Research Institute, 2022年2月24日 , https://www.prri.org/research/the-persistence-of-qanon-in-the-post-trump-era-an-analysis-of-who-believes-the-conspiracies/
Putin's mysterious Facebook 'superfans' on a mission By Jack Goodman & Olga Robinson（BBC, 2022年4月10日 , https://www.bbc.com/news/blogs-trending-61012398）
Russia's narratives about its invasion of Ukraine are lingering in Africa, ブルッキングス研究所 , 2022年6月27日 , https://www.brookings.edu/blog/africa-in-focus/2022/06/27/russias-narratives-about-its-invasion-of-ukraine-are-lingering-in-africa/
The virus, the war, elections, and much more … What did fact-checked disinformation look like in the first six month of 2022 in France, Germany, and Spain?, EU DisinfoLab, 2022年7月22日 , https://www.disinfo.eu/publications/what-did-fact-checked-disinformation-look-like-in-the-first-six-month-of-2022-in-france-germany-and-spain/
「Investigating Twitter Disinformation in Ukraine」 シリーズ , Mythos Labs, https://mythoslabs.org/2022/01/04/investigating-twitter-disinformation-in-ukraine/
Mythos Labs によるロシアのツイッター活動レポート6月21日公開 , 一田和樹 note, 2022年7月11日 , https://note.com/ichi_twnovel/n/n03167e31ccb5
Who's Behind #IStandWithPutin?, Carl Miller, The Atlantic, 2022年4月5日 , https://www.theatlantic.com/ideas/archive/2022/04/russian-propaganda-zelensky-information-war/629475
A Global Tour Through Russian Propaganda, Sana Sekkarie, MIBURO, 2022年5月6日 , https://miburo.substack.com/p/a-global-tour-through-russian-propaganda
MIBURO の記事からわかるロシア情報戦のターゲットと成果 , 一田和樹 note, 2022年5月6日 , https://note.com/ichi_twnovel/n/n5033cf59dec1　＊その後 , マイクロソフト社は MIBURO 社を買収してデジタル影響工作の分析力を強化した .
ウクライナ侵攻と情報戦　72ページ , 一田和樹 , 扶桑社新書 , 2022年7月
15）How Civil Wars Start_ And How to Stop Them, Barbara F. Walter, Crown, 2022年1月11日

## 第1章　デジタル影響工作とはなにか

1）Unheard Voice: Evaluating five years of pro-Western covert influence operations (TAKEDOWN), Graphika, Stanford Internet Observatory, 2022年8月24日 , https://cyber.fsi.stanford.edu/publication/unheard-voice-evaluating-five-years-pro-western-covert-influence-operations-takedown
暴かれたアメリカのデジタル影響工作 UNHEARD VOICE, 一田和樹 note, https://note.com/ichi_twnovel/n/n7867331b7cd5
2）ウイグル名乗り「私たちは幸せ」…弾圧否定する「証言動画」日本語でも拡散 , 情報工作か , 讀賣新聞 , 2022年6月26日 , https://www.yomiuri.co.jp/world/20220626-OYT1T50022/
Analyzing Twitter Disinformation/Propaganda Related to Russian Aggression Against Ukraine, Mythos Labs, 2022年6月21日 , https://mythoslabs.org/wp-content/uploads/2022/06/Part-IV-Analyzing-Pro-Russian-DisinformationPropaganda-Related-to-Ukraine.pdf
Assessing the impact of CCP information operations related to Xinjiang, Australian Strategic Policy Institute（ASPI）, 2022年7月20日 , https://www.aspi.org.au/report/assessing-impact-ccp-information-

research, C. Glenn Begley & Lee M. Ellis, ネイチャー, 2012年3月28日, https://doi.org/10.1038/483531a
Is Economics Research Replicable? Sixty Published Papers from Thirteen Journals Say "Usually Not", Andrew C. Chang, Phillip Li, Finance and Economics Dis- cussion Series 2015-083. Washington: Board of Governors of the Federal Reserve System, http://dx.doi.org/10.17016/FEDS.2015.083
Estimating the reproducibility of psychological science, サイエンス, 2015年8月28日, https://doi.org/10.1126/science.aac4716
The Psychology of Totalitarianism (English Edition), Mattias Desmet, Chelsea Green Publishing, 2022年6月23日
12）ツイッターのトレンドが利用者によって操作されていたことはツイッター社自身が認めているし，フェイスブックは投稿などへのアクセス優先度を変えるためにアルゴリズムを変更してきた．フェイスブックペーパーで暴かれたような運用面での調整は外部に公開されない．これらの影響を無視した解析の信憑性はどのように担保されるのだろう?
Twitter to Add Context to Trending Topics, 2019年8月20日, https://www.nytimes.com/2019/08/20/technology/facebook-news-humans.html
Food Businesses Lose Faith in Instagram After Algorithm Changes, 2022年3月22日, https://www.nytimes.com/2022/03/22/dining/instagram-algorithm-reels.html
アルゴリズムがガセネタ掲載：Facebook「トレンド機能」の顚末, wired, 2016年8月31日, https://wired.jp/2016/08/31/facebook-fires-human-editors/
フェイスブックのアルゴリズム変更についての説明，マーク・ザッカーバーグ, 2018年1月19日, https://www.facebook.com/zuck/posts/10104445245963251
最近ではツイッター社のキュレーションによってメディアのコンテンツのRTを伸びていたことを検証した記事もある．RTを同意や共感などなんらかの指標に使用するケースは多いが，その数はツイッター社のキュレーションによる影響を受けている．同様の影響をもたらすものが他にもあるだろう．
ハフポストに見るTwitterキュレーションの効果，データをいろいろ見てみる, 2022年12月20日, https://note.com/shioshio38/n/n775930353e21
13）How Ukraine Won The #LikeWar, P.W. SINGER, POLITICO, 2022年3月12日, https://www.politico.com/news/magazine/2022/03/12/ukraine-russia-information-warfare-likewar-00016562
SNS情報戦「ウクライナ勝利」 戦略家が語るプーチン氏の「崩壊」, 朝日新聞デジタル, 2022年3月12日, https://www.asahi.com/articles/ASQ3D4TYXQ3CUHBI00C.html
14）Support from the Conspiracy Corner: German-Language Disinformation about the Russian Invasion of Ukraine on Telegram, Institute for Strategic Dialogue, 2022年3月4日, https://www.isdglobal.org/digital_dispatches/support-from-the-conspiracy-corner-german-language-disinformation-about-the-russian-invasion-of-ukraine-on-telegram/
Q VADIS? The Spread of QAnon in the German-Speaking World, Center for Monitoring, Analysis, and Strategy, 2022年3月31日, https://cemas.io/en/publikationen/q-vadis-the-spread-of-qanon-in-the-german-speaking-world/
Which groups of Americans believe conspiracy theories about Ukraine and Russia?, YouGov, 2022年3月30日, https://today.yougov.com/topics/politics/articles-reports/2022/03/30/which-groups-believe-conspiracies-ukraine-russia
The Persistence of QAnon in the Post-

「世界各地で同じことが起こる?」ドイツのクーデター未遂事件が予兆する世界……, 一田和樹, ニューズウィーク日本版, 2022年12月13日, https://www.newsweekjapan.jp/ichida/2022/12/post-41.php

5）実際にはいくつかすでに刊行されているものもある. ただ, 計算社会学やメディア論, 安全保障の専門家まで含んだものは知り限りまだない.

ハックされる民主主義：デジタル社会の選挙干渉リスク, 土屋大洋（編著）, 川口貴久（編著）, 加茂具樹, 湯淺墾道, 藤村厚夫, 会田弘嗣, 千倉書房, 2022年3月15日

偽情報戦争　あなたの頭の中で起こる戦い, 小泉悠, 桒原響子, 小宮山功一朗, ウェッジ, 2023年1月19日

6）公式サイト https://ichida-kazuki.com

Amazon の拙著一覧, https://www.amazon.co.jp/ 一田 - 和樹 /e/B004VMHA1U/

7）Manufacturing Consensus, サミュエル・ウーリー, イエール大学出版局, 2023年1月31日

The Oxygen of Amplification: Better Practices for Reporting on Extremists, Antagonists, and Manipulators, Whitney Phillips, Data and Society Research Institute, 2018年5月22日, https://datasociety.net/library/oxygen-of-amplification/

The Impact of Digital Platforms on News and Journalistic Content, Derek Wilding, Peter Fray, University of Technology Sydney, 2018年12月7日, https://www.accc.gov.au/system/files/ACCC+commissioned+report+-+The+impact+of+digital+platforms+on+news+and+journalistic+content,+Centre+for+Media+Transition+(2).pdf

Partisanship, Propaganda, and Disinformation: Online Media and the 2016 U.S. Presidential Election, Robert M. Faris, Berkman Klein Center for Internet and Society, 2017, http://nrs.harvard.edu/urn-3:HUL.InstRepos:33759251

8）多数決を疑う——社会的選択理論とは何か, 坂井豊貴, 岩波新書, 2015年4月22日

9）民主主義の死に方：二極化する政治が招く独裁への道, スティーブン・レビツキー, ダニエル・ジブラット, 新潮社, 2018年9月27日

10）Atlas of AI: Power, Politics, and the Planetary Costs of Artificial Intelligence, Kate Crawford, Yale University Press, 2021年4月6日　＊本書は AI に特化した研究サプライチェーンの本だが, 現在入手できる数少ない資料として貴重である.

ビッグデータ統計は, 中立や客観性を保証せず, しばしば偏りを生む, 一田和樹, ニューズウィーク日本版, 2021年10月26日, https://www.newsweekjapan.jp/ichida/2021/10/post-30.php

11）再現性の危機に関する論文は多数あり, さまざまな科学分野にわたっている. 日本では心理学分野の問題として紹介されることが多いようだが, 実際には物理学の一部をのぞく科学分野で起きている. 経済学, 生物学, 医学などでも起きているのだ. ここで紹介しているのはごく一部に過ぎない. 個別の理論や研究者の問題ではなく, 方法論そのものの問題ととらえることもある. 最近刊行された「The Psychology of Totalitarianism」はハンナ・アーレントの思想を援用しながら, 再現性の危機が象徴するのは社会全体が全体主義に向かっていることとであると分析している.

Why Most Published Research Findings Are False, John P. A. Ioannidis, PLOS MEDICINE, 2005年8月30日, https://doi.org/10.1371/journal.pmed.0020124

How Many Scientists Fabricate and Falsify Research? A Systematic Review and Meta-Analysis of Survey Data, Daniele Fanelli, PLOS ONE, 2009年5月29日, https://doi.org/10.1371/journal.pone.0005738

Raise standards for preclinical cancer

# 出典および注


## はじめに

1）A 61-million-person experiment in social influence and political mobilization, Robert M. Bond, Christopher J. Fariss, Jason J. Jones, Adam D. I. Kramer, Cameron Marlow, Jaime E. Settle & James H. Fowler, social influence and political mobilization. Nature 489, 295–298 (2012), https://doi.org/10.1038/nature11421
＊デジタル影響工作を含む影響工作の実態については，古典だが，「The Kremlin's Trojan Horses」（https://www.atlanticcouncil.org/in-depth-research-reports/report/kremlin-trojan-horses/）3部作が参考になる．古い資料だが，ロシアがなにを行っているかがよくわかる．拙著「フェイクニュース　戦略的戦争兵器」（角川新書，2018年11月10日）に最初の2部の内容を多く参照している．

2）Defending Ukraine: Early Lessons from the Cyber War, マイクロソフト社，2022年6月22日，https://blogs.microsoft.com/on-the-issues/2022/06/22/defending-ukraine-early-lessons-from-the-cyber-war/
Russia's narratives about its invasion of Ukraine are lingering in Africa, ブルッキングス研究所，2022年6月27日，https://www.brookings.edu/blog/africa-in-focus/2022/06/27/russias-narratives-about-its-invasion-of-ukraine-are-lingering-in-africa/

3）A Global Tour Through Russian Propaganda, MIBURO, 2022年5月6日，https://miburo.substack.com/p/a-global-tour-through-russian-propaganda

4）In Brazil, QAnon Has a Distinctly Bolsonaro Flavor, Foreign Policy., 2021年2月10日，https://foreignpolicy.com/2021/02/10/brazil-qanon-bolsonaro-online-internet-conspiracy-theories-anti-vaccination/
How Facebook and TikTok are helping push Stop the Steal in Brazil, 2022年10月29日，https://www.washingtonpost.com/world/2022/10/29/facebook-tiktok-brazil-election-disinformation/
ドイツ，極右団体のメンバーとされる25人拘束　国家転覆画策か，ロイター，2022年12月7日，https://jp.reuters.com/article/germany-politics-raids-idJPKBN2SR0R5
Germany Dismantles Suspected QAnon-Inspired Terrorist Group, Wall Street Journal, 2022年12月7日，https://www.wsj.com/articles/germany-dismantles-suspected-qanon-inspired-terrorist-group-11670405579
Germany: Extremism and Terrorism, Counter Extremism, https://www.counterextremism.com/countries/germany-extremism-and-terrorism

# ネット世論操作《よろんそうさ》とデジタル影響工作《えいきょうこうさく》

## 「見《み》えざる手《て》」を可視化《かしか》する

●

2023年3月20日　第1刷

●

著者…………一田和樹《いちだかずき》／齋藤孝道《さいとうたかみち》／藤村厚夫《ふじむらあつお》
藤代裕之《ふじしろひろゆき》／笹原和俊《ささはらかずとし》／佐々木孝博《ささきたかひろ》
川口貴久《かわぐちたかひさ》／岩井博樹《いわいひろき》

装幀…………松木美紀

発行者…………成瀬雅人
発行所…………株式会社原書房

〒160-0022 東京都新宿区新宿1-25-13
電話・代表03（3354）0685
http://www.harashobo.co.jp
振替・00150-6-151594

印刷…………新灯印刷株式会社
製本…………東京美術紙工協業組合

©K.Ichida, T.Saito, A.Fujimura, H.Fujishiro,
K.Sasahara, T.Sasaki, T.Kawaguchi, H.Iwai
ISBN978-4-562-07265-1, Printed in Japan